W9-AEC-016

WITHDRAWN
LENOIR-RHYNE UNIVERSITY

MANUEL
DE LA
LITTÉRATURE FRANÇAISE

The Century Modern Language Series
Kenneth McKenzie, Editor

MANUEL
DE LA
LITTÉRATURE FRANÇAISE

PAR

PHILIP H. CHURCHMAN
CLARK UNIVERSITY

J. P. LE COQ
DRAKE UNIVERSITY

ET

CHARLES E. YOUNG
UNIVERSITY OF WISCONSIN, EXTENSION DIVISION

D. APPLETON-CENTURY COMPANY
INCORPORATED
New York   *London*

CARL A. RUDISILL
LIBRARY
LENOIR RHYNE COLLEGE

COPYRIGHT, 1936, BY

D. APPLETON-CENTURY COMPANY, INC.

All rights reserved. This book, or parts
thereof, must not be reproduced in any
form without permission of the publisher.

7840.9
C 47 m

29369
ap'51

PRINTED IN THE UNITED STATES OF AMERICA

PRÉFACE DE L'ÉDITION ANGLAISE[1]

L'abondance toujours croissante d'excellents manuels d'histoire de la littérature française, des deux côtés de l'océan, rendrait téméraire toute concurrence, et la compétition n'est certes pas le but de ce modeste volume. Pour une lecture plus détaillée, les auteurs s'en rapportent aux ouvrages modèles bien connus qu'ils ne sauraient surpasser en aucun point.

C'est le but pédagogigue qui compte dans ce manuel; il a pour fin de présenter aux commençants d'une façon claire, concise, précise, intéressante et systématique, sans prétention, les points essentiels de la littérature française.

Il paraîtrait donc naturel que l'attrait principal d'un tel livre fût dans des cours généraux d'histoire de la littérature, car le labyrinthe de détails d'une œuvre plus volumineuse jette toujours l'étudiant, plus ou moins, dans une sorte de découragement. Si l'on veut ne pas fournir à l'élève un prétexte de ne pas lire les œuvres originales, mais lui donner, au contraire, un motif de les lire, il aura besoin, pour atteindre ce but, d'un manuel condensé dans lequel les faits essentiels auront été choisis et soigneusement présentés, sous une forme facile à apprendre. Aidé de cette base essentielle, on pourra s'attendre à ce qu'il *lise* plutôt qu'il n'*étudie* des commentaires plus développés dans des ouvrages de plus longue haleine, ou encore qu'il profite d'une analyse stimulante du domaine entier comme dans le petit volume de M. Strachey.

Nous espérons aussi que ce manuel sera utile en dehors des cours généraux de littérature. Premièrement comme résumé d'une période quelconque au début d'une étude intensive dans laquelle tous les détails auraient de l'intérêt. Deuxièmement comme résumé de faits pour ceux qui n'entre-

[1] Les parties de la préface de l'édition anglaise qui ne s'appliquent plus à l'édition française ont été supprimées.

prendraient jamais l'étude détaillée de la littérature française, par exemple, les élèves des classes intermédiaires. Troisièmement comme résumé suivi pour les classes étudiant un genre particulier, tel que le roman ou le théâtre.

Les sections qui suivent la première partie résument le développement historique de chaque genre important et fournissent une liste commode de définitions des termes les plus connus étudiés dans les discussions historiques et littéraires.

Les questions ne sont pas une sorte de catéchisme; toutes les réponses ne se trouvent même pas dans la sphère nécessairement limitée de ce livre. Elles ont pour objet de résumer les faits et d'éveiller l'intelligence de l'étudiant. Si elles amorcent suffisamment l'intérêt, l'élève cherchera quelques-unes de ses réponses dans des histoires plus volumineuses ou, mieux encore, dans les textes des auteurs.

En choisissant les matières essentielles pour le débutant, nous avons pensé que notre premier devoir était de fournir les principaux renseignements positifs, mais nous avons cru aussi que les jugements critiques les plus évidents—comme de la valeur artistique d'un homme ou d'un mouvement—contribueraient à la culture même du débutant tout autant que ces soi-disant " faits simples," pourvu que ces jugements et opinions ne fussent ni trop subjectifs ni trop incertains.

Bien que nous ayons visé à l'indépendance et, dans de rares occasions, à l'originalité, nous avons, dans tout le cours de ce livre, emprunté aux sources indispensables et bien connues, qui elles-mêmes ne sont que l'accumulation d'un fond d'information et d'opinions enregistrées dans des livres plus anciens ou plus spécialisés. Notre travail est essentiellement une compilation pédagogique et, en aucun sens, une contribution originale.

P. H. C.
C. E. Y.

PRÉFACE DE L'ÉDITION FRANÇAISE

Voici une traduction que l'on a voulue fidèle sans s'attacher à la rendre littérale. C'est un devoir, sans doute, de respecter l'original, voire même le style ; mais il faut en cela, comme en toutes choses, écouter la raison, car " une traduction altère toujours la physionomie de l'original, en se servant de mots qui ne peuvent être les équivalents absolus de ceux qu'elle remplace." [1] Une traduction trop littérale risque de donner un style guindé, manquant de naturel. Or, ce manuel est appelé non seulement à servir de guide historique et littéraire, mais à aider les élèves qui s'intéressent à la pensée par le style. L'esclave de la littéralité " peut bien rendre en son propre langage la pensée mais non pas la musique de la pensée, non pas cette petite chose, le style." [2] Il eût donc été vain d'essayer de reproduire le style. Je me suis attaché de préférence à la pensée, exprimée toujours avec simplicité et, espérons-le, avec clarté.

Cette traduction s'adresse aux étudiants qui veulent s'initier, dans la langue même, au développement de la littérature française. Ce manuel a été écrit par des Américains pour des étudiants américains. Destiné aux élèves de nos écoles, il devait être simple, il fallait surtout qu'il fût clair. L'idée dirigeante a donc été de considérer les besoins de l'étudiant américain, ses connaissances générales et ses difficultés. " En somme, je veux que ce soit le livre de mon écolier." [3] C'est dans ce but qu'on a évité les détails inutiles qui, par leur profusion, aveuglent l'étudiant au lieu de l'éclairer.

D'accord avec les auteurs, et pour éviter des répétitions, les parties I (" Landmarks ") et II (" Brief Synopsis ")

[1] Edmond Shérer, *Études sur la littérature contemporaine.*
[2] Joseph Bédier, *Avant-propos de la Chanson de Roland.*
[3] Montaigne, *De l'institution des enfants.*

de l'édition anglaise ont été supprimées; c'est ainsi que cette
édition française contient cinq parties au lieu de six. La
table chronologique forme une cinquième partie. Le questionnaire a été augmenté et refondu. De temps en temps il
a semblé à propos d'ajouter un nom propre, une date, une
citation même. Pour rendre plus d'unité à l'étude de
Voltaire, elle a été réunie dans un seul chapitre. Nous avons
traité plus longuement quelques auteurs contemporains, eu
égard à leur renommée actuelle. Enfin, les dates d'auteurs
disparus pendant les dernières années ont été mises à jour.

Je tiens à rendre tribut à l'indulgence et à la bienveillance
des auteurs de ce livre, à leur aide éclairée et constante sans
laquelle il eût été impossible de mener à bien cette entreprise
de traduction. J'adresse aussi mes remerciements au professeur Kenneth McKenzie de Princeton, et à mes collègues
les professeurs Brugère (State University of Iowa) et Lebert (New York University), qui ont consenti non seulement
à lire le manuscrit mais à extirper nombre d'erreurs et d'inélégances qui s'y étaient glissées. Les professeurs, Mme
Mary Frances Boyd (Drake University) et Messieurs McKenzie, Brugère, C. E. Young et surtout P. H. Churchman
ont accepté la tâche ingrate encore que nécessaire de lire et
de corriger les épreuves. Leur concours dévoué et éclairé
aura contribué à rendre ce manuel moins indigne de la " gent
écolière " américaine.

J. P. L. C.

TABLE DES MATIÈRES

PREMIÈRE PARTIE

ABRÉGÉ D'HISTOIRE ET DE LITTÉRATURE

CHAPITRE I

CHAPITRE II

CHAPITRE VI

DEUXIÈME PARTIE

SOMMAIRE DU DÉVELOPPEMENT DES GENRES PRINCIPAUX EN LITTÉRATURE

PREMIÈRE PARTIE

ABRÉGÉ D'HISTOIRE ET DE LITTÉRATURE

CHAPITRE I

LE MOYEN AGE PROPREMENT DIT (AVANT 1328)

Aperçu Historique

On peut, pour la mieux comprendre, diviser la littérature française en périodes chronologiques. La première période s'étend, approximativement, de 800 à 1500; c'est ce qu'on appelle le moyen âge. Pour plus d'exactitude, cette période peut elle-même se subdiviser en deux parties:

1. Le MOYEN AGE proprement dit, depuis le couronnement de Charlemagne, en l'an 800, jusqu'à l'avènement de Philippe VI de Valois, en 1328.

2. La PÉRIODE DE TRANSITION, de 1328 à l'avènement de François Ier en 1515.

La littérature française ne commence que vers 1100. Dans cet aperçu historique, cependant, il serait bon de jeter un coup d'œil rapide sur un millier d'années précédant cette époque.

La France s'appelait autrefois la Gaule, pays habité, à l'origine, par des peuplades de race celtique. La Gaule conquise par Jules César, cinquante ans environ avant l'ère chrétienne, fit partie intégrale de l'empire romain pendant quatre siècles. Les Gaulois s'adaptèrent sans difficulté à la civilisation romaine. Aux quatrième et cinquième siècles l'empire romain succomba sous l'attaque des tribus germaniques. La Gaule, à cette époque, fut aussi envahie par ces hordes barbares qui semèrent sur leur passage ruine et dévastation. Peu à peu les envahisseurs furent absorbés par les indigènes et de cette fusion gallo-romaine et germanique sortit une civilisation nouvelle.

3

Les Francs étaient une de ces tribus germaniques établies au nord de la Gaule. Vers l'an 500, CLOVIS, chef des Francs encore païens, se convertit au christianisme et presque tout le pays qui s'appelle aujourd'hui la France le reconnut pour roi. Il fonda la dynastie des Mérovingiens, du nom de Mérovée, un de ses ancêtres. Cette dynastie dura plus de deux siècles. En 732, CHARLES MARTEL battit, dans les environs de Tours, les Sarrasins ou Musulmans qui, après avoir occupé l'Espagne, avaient envahi la France; il assura ainsi pour l'Europe occidentale la victoire du christianisme sur la religion de Mahomet. Charles Martel était maire du palais, c'est-à-dire premier ministre d'un de ces faibles rois appelés fainéants. En 752, son fils, PÉPIN LE BREF, fut proclamé roi.

Une nouvelle dynastie commence, celle des Carolingiens, qui doit son nom à Carolus ou Charles, fils de Pépin, connu dans l'histoire sous le titre de CHARLEMAGNE, c'est-à-dire Charles le Grand. Celui-ci fit de nombreuses conquêtes, battit plusieurs fois les Maures d'Espagne et les Saxons. En l'an 800, le jour de Noël, il fut couronné empereur d'Occident, à Rome, par le pape Léon III. Charlemagne gouverna avec sagesse, fonda des écoles, encouragea les lettres et les arts; mais ce grand empire, fondé par lui, succomba bientôt entre les faibles mains de ses héritiers. En 843 ses petits-fils signèrent le TRAITÉ DE VERDUN. Ceux-ci se partagèrent l'empire en trois parties correspondant à peu près à la France d'aujourd'hui, à l'Allemagne et à la région qui s'étend le long du Rhin. Cette bande de terre a été, jusqu'à nos jours, l'objet de disputes continuelles. Vers la fin du dixième siècle la dynastie carolingienne disparut. Des pirates venus du Nord, aux environs de 900, s'établirent, avec l'assentiment du roi, sur un territoire situé sur les bords de la Manche. Ces hommes du Nord, connus sous le nom de Normands, s'assimilèrent rapidement à la population indigène. Ce fut la dernière contribution importante à la nation française.

En 987 HUGUES CAPET fut proclamé roi. C'était un puissant seigneur féodal dont les domaines entouraient Paris. On peut dire qu'il fut, au sens actuel du mot, le premier roi de France, malgré l'exiguïté de l'état qui lui appartenait en propre. La dynastie des Capétiens a duré, sous des branches diverses, jusqu'à Louis XVI, qui mourut sur l'échafaud en 1793. Pendant trois siècles les Capétiens s'efforcèrent de consolider le royaume et d'abattre le pouvoir des grands seigneurs. Ces derniers devaient leur force à la FÉODALITÉ, système de protection mutuelle établi au moyen âge entre les maîtres et les vassaux. Le système féodal donnait ainsi aux seigneurs, propriétaires de vastes domaines, une autorité souvent égale à celle du roi, autorité à laquelle était soumise toute une armée de vassaux. Ces grands seigneurs devaient obéissance au roi, obéissance purement nominale, cependant, si bien qu'ils se révoltaient fréquemment contre leur suzerain.

Après la CONQUÊTE DE L'ANGLETERRE PAR LES NORMANDS (1066) les rois anglo-normands avaient, par des mariages et des héritages, acquis certains droits sur de vastes portions de la France. Ces prétendus droits donnèrent lieu à de longues querelles qui durent peu à peu être tranchées par les armes. PHILIPPE-AUGUSTE, vainqueur à Bouvines des Allemands et de leurs alliés anglais et flamands, laissa à sa mort, en 1223, un royaume unifié. A la mort de son petit-fils, LOUIS IX, plus connu sous le nom de SAINT LOUIS, le pouvoir royal se trouvait fortement consolidé.

LES CROISADES (1096–1270) contribuèrent également au développement de l'autorité royale. Toutes les nations de l'Europe occidentale prirent part à ces expéditions militaires en Palestine dans le but de remettre les lieux saints entre les mains des chrétiens. La France, qui fut la première à l'honneur et à la peine, perdit un grand nombre de seigneurs et de chevaliers; la fortune d'un grand nombre sombra également dans l'entreprise. La Croisade contre les Albigeois (1207–1218), secte hérétique du Midi, agrandit le domaine du roi. En 1302 Philippe IV convoqua les États-Généraux, représentants des trois classes de la nation: la *Noblesse*, le *Clergé* et la *Bourgeoisie*. Cette convocation contribua à affermir le pouvoir du roi, car la Bourgeoisie, flattée d'avoir été invitée pour la première fois à participer aux affaires du royaume, donna désormais son appui à la Royauté.

La Langue Française

Environ quatre-vingt-dix pour cent des mots français viennent du latin. Le reste est formé d'éléments divers: quelques centaines de mots d'origine germanique, un petit nombre d'origine celtique, et enfin certains mots empruntés aux langues anglaise, italienne, arabe, espagnole, etc.

En Gaule, au temps de la conquête par Jules César, on parlait une langue appartenant au groupe celtique. Ce même groupe est encore représenté aujourd'hui par le gallois et d'autres dialectes gaéliques dans les îles britanniques; en France, il survit sous le nom de *breton*.

Le latin s'introduisit peu à peu dans la Gaule, devenue province romaine; mais ce fut plutôt le latin des marchands, des soldats et des colons romains, autrement dit, le latin vulgaire, qui prédomina. Cette langue du peuple se distinguait très nettement du latin classique dont se servaient les lettrés dans leurs discours ou dans leurs écrits. L'invasion franque valut au pays quelques centaines de mots nouveaux, appartenant pour la plupart aux choses militaires du temps; mais leur inclusion n'empêcha pas le développement naturel de la langue. Ainsi, grâce à des phénomènes de linguistique variés, le latin parlé par les conquérants de la Gaule forma, au cours des siècles, la langue française d'aujourd'hui.

La langue gallo-romaine était loin d'être uniforme. Les nombreux dialectes formaient deux groupes principaux : la *langue d'oïl,* au nord ; et la *langue d'oc,* au sud (*oïl* et *oc* signifient *oui*). Parmi les dialectes de *langue d'oïl,* c'est le dialecte de l'Ile de France, c'est-à-dire de la région avoisinant Paris, qui devint graduellement la langue française sous sa forme actuelle. Ce dialecte fut de bonne heure la langue de la cour et de la capitale, et sa propagation suivit les progrès du domaine royal. Le provençal moderne, parlé encore dans le Midi, dérive de la *langue d'oc.*

Le français, tel qu'il existe, contient deux éléments distincts, l'un d'origine populaire et l'autre d'origine savante. Les mots d'origine populaire ont été transmis par tradition orale ; ceux d'origine savante viennent directement du latin littéraire puisé dans les livres à mesure que l'élément civilisateur de la société en fit sentir la nécessité. C'est ce qui explique pourquoi les mots d'origine savante ressemblent beaucoup plus au latin original que les mots d'origine populaire. Ainsi le mot latin *hospitalem* a donné les mots français " hôtel " et " hôpital " ; *fragilem* a donné " frêle " et " fragile."

Les Premiers Monuments Linguistiques

Vers le milieu du neuvième siècle on voit paraître les traces d'une langue qui n'est pas encore le français mais qui n'est déjà plus le latin. De cette période de transition il n'existe que quelques documents dont voici les principaux :

(a) *Les Glossaires de Cassel* et *de Reichenau* (ainsi nommés du nom des villes où ils sont conservés) renferment des listes de mots latins ou germaniques avec leurs équivalents gallo-romains.

(b) *Les Serments de Strasbourg,* ou traité d'alliance formulé en 842 par deux des petits-fils de Charlemagne contre leur frère.

(c) Viennent ensuite de courtes compositions en vers décrivant certains épisodes de la vie des saints. Telles sont : *la Séquence* ou *Cantilène de Sainte Eulalie,* petit poème empreint d'une beauté naïve ; *la Vie de Saint Léger,* dixième siècle ; un poème de peu de longueur sur *la Passion,* du dixième siècle ; *la Vie de Saint Alexis,* du milieu du onzième siècle.

Ce ne sont là que de simples compositions intéressantes surtout pour l'histoire de la langue. La littérature française, proprement dite, commence vers l'an 1100.

La Littérature avant 1328

I. *La Littérature Féodale*

Aux douzième et treizième siècles la France manifesta une activité littéraire et artistique comparable aux productions des grandes époques de son histoire. Constituée en nation sous le système féodal, la France sortit tout à coup des ténèbres qui régnaient encore sur le reste de l'Europe. Un même élan de foi et d'enthousiasme poussa les seigneurs vers la Terre Sainte et inspira aux architectes français la découverte du style ogival que l'on a appelé, à tort, " gothique." Ce fut alors, sur tout le sol de France, une éclosion de chefs-d'œuvre d'architecture sous forme de monastères, d'édifices religieux et de cathédrales. C'est également à cette époque que l'on vit paraître les premiers grands monuments littéraires.

1. CHANSONS DE GESTE (11e et 12e siècles). Au nord de la France les plus anciennes manifestations littéraires apparaissent sous forme d'épopées ou poèmes épiques, qui datent probablement du onzième siècle. Leurs auteurs sont inconnus. Quant à leur origine, on a cru d'abord que ces épopées dérivaient de chansons populaires composées à

l'époque des événements décrits, et réunies ensuite pour former un ensemble plus complet. Il est plus probable que chaque épopée a été composée par un seul auteur sous la forme que nous trouvons dans les manuscrits. Vraisemblablement ces poèmes étaient destinés à attirer la foule aux lieux de pélerinage; ils étaient chantés, lus ou récités par des bardes errants appelés jongleurs.

Les chants épiques sont, pour la plupart, en vers de dix syllabes. Au lieu de la rime nous trouvons souvent l'assonance, ce qui veut dire qu'il y a un accord de son entre les voyelles de la dernière syllabe accentuée des vers, indépendamment de l'accord des consonnes. Ainsi, *firent* et *olives* constituent une assonance, tandis que *brise* et *grise* forment une rime. Plus tard on écrivit des épopées en vers rimés, ou bien on retoucha les premiers poèmes et on y ajouta des rimes. Ces poèmes, convertis en prose, devinrent, par la suite, des romans. Leur popularité fut immense et leur influence se fit sentir dans tous les pays.

On a donné à ces poèmes épiques le nom de *chansons de geste*. Le mot *geste* a ici le sens d'« exploit.» C'est qu'en effet ces œuvres, en vers, avaient pour but de célébrer les exploits de quelque héros fameux.

La Chanson de Roland. Le cycle français, appelé aussi le cycle national, traite d'événements soit historiques, soit légendaires, qui se rapportent à Charlemagne et à d'autres personnages du temps des Mérovingiens ou des Carolingiens. La *Chanson de Roland* est la plus célèbre et la plus ancienne épopée du cycle national qui nous soit connue. La date probable de ce chef-d'œuvre serait la fin du onzième siècle ou la première partie du douzième. Ce poème a comme base historique une expédition de Charlemagne contre les Maures d'Espagne (778). Comme il rentrait en France, l'arrièregarde de l'armée de Charlemagne fut attaquée et complètement détruite par des montagnards dans un défilé des Pyrénées. Roland, qui commandait l'arrière-garde, fut tué. Sur cet incident, la tradition, aidée de l'imagination du poète, a bâti une histoire merveilleuse, racontée en quatre mille vers. En voici le résumé:—Charles est en Espagne depuis sept ans. Le roi des Sarrasins, Marsile, envoie une ambassade à l'empereur pour l'informer que s'il consent à retourner en France, lui, Marsile, viendra lui rendre hommage et se fera chrétien. Roland, neveu de Charlemagne, propose d'envoyer Ganelon, son beau-père (le mari de sa mère en secondes noces), pour accepter les offres de Marsile. Ganelon est furieux, car il sait que le roi des Maures a fait tuer d'autres ambassadeurs de Charles. Il accepte cependant mais jure de se venger de Roland. Il dit à Marsile que Roland est le plus dangereux ennemi des Maures, puis fait en sorte que Roland lui-même soit placé à la tête de l'arrière-garde. Ce projet est mis à exécution. Roland reste à l'arrière-garde avec ses douze chevaliers, pairs de France, et vingt mille hommes. Les Sarrasins, beaucoup plus nombreux, se jettent sur l'arrière-garde. Olivier, frère de la fiancée de Roland, supplie son ami de sonner du cor pour avertir Charlemagne et demander du secours. Roland refuse car il croit que ce serait une lâcheté. Il voit tomber autour de lui tous ses compagnons et consent enfin à sonner du cor; il sonne si fort que ses tempes se rompent. Il se couche auprès de sa bonne épée, la face tournée vers l'ennemi, pour rendre son âme à Dieu. Charlemagne, à trente lieues de là, a entendu le son du cor. Il revient en hâte et venge son neveu en écrasant l'armée des Sarrasins. Les Français rentrent en France, mais Aude, la fiancée de Roland, meurt en apprenant la mort de celui-ci. Ganelon est amené devant les juges. Il proteste contre l'accusation de trahison déclarant qu'il a seulement voulu se venger de Roland. Après un combat singulier où son champion est battu, Ganelon est reconnu coupable et écartelé par quatre chevaux sauvages.

Ce poème respire un patriotisme tendre et profond. Le poète se sert souvent d'expressions comme « la douce France » ou encore, « France, terre bénie » ; le poème exprime aussi la grandeur du sacrifice.

D'autres chansons de geste traitent des luttes régionales du Midi de la France contre les Sarrasins (Cycle de Guillaume d'Orange). D'autres enfin ont pour objet la révolte des seigneurs féodaux contre l'autorité royale (Cycle de Doon de Mayence).

2. CYCLE DES CROISADES (13e siècle). Ces poèmes ont pour héros principal Godefroy de Bouillon, fondateur du royaume de Jérusalem (1099–1187).

II. *La Poésie Courtoise*

1. LES ROMANS BRETONS. Comme le nom l'indique, ces poèmes ne sont pas des chansons de geste, mais plutôt des romans en vers. On leur attribue généralement une origine celtique, aussi les appelle-t-on romans bretons. Leur ensemble forme le cycle de Bretagne. Ils constituent, avec les chansons de geste, la plus riche production littéraire du moyen âge. Ils diffèrent nettement des œuvres précédentes. Les chansons de geste se basent sur un fond historique ; les romans bretons sont dérivés de légendes basées sur des événements qui se passent en Bretagne ou dans les îles britanniques. Au lieu du sentiment féodal, guerrier et national, on y trouve l'*amour courtois* qui joue un rôle prépondérant. Le culte de la femme se développe et l'idéal de la chevalerie se purifie à travers des épreuves fantastiques. Ce sont des œuvres d'imagination où le surnaturel est toujours en relief. On pourrait les classer ainsi d'après leurs sujets :

   (a) Les romans dont les héros principaux sont le roi Arthur et les chevaliers de la Table ronde. Ces récits sont bien connus dans les pays de langue anglaise grâce à *la Morte d'Arthur* de Malory et aux *Idylls of the King* de Tennyson.

(b) *Tristan et Iseult* nous raconte les joies et les souffrances de deux amants. Tristan revient d'Irlande et se rend en Cornouaille avec Iseult qui doit épouser le roi Marc, l'oncle de Tristan. En route, les deux voyageurs prennent, par mégarde, un breuvage magique destiné à unir Iseult et le roi par des liens d'éternel amour. Le mariage projeté a lieu; mais, par suite du breuvage fatal, Tristan et Iseult ne peuvent s'empêcher d'être attirés irrésistiblement l'un vers l'autre. Ils se donnent des rendez-vous clandestins, que le roi découvre; il chasse Iseult et Tristan de sa cour. Il consent, plus tard, à reprendre Iseult, tandis que Tristan épouse en Bretagne une autre Iseult « aux blanches mains.» Le malheureux chevalier a reçu une blessure mortelle que seule Iseult pourrait guérir. Tristan l'envoie donc chercher mais il meurt au moment où la barque attendue était sur le point d'atterrir. Iseult couvre de ses baisers et de ses larmes le corps inerte de son amant. Cette histoire d'amour a donné lieu à de nombreuses versions dont les variantes sont très diverses.

(c) *Perceval et le Saint Graal.* Ce sujet appartient aux légendes arthuriennes (Cycle de la Table ronde). Un jeune homme élevé d'une façon simple et rustique, quitte son foyer pour aller chercher fortune à la cour du roi. Après avoir fait preuve de valeur, on l'invite à entreprendre un voyage d'aventures. Il arrive à un château où il aperçoit un chevalier blessé, une lance ensanglantée et un vase merveilleux; mais, comme il a négligé de poser les questions voulues, il échoue dans son entreprise. Dans la suite, résistant à toutes les tentations, il rachète sa faute, puis il est admis dans la compagnie des chevaliers de la Table ronde.   A ces récits d'aventures s'ajouta, plus tard, un élément religieux fourni par la légende du saint Graal.   Le Graal était, d'après la tradition, un vase merveilleux qui avait dû servir à la cène ou qui avait reçu le sang du Christ sur la croix.   Cette légende nous est familière grâce à des œuvres modernes telles que la *Vision of Sir Launfal* de Lowell et le *Parsifal* de Richard Wagner, qui s'est inspiré des romans bretons dans son *Tristan und Isolde*.

2. Chrétien de Troyes (m. 1195).   De tous les auteurs français du moyen âge qui ont utilisé les légendes de la Bretagne, le plus célèbre est Chrétien de Troyes.   Ses poèmes, d'un style soigné, étaient destinés à être lus et non pas chantés ou récités.   Plusieurs, tel *Tristan,* ont été perdus; d'autres, comme *Perceval,* ont été terminés par d'autres écrivains.   Parmi les œuvres qui nous restent de lui, nous signalerons *Erec, Cligès, Lancelot* et *Yvain*.   L'auteur y témoigne, non seulement d'une vive imagination, mais aussi d'une conception de l'amour fort rapprochée de celle de bien des romans modernes.   « L'éternel triangle » apparaît déjà dans cette littérature du douzième siècle.   *Cligès,* par exemple, est le récit des amours de Cligès et de Fénice déjà mariée à l'oncle de Cligès.   Un breuvage magique enlève à Fénice toute apparence de vie, mais son amant lui redonne la vie et l'enlève à la tombe.   Pour éviter la colère du mari trompé, ils se réfugient à la cour du roi Arthur; puis, après la mort de l'oncle, ils vivent heureux ensemble.

3. Les *Lais* de Marie de France (12e siècle).   Les *Lais* sont des contes en vers basés sur les mêmes matériaux que les romans bretons.   Comme dans ces derniers, l'amour et le merveilleux forment le sujet principal.   On peut les com-

parer, par leur brièveté et leur facture, au conte moderne. Ils étaient destinés à un auditoire de la cour. Les plus connus sont ceux de Marie de France, dame française qui vivait à la cour du roi Henri II d'Angleterre. Leur date de composition se place vers l'an 1175. Citons quelques-uns des plus connus :

Tidorel, dans lequel on raconte l'amour d'une reine pour le mystérieux chevalier du lac.

Eliduc nous révèle l'amour d'une princesse pour un chevalier qu'elle croit libre des liens du mariage.

Bisclavret est l'histoire d'un chevalier qui vit en loup-garou dans la forêt. Sa femme, qui a un amant, empêche son mari de reprendre forme humaine. Ce n'est qu'après bien des aventures qu'il réussit à recouvrer ses droits.

Marie de France a écrit d'autres ouvrages dont le plus intéressant est un recueil de fables ayant pour titre *Ysopet.*

4. *Aucassin et Nicolette* (entre 1200 et 1250). Ce chef-d'œuvre remarquable, d'un auteur inconnu, est une histoire d'amour écrite en prose mêlée de vers et dénommée, pour cette raison, « chante-fable.» Aucassin, fils du comte de Beaucaire, aime Nicolette, belle Sarrasine achetée à des pirates et élevée en chrétienne. Le comte s'oppose à leur mariage et enferme Nicolette dans une tour. Menacé par un des seigneurs voisins, il promet à Aucassin de lui rendre Nicolette s'il consent à l'aider à repousser l'ennemi. Le comte, au lieu de tenir sa promesse, emprisonne Aucassin. Nicolette réussit à s'échapper et Aucassin reprend, lui aussi, sa liberté. Il part à la recherche de son amie qu'il rejoint dans une forêt. Les deux amants vont atteindre un lieu de sûreté lorsqu'ils sont enlevés par des pirates. Séparés l'un de l'autre, Aucassin réussit à rentrer à Beaucaire tandis que Nicolette est jetée par le sort à Carthage. Là, elle apprend qu'elle est princesse. Refusant d'épouser un roi païen, elle s'enfuit de Carthage. Après une suite d'aventures, elle ar-

rive enfin à Beaucaire où elle s'unit à Aucassin. (Quelques critiques rangent *Aucassin et Nicolette* parmi les romans d'aventures.)

5. ROMANS D'AVENTURES. Sous ce titre se groupent un nombre considérable de récits provenant d'une source orientale ou de toute autre origine. Ce sont les véritables ancêtres des longs romans si populaires au 17e siècle. On peut citer comme exemple: *le Roman des Sept Sages; Floire et Blanchefleur; la Châtelaine de Vergy; Robert le Diable.*

Floire et Blanchefleur nous donne une idée du genre. C'est l'histoire de deux amants dont l'affection remonte à leur enfance. Ils se trouvent séparés par leurs parents, et après de multiples aventures Blanchefleur devient prisonnière d'un émir d'Orient. Celui-ci a l'intention de l'épouser et de la faire mourir un an après; mais les deux amants sont enfin réunis; ils se marient et vivent heureux.

III. *La Poésie Savante et Allégorique*

1. POÈMES DE L'ANTIQUITÉ (12e et 13e siècles). Ces poèmes ont une origine savante ou littéraire. Ils se basent sur l'histoire grecque ou romaine, sur la légende ou sur la poésie classique. Quelques-uns de ces poèmes ne sont que des traductions libres, avec certaines adaptations et additions, d'œuvres classiques telles que l'*Énéide* de Virgile. Les personnages antiques se transforment en personnages du moyen âge sans aucun souci de la différence des époques. Un de ces poèmes, basé sur la vie traditionnelle d'Alexandre le Grand, est écrit en vers de douze syllabes rimant deux à deux. De là vient le mot *alexandrin,* nom donné au vers de douze syllabes dont l'usage deviendra si fréquent dans la poésie française.

Le Roman de Troie est l'œuvre de BENOIT DE SAINTE-MORE, le plus célèbre des auteurs qui aient traité des sujets classiques. Ce poème, écrit vers 1165, se compose de 30,000 vers et emprunte son sujet aux légendes et à l'histoire de la guerre de Troie.

2. LA POÉSIE ALLÉGORIQUE. En peinture et en sculpture, l'allégorie consiste à représenter des abstractions telles que la Paix, la Justice, la Charité par des formes humaines dont l'expression, le geste et les attributs désignent le caractère. En littérature, l'allégorie consiste à représenter des idées, des sentiments, des vices ou des vertus sous forme de personnages vivants, à les faire parler et agir en harmonie avec l'idée représentée. Le plus fameux exemple de poésie allégorique en France est *le Roman de la Rose* (13e siècle). Cette œuvre se divise en deux parties :

(a) La première partie, composée par GUILLAUME DE LORRIS [1] vers 1230, comprend environ 4,500 vers. C'est le souvenir d'un rêve qui raconte les aventures de la Rose et de son amant en compagnie de leurs amis Beauté, Courtoisie, Richesse, et de leurs ennemis Danger, Jalousie, Médisance. L'amant trouve sa dame dans un jardin et, à l'aide d'amis et d'alliés, réussit à en recevoir un baiser. Les ennemis, alors, s'interposent, élèvent un mur autour du jardin et emprisonnent les alliés dans une tour. Interrompu par la mort du poète, le récit s'arrête en cet endroit. C'est une allégorie sur l'art d'aimer, à la façon d'Ovide, où les personnages réels sont remplacés par des personnages abstraits.

(b) La seconde partie, d'environ 18,000 vers, est l'œuvre de JEAN DE MEUNG, écrite vers 1275. Le récit allégorique se poursuit jusqu'à ce que l'amant obtient les faveurs de sa dame. Ce poème sert de prétexte à l'auteur pour faire des commentaires satiriques sur le mariage, les frères mendiants, l'autorité royale, et

[1] La consonne finale se prononce.

même pour discourir sur les connaissances scientifiques de l'époque. Par ses attaques contre les vices du temps aussi bien que par son désir d'influencer l'opinion, Jean de Meung est, en quelque sorte, le précurseur de Rabelais et de Voltaire.

Le Roman de la Rose fut l'une des œuvres les plus répandues au moyen âge. La littérature européenne, pendant deux siècles, y puisera le goût de l'allégorie. Une traduction d'une partie de ce poème est attribuée à Chaucer.

3. Poésie Didactique. Pendant tout le moyen âge on composa beaucoup d'œuvres, en vers et en prose, dans le but de donner un enseignement. Aux préceptes moraux et religieux l'auteur ajoute, comme c'est l'habitude dans ces cas, des renseignements variés. Il y a ainsi de nombreux traités d'histoire naturelle, qui comprennent les *Bestiaires* et les *Lapidaires,* ouvrages qui traitent respectivement d'animaux et de pierres précieuses.

IV. *La Poésie Bourgeoise et Satirique*

A côté de la littérature aristocratique, telle que les chansons de geste, les romans bretons et la première partie du *Roman de la Rose,* on trouve, au moyen âge, des œuvres à tendances réalistes et d'un niveau moral moins élevé. La satire y abonde, accompagnée d'un certain esprit moqueur, frondeur, parfois même cynique, souvent grossier; en un mot, on y rencontre l'esprit dit « gaulois » (comme si cette appellation décrivait le fond même de l'esprit celtique et français!). On applique à ces œuvres le titre de littérature bourgeoise en tant qu'elles traitent des gens du peuple et de leur vie, tandis que la littérature aristocratique intéressait principalement les seigneurs et les dames d'un goût plus raffiné. Il est plus vraisemblable d'imaginer qu'alors, comme de tout temps, les diverses classes de lecteurs aimaient à voir représenter le double aspect de la vie, le noble et le vulgaire, le sérieux et le gai, le fantasque et le réel.

1. LES FABLES. La fable a pour but d'indiquer une morale au moyen d'une histoire, généralement courte, où les personnages revêtent souvent la forme d'animaux parlant et agissant à la façon des hommes. Ce genre de littérature était très en vogue au moyen âge. Quelques fables ont une origine purement médiévale, mais la plupart se basent sur des sources latines, qui se rattachent elles-mêmes à certaines collections attribuées à Ésope, d'où le nom d'*Ysopet* donné, à cette époque, à ces collections. Parmi les meilleurs recueils que nous ayons, nous devons mentionner celui de Marie de France, bien connue aussi par ses *Lais*.

2. *Le Roman de Renart* (12e et 13e siècles). Une série de fables et d'autres histoires d'animaux a constitué, en se développant, un poème composé d'environ vingt-cinq contes ou « branches,» *le Roman de Renart*. C'est une véritable épopée animale en vers de huit syllabes rimant deux à deux. Le thème principal en est fourni par la querelle entre le loup et le renard. Ce thème original a donné naissance à d'autres poèmes : *Renart le Nouveau, le Couronnement de Renart,* et *Renart le Contrefait*. Les animaux qui représentent les personnages du récit ont des noms et des attributs humains et vivent dans une société féodale dont les mœurs sont facilement reconnaissables. Ces poèmes, dont le but principal est d'amuser, contiennent de violentes satires à l'égard du clergé et de la noblesse. La morale qui découle du récit est que la ruse et l'artifice, dépourvus de sens moral, peuvent triompher de la force brutale. Le *Jugement de Renart* est l'un des meilleurs épisodes du *Roman de Renart*. Le Lion est sur son trône. Chantecler, le coq, arrive devant le Lion, accompagné du cortège de ses poules qui portent le cadavre d'une des dernières victimes de Renart. Le Lion entend les plaintes, reconnaît l'offense. Le cadavre est enterré et

aussitôt on envoie des messagers à la recherche du coupable. Le rusé renard joue toutes sortes de tours aux envoyés de la justice, qui s'en retournent humiliés et couverts de blessures. Enfin Renart consent à venir lui-même, confesse humblement ses péchés et obtient son pardon en demandant qu'on lui permette, en rémission de ses fautes, d'aller en pélerinage en Terre Sainte. Tout cela est conté sous une forme heroï-comique imitée des chansons de geste.

3. LES FABLIAUX (13e et 14e siècles). On appelle ainsi des contes en vers qui, à l'origine, étaient récités par les jongleurs. Avant d'être écrits, ils existaient déjà, sans doute, sous forme de tradition orale. Les fabliaux qui sont parvenus jusqu'à nous forment une collection d'environ 150 contes. Ce sont des récits basés sur des incidents de la vie ordinaire dont le caractère est, dans l'ensemble, satirique. Ils attaquent surtout les femmes, les maris, les moines et les prêtres. Ils nous donnent une peinture d'un réalisme exagéré des mœurs brutales et grossières de l'époque. A part quelques exceptions d'un genre édifiant, ce sont surtout des histoires plaisantes ou comiques dont le but est de faire rire et d'amuser. Plus tard, au cours du 14e siècle, ces contes en vers furent remplacés par des récits en prose. Les fabliaux ont fourni des sujets à Chaucer, à Boccace et à Molière. On les retrouve au 17e siècle dans les *Contes* de La Fontaine. La farce, à toutes les époques, tire sa verve de leur jovialité.

Le Vilain Mire, c'est-à-dire *le Paysan médecin,* nous fournit un exemple des fabliaux. Une femme, battue par son mari, cherche un moyen de se venger. L'occasion se présente lorsque deux messagers du roi viennent à passer. Ceux-ci cherchent un médecin qui puisse guérir la fille du monarque, laquelle est souffrante après avoir avalé une arête de poisson. La femme leur déclare que son mari est un médecin habile qui ne consentira jamais à admettre son habileté à moins qu'on ne lui donne des coups de bâton. Après avoir suivi les instructions de la femme, les messagers emmènent le paysan à la cour. Par ses grimaces et contorsions, il réussit à faire rire la princesse et, en même temps, à lui faire dégorger l'arête de poisson. Sa réputation de grand médecin, établie sur le champ, se propage dans tout le royaume. Les malades accourent en foule au point que notre homme se trouve fort embarrassé. Il les assemble tous dans une grande salle et déclare qu'il pourra les guérir en leur faisant avaler les cendres du plus malade d'entre eux. Quand il veut savoir qui se fera brûler pour la guérison commune, personne ne veut admettre qu'il est malade. Il les renvoie donc tous bien portants. Le paysan retourne chez lui, chargé de présents. C'est ce conte que Molière a utilisé dans sa farce *le Médecin malgré lui*.

4. RUTEBEUF (1230–1280?). Ce bourgeois de Paris dont la vie nous est peu connue nous a laissé assez d'écrits pour mériter une mention spéciale. Ses œuvres comprennent des fabliaux, un miracle, deux vies de saints et des poèmes didactiques, satiriques et allégoriques. Deux siècles avant Villon il trouva dans la misère et la pauvreté l'inspiration lyrique mêlée à une émotion sincère et profonde.

V. *La Poésie Lyrique*

1. DANS LE MIDI. La poésie lyrique, en France, a une double origine: l'une provient des provinces du Midi, l'autre de celles du Nord. Une poésie très cultivée et conventionnelle apparaît, dès le douzième siècle, dans le Midi de la France. Elle traite essentiellement de l'amour et de la femme, idéal de toutes les perfections. Les poètes de cette région, dont plusieurs furent de nobles seigneurs, s'appellent *troubadours*. Parmi les plus célèbres on peut citer les noms de Bertran de Born, d'Arnaut Daniel et de Geoffroy Rudel. La littérature du Midi, composée en *langue d'oc* (v. page 7),

est désignée généralement sous le nom de littérature provençale. L'influence des troubadours de Provence s'exerça
sur les poètes lyriques du Nord, appelés *trouvères*. Elle
s'est même répandue en Angleterre, en Allemagne, en Italie
et en Espagne. Au 13e siècle la Croisade contre les Albigeois
fit disparaître la culture du Midi et mit fin à sa littérature.
Ce n'est qu'au 19e siècle qu'un groupe de poètes du Midi,
sous le nom de « Félibrige,» tentèrent de ressusciter cette
littérature dans la langue provençale d'aujourd'hui. Le
poète Mistral (1830–1914), honoré du prix Nobel, en fut le
plus célèbre représentant.

2. Dans le Nord (12e et 13e siècles). La poésie lyrique
apparut ici sous des formes moins riches, moins variées et
moins raffinées. Ce sont, pour la plupart, de simples chansons célébrant l'amour, le printemps, des scènes pastorales.
On peut grouper ces compositions en:

Chansons de toile (ou *d'histoire*). Assise à son rouet,
la jeune fille chante et soupire pour la venue de son amant
absent.

Aubes, chansons du point du jour.

Chansons à personnages, où la femme maltraitée se plaint
de son mari.

Reverdies, c'est-à-dire chansons de printemps.

Pastourelles, dans lesquelles un noble chevalier courtise sa
bergère.

VI. *Le Théâtre avant 1300*

A. LE THÉATRE RELIGIEUX

1. Les Origines Liturgiques (11e siècle). Le théâtre
classique de la Grèce et de Rome tomba dans l'oubli avec la
chute de la civilisation romaine. Cependant, les cérémonies
du culte catholique, en elles-mêmes si dramatiques, firent,
au cours des siècles, revivre le théâtre. Aux fêtes de Pâques

et de Noël la liturgie s'enrichit de paroles dialoguées, d'abord en latin, puis en langue vulgaire plus accessible au peuple. Il y eut ainsi, à l'intérieur de l'église, des pièces rudimentaires représentant le Résurrection ou la Nativité. Bientôt, les représentations sortirent de l'église pour paraître sur la place publique. Le nombre des acteurs s'accrut, les laïques en firent partie et le répertoire s'étendit à divers épisodes de la Bible et de la vie des saints.

2. Œuvres Dramatiques de Transition.

(a) *Le Jeu d'Adam* (12ᵉ siècle). C'est le récit dramatisé de la chute d'Adam, des conséquences du péché originel et de l'espoir de la rédemption. Ce drame, écrit en grande partie en français, marque la transition du théâtre religieux qui passe des mains des prêtres à celles des laïques.

Vers la fin du 12ᵉ siècle et pendant le 13ᵉ cette transition se révèle par des pièces d'un caractère semi-religieux appelées *jeux* ou *miracles*. On a ainsi:

(b) *Le Jeu de St. Nicolas* de Jean Bodel, où il s'agit de la conversion miraculeuse d'un sultan par un saint.

(c) *Le Miracle de Théophile* de Rutebeuf, où un prêtre ayant vendu son âme au diable est sauvé par l'intercession de la Vierge Marie.

B. LA COMÉDIE

1. Ses Origines. Les jeux, pantomimes et autres scènes bouffonnes des comédiens qui amusaient la foule du temps des Romains, furent perpétués, en quelque façon, pendant les premiers temps du moyen âge, par les ménétriers ou jongleurs ambulants. Telles furent probablement les humbles origines du théâtre comique dont nous n'avons pas de texte écrit avant le 13ᵉ siècle.

2. ADAM DE LA HALLE (1230–1288?). Il nous reste deux pièces de ce citoyen d'Arras, *le Jeu de la Feuillée* (1262), et *le Jeu de Robin et de Marion*. La première de ces pièces, qu'on pourrait comparer à une de nos revues satiriques, est pleine de couleur locale. La scène représente une feuillée, c'est-à-dire un lieu ombragé, sous lequel paraissent dix-huit personnages différents parmi lesquels le père du poète et le poète lui-même. Celui-ci demande de l'argent à son père pour aller continuer ses études à Paris. Le refus du père amène des commentaires satiriques sur l'avarice. Les citoyens d'Arras passent et repassent, s'asseyent aux tables, boivent, jouent et babillent, échangeant des plaisanteries sur les gens de la ville. Le *Jeu de Robin et de Marion* est le prototype de l'opéra-comique. C'est une sorte de pastorale dramatique, en prose et en vers, dont certaines parties étaient chantées. On y voit un chevalier courtiser une bergère, Marion, qu'il essaie d'enlever, mais qui réussit à lui échapper. La fidèle bergère revient à Robin et le mariage des deux amants se célèbre par des chansons.

VII. *L'Histoire*

Tout d'abord, l'histoire n'existe pas. On pourrait faire exception pour certains recueils de légendes et les chansons de geste, qui ont un fond historique. Tout le reste se résout en de simples chroniques en latin ou en récits composés pour flatter la vanité des seigneurs. Tout cela n'est pas l'histoire telle que nous la comprenons aujourd'hui.

VILLEHARDOUIN (1152?–1212?) est le premier historien français digne de ce nom. Il prit part à la quatrième croisade et assista à la prise de Constantinople.

JOINVILLE (1225–1317) nous a laissé l'histoire de Saint Louis (Louis IX) qu'il accompagna à la septième croisade. Le premier ajoute au récit des événements qu'il décrit des jugements personnels sur les hommes et la politique de son temps.   Le second relate, avec une émotion touchante, « les saintes paroles et les bons faits de notre saint roi Louis.»

A l'Étranger

1. En Angleterre.   Avant *la Chanson de Roland* toute une littérature anglo-saxonne florissait déjà.   Depuis la conquête des Normands jusqu'à l'époque de Chaucer, la langue anglaise fut soumise aux transformations amenées par le mélange du dialecte franco-normand avec l'anglo-saxon. Cette littérature était faite de dialectes divers mais un grand nombre d'ouvrages furent écrits en français.   Un chroniqueur, Geoffrey de Monmouth qui écrivait vers le milieu du 12ᵉ siècle, mérite une mention spéciale.   Son *Histoire des Rois de Bretagne,* composé en latin, forme un mélange curieux de traditions et de légendes.   Cette œuvre a fourni des matériaux à Malory, à Shakespeare et à Tennyson.   Un prêtre, du nom de Layamon, mit en vers anglais une traduction française par Wace de l'historien Geoffrey de Monmouth.   Cette traduction, considérablement augmentée par les additions personnelles de l'auteur, s'appelle le roman de *Brut*.   C'est là qu'on traite, pour la première fois en anglais, sous une forme poétique, les exploits du roi Arthur.

2. En Allemagne.   Les troubadours de France inspirèrent les minnesingers ou poètes d'amour dont Walther von der Vogelweide (m. 1225) est le principal représentant. C'est aussi la période des épopées nationales telles que le *Nibelungenlied*.   Les poètes français, par leurs romans bretons, fournirent aussi les modèles de poèmes épiques tels que *Parzival,* l'œuvre de Wolfram von Eschenbach (m. 1220), et de *Tristan und Isolde* écrit par Gottfried von Strassburg vers 1210.

3. En Espagne. Le *Poème du Cid,* l'épopée nationale (vers 1140), a pu être inspiré par les chansons de geste françaises, ou peut-être a-t-il une source commune à tous ces poèmes. Alphonse le Sage (m. 1284), l'auteur le plus important de cette période, composa en prose et en vers des œuvres d'imagination et d'autres d'un genre sérieux.

4. En Italie. Le latin resta longtemps la langue des écrivains. Au 13ᵉ siècle, les poètes lyriques subirent l'influence des troubadours de Provence. Les chansons de geste françaises et les romans courtois furent traduits et imités en dialectes divers. Dante Alighieri (1265–1321) donna à l'Italie une langue nationale littéraire avec la *Divine Comédie,* suivie, au 14ᵉ siècle, par les œuvres de Pétrarque et de Boccace.

CHAPITRE II

QUATORZIÈME ET QUINZIÈME SIÈCLES (1328–1515) (PÉRIODE DE TRANSITION)

Aperçu Historique

La France, à cette époque, en lutte avec l'Angleterre, se débat sous les souffrances imposées par la GUERRE DE CENT ANS (1337–1453). Une querelle de succession donna naissance à cette guerre. Aucun des fils de Philippe IV, appelé aussi Philippe le Bel (1285–1314), n'avait laissé d'héritier mâle. Après les courts règnes de Louis X, de Philippe V et de Charles IV, une assemblée de nobles, interprétant l'ancienne loi territoriale des Francs, déclara les femmes inhabiles à monter sur le trône de France. La couronne passa donc, en 1328, de la ligne directe des Capétiens à une autre branche de la famille, et PHILIPPE VI DE VALOIS devint roi. Quelques villes flamandes, ayant à se plaindre de Philippe VI, demandèrent du secours au roi d'Angleterre, Édouard III, fils d'Henri II et d'Isabelle, fille elle-même du roi de France, Philippe IV. Le roi d'Angleterre, Édouard III, réclama la couronne de France comme descendant de Philippe IV, par sa mère. Philippe VI et son fils, Jean le Bon, furent vaincus aux batailles de Crécy (1346) et de Poitiers (1356). Jean le Bon, fait prisonnier, fut conduit en Angleterre. Les Anglais se rendirent maîtres d'importantes provinces du sud et de l'est de la France. Les paysans opprimés se revoltèrent; ils durent se soumettre, cependant, et par dérision, on appela leur soulèvement " la Jacquerie." Étienne Marcel, un marchand de Paris, républicain avant l'heure, échoua dans son effort de remplacer le gouvernement du roi par celui du peuple. CHARLES V (1364–1380) trouva enfin un noble et habile défenseur dans BERTRAND DU GUESCLIN [1] (1320–1380), dont l'épée rendit à la France une grande partie du territoire perdu. En 1415, la noblesse française fut vaincue de nouveau par l'armée anglaise, commandée par Henri V, à la bataille d'Azincourt. Henri V épousa la fille de Charles VI, roi de France et, en vertu du Traité de Troyes (1420), la couronne de France devait passer au roi d'Angleterre à la mort du roi français. Henri mourut avant Charles, mais le jeune fils du roi d'Angleterre, Henri VI, fut reconnu roi de France par le Parlement de Paris. Les régents du roi occupèrent donc Paris et le nord de la France. Le dauphin de France, Charles VII, héritier légitime de la couronne, avait ses défenseurs dans le Midi.

En 1429, JEANNE D'ARC, jeune lorraine, inspirée par ses " voix " qu'elle croyait d'origine surnaturelle, défit les Anglais à Orléans puis vint à Reims pour y faire sacrer le roi, le jeune dauphin Charles VII. Peu de temps après, Jeanne, prisonnière des Anglais, fut jugée comme hérétique, puis brûlée, toute jeune encore, sur la Place du Vieux Marché, à Rouen. Les Anglais cependant furent chassés de France peu à peu. La prise de Bordeaux (1453) par les Français mit fin à la guerre. La France était alors près de la ruine. Le commerce et l'industrie n'existaient plus; la population avait aussi notablement diminué. L'édifice intellectuel et social tombait dans une sorte de nihilisme moral. Pourtant, le danger unit les cœurs et les volontés; l'idée du monde féodal disparaissant, l'autorité royale s'affermit et l'unité nationale s'établit sur des bases plus solides et plus fécondes.

LOUIS XI (1461–1483) contribua à l'unification du royaume par ruse plutôt que par force. Son succès principal fut de soumettre à son autorité son vassal Charles le Téméraire, duc de Bourgogne, qui lui disputait la couronne. A

[1] La consonne s ne se prononce pas.

la mort de Louis XI, la France s'était relevée rapidement des
suites de la guerre et avait repris sa place au premier rang
des nations. Louis XI eut pour successeur CHARLES VIII
qui entreprit, sous de faibles prétextes, les guerres d'Italie
que nous étudierons plus loin.

La Littérature

Les 14e et 15e siècles sont une période stérile en littérature,
ce qui s'explique, en partie du moins, par les malheurs du
temps. La vieille société féodale avait subi un recul, l'intelligence humaine semblait s'atrophier, l'énergie et l'élan vital
dépérir. De ce chaos une ère nouvelle va poindre, une
autre vie va naître.

I. *La Poésie*

1. CHRISTINE DE PISAN (1363–1431). Restée veuve et
jeune encore, elle se fit écrivain pour gagner sa vie. Elle a
le mérite d'être la première femme française à vivre de sa
plume. Nous lui devons de nombreuses ballades, des *Lais*
et des poèmes didactiques. Son œuvre poétique la plus
importante est un poème à la louange de Jeanne d'Arc, *le
Poème de la Pucelle*. Elle défendit son sexe contre la satire
de la seconde partie du *Roman de la Rose*. Elle a écrit en
prose une histoire de Charles V et *le Trésor de la Cité des
Dames* où elle mentionne les femmes fameuses de tous les
temps.

2. ALAIN CHARTIER (1390–1440) jouit, de son temps,
d'une grande réputation, grâce à son érudition et à ses écrits
en vers et en prose. Le *Livre des quatre Dames* est un
poème courtois et patriotique sur la bataille d'Azincourt.
Le Quadrilogue invectif est un exposé, en prose, des malheurs de la France. (*Quadrilogue* signifie conversation à

quatre, c'est-à-dire, dans le cas présent, la France, le Peuple, la Noblesse et le Clergé.)

3. CHARLES D'ORLÉANS (1394–1465), neveu de Charles VI, tomba aux mains des Anglais à la bataille d'Azincourt, pour être envoyé en Angleterre où il resta prisonnier pendant 25 ans. C'est là qu'il composa ses *Ballades* et autres pièces lyriques, de forme élégante, mais de fond banal.

4. FRANÇOIS VILLON [2] (1431–1465?) est le plus grand poète de cette époque. Nous avons de lui deux collections en vers, *le Petit Testament* et *le Grand Testament*. Il combine, dans ses poèmes, un réalisme piquant et pittoresque avec le lyrisme le plus touchant. Il a le sentiment de la vie, l'horreur de la mort, et son âme est empreinte de pitié pour les faibles. Sa langue est de son temps mais son sentiment est moderne. Villon vécut pauvre, prit ses grades à l'université de Paris (*Licentia docendi*) et « bien qu'au demeurant le meilleur fils du monde,» il fut espiègle, vagabond et larron. Il connut le cabaret et la prison, roula dans la débauche et le crime mais échappa à la potence, grâce à l'intervention du roi Louis XI, le « bon roi,» comme il l'appelle. Il dédia ses deux *Testaments* à ses amis et à ses ennemis. A son fils adoptif il lègue sa réputation; à la jeune fille qu'il aime et dont l'amour sommeille, il offre son cœur; à un moine grincheux il présente ses armes. Il y a encore d'autres poèmes et ballades dans cet ouvrage, comme la fameuse *Ballade des Dames du temps jadis* où nous trouvons le refrain suivant, empreint d'une profonde mélancolie: « mais où sont les neiges d'antan ?»

5. POÈTES MINEURS. Parmi les poètes célèbres en leur temps, mais presque oubliés maintenant, nous mentionnons Guillaume de Machaut (m. 1377) et Eustache Deschamps (1340–1410). Vers la fin du 15e siècle nous voyons fleurir l'école des GRANDS RHÉTORIQUEURS dont Guillaume Crétin

[2] Prononcez « Viyon » [vijõ].

(m. 1525) et Jean Lemaire de Belges (m. 1525) sont les
principaux représentants. Leur poésie, en grande partie,
appartient au genre lyrico-didactique. Ils tâchent de revê-
tir cette poésie de formes et de figures classiques. Lemaire
de Belges est supérieur à son école et son principal titre de
gloire est son œuvre en prose, *Illustrations de Gaule et
singularités de Troie*. Malgré son imitation des modèles latins et son amour des auteurs grecs qu'elle ne comprend pas,
la Scolastique n'a pas encore cédé la place à l'Humanisme,
c'est-à-dire à la compréhension intelligente de l'antiquité.

II. *Le Théâtre*

A. LE THÉÂTRE RELIGIEUX

Le théâtre religieux ou liturgique, né de l'église et dans
l'église, eut sa pleine efflorescence aux 14e et 15e siècles. En
se développant il passe en des mains profanes et, peu à peu,
dans la suite, devient une représentation burlesque de la
religion et de la morale, si bien qu'un édit du parlement, en
1548, défendit, à Paris, la représentation de « pièces sa-
crées.»

Quelques pièces, généralement représentées à ciel ouvert
sur un théâtre improvisé, étaient d'une longueur interminable,
30,000 et même 60,000 vers. Un seul « jeu» demandait
plusieurs jours et une troupe considérable d'acteurs. La
fameuse « Passion» d'Oberammergau nous donne une idée,
dans les temps modernes, de ce qu'était cette sorte de théâtre
d'autrefois. La troupe la plus fameuse de ce temps-là prit
le titre de « Confrérie de la Passion.» Elle avait son propre
théâtre à Paris et, en 1402, le roi Charles VI lui donna le
monopole de la représentation des Mystères.

1. MIRACLES DE NOTRE-DAME (14e siècle). Il nous en
reste une cinquantaine. Les « puys» ou sociétés littéraires

encouragèrent ce genre de théâtre qui prit naissance au 13e siècle et eut son plein développement au 14e. Les miracles mettent en scène un événement merveilleux, produit par l'intervention de la Vierge Marie qui vient au secours d'une âme ayant mis sa confiance en elle. Par exemple, on condamne au bûcher une femme accusée d'avoir noyé son enfant. Avant de mourir elle demande qu'on lui permette de le tenir, une dernière fois, dans ses bras. On accède à son désir et, parce qu'elle n'est pas coupable, la Vierge rend la vie à l'enfant. Le culte de la Vierge eut une grande influence au moyen âge.

2. LES MYSTÈRES [3] (15e et 16e siècles). Le terme s'applique à un grand nombre de productions dramatiques sérieuses. Les mystères succèdent aux miracles. Ils ont presque tous un caractère sérieux dont la source est dans la Bible, les légendes et la vie des saints et, parfois même, dans la littérature profane. Les mystères furent écrits en vers rimés de huit syllabes. Ils se composent d'une série de tableaux qui se déroulent entre 35,000 et 60,000 vers. Le théâtre était élevé sur d'immenses tréteaux sur lesquels étaient érigées de petites constructions appelées « mansions » qui représentaient les différents lieux de l'action. Le *paradis* était situé au-dessus des « mansions »; l'*enfer* contenait les diables et les damnés. C'est le système du « décor simultané.» Le cycle de l'histoire sainte comprend *le Mystère du Vieil Testament, le Mystère de la Passion,* et *le Mystère des Actes des Apôtres.* Ces mystères se composaient de plusieurs épisodes de longueur variée.

B. LE THÉATRE COMIQUE OU PROFANE

Au 13e siècle apparaissent les pièces d'Adam de la Halle. Ce n'est qu'au 15e siècle, cependant, que l'on voit le plein

---

[3] Le mot dérive probablement du latin *ministerium* (action, représentation), non pas de *mysterium* (chose cachée).

épanouissement du théâtre comique ou profane. Les trois
types principaux de ce théâtre sont:

1. LES MORALITÉS, petites pièces dont le but est de dis-
traire et de donner un enseignement moral. On se sert de
l'allégorie pour donner plus de relief aux vertus et aux vices;
parfois on y respire un air semi-tragique. La parabole de
l'*Enfant prodigue* sert de fondement à l'un des meilleurs
exemples.

2. LES SOTTIES. Le but des sotties est le rire mais le rire
mêlé de satire. Sous le masque de la comédie ou sous la
forme de l'allégorie, les sotties flagellent les folies et les vices
de toutes les classes de la société, voire même de la politique.

3. LES FARCES. L'unique objet de la farce est d'amuser
le vulgaire par le gros comique. Ici, plus d'allégorie ni
même de satire proprement dite. On fait rire la foule par
la peinture d'un réalisme brutal de la vie de chaque jour en
exposant les difficultés du ménage et les petitesses de la vie
privée, sans oublier les fautes du clergé. Ces farces d'antan,
par leur traitement du mariage, font penser au « triangle,»
ou ménage à trois, de quelques pièces modernes. *Maître
Pathelin* (1490), la farce la plus fameuse, peut être considérée comme le commencement de la vraie comédie. Pathelin, avocat sans cause, achète une pièce de drap, puis invite le
marchand à venir chez lui pour recevoir le montant de
l'achat. A l'arrivée de celui-ci dans la maison de l'avocat,
madame Pathelin lui déclare que depuis quatre semaines son
mari n'a pas quitté la chambre. Le marchand ne sait plus
que croire et, sur ces entrefaites, Agnelet son berger, lui vole
ses moutons. Agnelet s'adresse à Pathelin pour le défendre.
Pathelin accepte; il fait promettre au berger de répondre
« bée » à toutes les questions du juge. Le marchand essaie
de prouver au juge que Pathelin et Agnelet l'ont volé, mais
il se trouble et parle à la fois de drap et de moutons. Le
juge n'y comprenant rien, renvoie Agnelet. Pathelin, à son

tour, veut se faire payer, mais Agnelet ne répond que « bée »
à toute demande d'argent. « A trompeur, trompeur et
demi,» dit le proverbe français. L'auteur de cette farce a
été longtemps inconnu mais le professeur Cons a démontré
que ce serait probablement Guillaume Alecis, qui a écrit
d'autres pièces de moindre importance.

Le théâtre sérieux eut ses acteurs et ses confréries; le
théâtre comique eut aussi les siens. On peut mentionner
deux grandes associations: les Clercs de la Basoche et les
Enfants Sans Souci. Les moralités et les sotties ont disparu,
mais la farce a survécu en s'amalgamant avec la vraie
comédie.

III. *L'Histoire*

1. FROISSART (1337–1405) a écrit les *Chroniques,* qui se
divisent en quatre parties, et qui racontent les événements
historiques de 1325 à 1400, embrassant par conséquent une
partie de la Guerre de Cent Ans. Froissart est un témoin
sincère, mais il manque de sens critique. Ce « chevalier de
l'histoire » ne voit que l'aristocratie et, s'il raconte, il ne juge
jamais. Il a des pages, cependant, dont le style coloré fait
revivre les événements. Qu'on lise, pour s'en convaincre,
les récits des batailles de Crécy et de Poitiers, et du siège de
Calais.

2. COMMINES (1445–1511) est surtout connu par ses
Mémoires, qui se divisent en huit livres, lesquels racontent
l'histoire des règnes de Louis XI et de Charles VIII. Dans
le quatrième livre, l'un des plus intéressants, il décrit les
campagnes malheureuses de Charles le Téméraire contre les
Suisses. Commines fut écuyer de Philippe le Bon, duc de
Bourgogne, et chambellan de son fils, Charles le Téméraire.
Il quitta le service de ce prince vers 1472 pour s'engager sous
les ordres de l'astucieux Louis XI. Commines aima la

diplomatie et s'intéressa à la constitution anglaise. Les intrigues de l'époque formèrent son esprit et cela nous aide à comprendre ses idées, qui font penser à la politique de Machiavel.

IV. *Contes en Prose*

Mentionnons les *Cent Nouvelles nouvelles,* dans lesquelles revit l'esprit des fabliaux. Ce livre est une collection de contes en prose dont la forme et le cadre ont pour type les « novelle » italiennes. Le *Décaméron* de Boccace en fournit le plus parfait exemple. Les *Cent Nouvelles nouvelles* datent du milieu du 15e siècle. On les attribue, sans preuves certaines, à ANTOINE DE LA SALLE (1388–1469), soldat, homme de lettres et courtisan habile qui écrivit, vers 1466, le *Petit Jehan de Saintré,* une histoire de chevalerie dans le style des romans bretons.

A l'Étranger

1. EN ANGLETERRE. C'est la période de CHAUCER (m. 1400) avec ses *Canterbury Tales;* de WYCLIFFE avec sa traduction de la Bible (1380) ; de MALORY avec la *Morte d'Arthur,* qui traite du roi Arthur et des chevaliers de la Table ronde.

2. EN ALLEMAGNE. Aucun nom notable à signaler. Les grandes épopées des périodes antérieures se changent en romans de chevalerie.

3. EN ESPAGNE. La prose et la poésie sont en progrès constant. JUAN RUIZ, archiprêtre de Hita, se rendit célèbre par *El Libro de Buen Amor,* curieux mélange de science et d'indécence. JUAN MANUEL devança quelque peu Boccace par sa collection de contes en prose sous le titre de *El Conde Lucanor.* LÓPEZ DE AYALA (m. 1407) nous donna dans le *Rimado de Palacio* une peinture satirique de la société.

4. EN ITALIE. BOCCACE (Giovanni Boccaccio, 1313–1375), dans une collection de cent contes, le *Décaméron,* fit pour la prose ce que Dante avait fait pour la poésie. PÉTRARQUE (Francesco Petrarca, 1304–1374) reste célèbre par sa poésie lyrique. Pétrarque et Boccace qui, à l'instar de Dante, écrivirent aussi en latin, contribuèrent à l'éveil de l'humanisme. Au 15ᵉ siècle, beaucoup de conteurs d'importance secondaire imitèrent Boccace. BOIARDO (m. 1494) et PULCI (m. 1484) chantèrent en vers les exploits de Roland et de ses compagnons. La Renaissance prit racine d'abord en Italie et, par degrés, passa en France.

CHAPITRE III

LE SEIZIÈME SIÈCLE (1515–1600)
(LA RENAISSANCE)

Aperçu Historique

La Renaissance française est, peut-on dire, un prolongement de la Renaissance italienne. Elle commence, en effet, avec les guerres d'Italie, entreprises par CHARLES VIII (1483–1498), LOUIS XII (1498–1515) et FRANÇOIS Ier (1515–1547), et se termine à l'avènement des BOURBONS dans la personne d'HENRI IV, en 1589. Le but de la France était d'annexer une partie de l'Italie. La tentative échoua et, de plus, la France eut à lutter contre l'Espagne, l'Autriche et l'Angleterre. Ces guerres, cependant, furent une révélation pour la France et lui valurent de se transformer au contact de l'art et de la civilisation de la Renaissance italienne.

FRANÇOIS Ier, protecteur des arts et des sciences, eut pour rivaux, dans la première partie de sa vie, HENRI VIII d'Angleterre et CHARLES Ier d'Espagne qui se disputaient le titre d'empereur du Saint Empire Romain. Ce titre fut donné à Charles, connu dans l'histoire sous le nom de Charles V ou Charles-Quint. François Ier eut pour successeurs des hommes de moindre importance dont les règnes furent attristés par des guerres intestines. La RÉFORME, qui prit en France un aspect politique, fournit à la noblesse un prétexte pour attaquer l'autorité royale. Les protestants français appelés HUGUENOTS furent, à certains moments, très puissants. Le jour de la SAINT-BARTHÉLEMY, le 24 août, 1572, il y eut un massacre général des huguenots; mais ceux-ci, nullement decouragés, continuèrent à se defendre.

Henri de Navarre, d'abord chef des huguenots, en se faisant catholique, mit fin aux troubles qui divisaient le pays. Par cet acte, il semble avoir sacrifié ses croyances à la paix et à l'unité nationales. Il prit le nom d'Henri IV (1589–1610). Le nouveau roi rétablit l'ordre et la paix à l'intérieur, tout en faisant respecter la France à l'étranger. Par l'Édit de Nantes (1598) Henri donna aux huguenots la liberté du culte et certains autres privilèges civils et politiques, établissant, en principe, la tolérance religieuse. Cet édit fut révoqué par Louis XIV en 1685.

La Littérature

I. *Esprit Général de la Littérature au 16ᵉ Siècle*

En étudiant la littérature, nous observons de profonds changements et des progrès constants au milieu même de l'anarchie politique et religieuse.

Le mot Renaissance nous donne l'idée d'un réveil spirituel et intellectuel qui prend sa source en Italie au 14ᵉ siècle et qui peu à peu s'étend à l'Europe civilisée. Ce réveil engendra un nouvel élan d'activité intellectuelle sous la poussée des événements dont les principaux sont:

1. Les Voyages d'Exploration et la Découverte de Lois Nouvelles en Astronomie, qui enflammèrent l'imagination en offrant une conception plus vaste du monde et de l'univers.

2. L'Invention de l'Imprimerie rendit possible la distribution rapide des livres de l'antiquité, fit connaître les chefs-d'œuvre anciens et modernes, en facilita l'intelligence et permit d'en découvrir la beauté.

3. La Réforme, qui fut une révolte contre l'Église de Rome, contribua à délier les esprits du joug de l'obéissance passive et à rejeter la tradition comme règle de conduite et guide de la foi.

4. L'HUMANISME fut une intelligence nouvelle de la civilisation grecque et latine au point de vue des idées et de l'art. Cette conception nouvelle se développa rapidement après la prise de Constantinople par les Turcs, événement qui obligea les savants grecs à se réfugier dans l'Europe occidentale.

Ce fut l'Italie surtout qui révéla à la France le sens profond de la beauté artistique et l'aida à comprendre les Anciens. Même sans l'influence et le concours de MARGUERITE DE NAVARRE (v. ci-dessous), l'italianisme se serait répandu en France à cause de l'enthousiasme pour la civilisation italienne, en général, et de l'admiration pour les écrivains italiens tels que Pétrarque, Boccace et Machiavel.

ÉRASME (m. 1536) et BUDÉ (m. 1540), aidés du savant DAURAT ou DORAT (m. 1588), maître de Ronsard, piquèrent la curiosité des hommes de la Renaissance et aidèrent à répandre le culte de l'antiquité classique. Érasme, né en Hollande, joua un rôle important dans l'histoire de l'humanisme en France et son influence facilita la victoire des théories nouvelles sur la discipline du moyen âge. Ce classique distingué qui, comme il le dit lui-même, « apprit tout seul et tard,» puisa à plusieurs sources d'information et devint un observateur perspicace de la vie. Budé fut, en France, le plus grand helléniste de sa génération. Il sut convaincre François Ier de la nécessité de fonder le COLLÈGE DE FRANCE où la science nouvelle pourrait vivre et se développer libre des entraves des esprits conservateurs de la Sorbonne. Les ÉTIENNE aidèrent au développement de la Renaissance, grâce à leur imprimerie qui mit en circulation des dictionnaires classiques et offrit au public les trésors des vieux manuscrits. ÉTIENNE DOLET, qui fut aussi un imprimeur célèbre, fut pendu et brûlé comme hérétique en 1546.

II. *Première Moitié du Siècle* (*1515–1550*)

1. CLÉMENT MAROT [1] (1497–1544). Ce poète de transition eut son heure de gloire à la cour de François Ier. Il
traduisit Ovide, Virgile et une cinquantaine des Psaumes.
Il nous a laissé, en outre, des recueils d'épîtres en vers, des
élégies, des épigrammes et des ballades, où nous voyons briller
un esprit fin, élégant, un peu superficiel, avec des sentiments
aristocratiques. Ce jeune poète ne sut ni comprendre ni
aimer la nature.

2. MARGUERITE DE NAVARRE (1492–1549). Marguerite
de Valois, sœur de François Ier, est plus connue sous le nom
de Marguerite de Navarre. Catholique de cœur et d'éducation, elle fut tolérante à ce point que la Renaissance et la
Réforme trouvèrent auprès d'elle une oasis. Très cultivée,
elle fut la protectrice des sciences et des arts; elle aima la
poésie, écrivit même *les Marguerites de la Marguerite, les
Prisons,* etc., mais son chef-d'œuvre littéraire est *l'Heptaméron,* collection de contes, en prose, à l'imitation du *Décaméron* de Boccace. Elle porte en elle les germes de la
civilisation nouvelle et de la Réforme religieuse. Avec elle,
et grâce à elle, nous voyons s'infiltrer à sa cour l'italianisme
et l'amour de l'antiquité.

3. FRANÇOIS RABELAIS (1494–1553). Il est difficile de
classer ce génie aux facettes si variées. Optimiste envers et
contre tout, il déborde de vie et d'enthousiasme et, par là, est
le prototype de la première partie de la Renaissance. Son
livre *Gargantua et Pantagruel* est une sorte de roman d'aventures qui traite de tout. Il fait, en effet, entrer dans ce livre
toute son érudition, qui est immense, exposant ses connais-

---

[1] Marot, fils du poète Jean Marot, naquit à Cahors. Protégé de
Marguerite de Navarre et poète favori de François Ier, il fut fait
prisonnier à la bataille de Pavie en 1525. Son penchant pour la
Réforme lui attira des ennemis; en 1543 il dut s'enfuir à Genève, puis
à Turin, où il mourut en 1544.

sances, variées à l'infini, à l'aide d'un vocabulaire d'une richesse incomparable. La satire se cache sous la bouffonnerie grossière. Il critique tout, la justice, la guerre, la vie monacale, parce qu'en tout cela on ne prend pas la nature pour guide. Selon lui, la vie est un don; l'esprit et le corps doivent jouir de la vie pleinement, abondamment. Cette théorie va à l'encontre de l'enseignement médiéval qui nous induit à croire à la rédemption par la souffrance, nous enseigne que le monde est une vallée de larmes et le corps une source de tentations qu'il faut châtier afin de préparer l'âme à la vie future.

Cet homme, d'intelligence supérieure, est doué d'une curiosité universelle; il touche à tout et, par là, rappelle les génies de la Renaissance italienne. Rabelais se fait moine, se nourrit des classiques, se défroque et s'en va. Il voyage pour acquérir de l'expérience, mais revient bientôt à Montpellier pour y étudier la médecine. Sur ces entrefaites, il se met à écrire, mais ses vues libérales sur la religion mettent sa vie en péril. Il échappe à la mort grâce à la protection des grands et à son flair du danger.

Gargantua et Pantagruel a fait sa réputation. Ce livre se divise en cinq parties dont la dernière est posthume et, probablement, apocryphe. Voici un bref résumé du livre:

Livre I (*Gargantua*): Naissance et éducation du géant Gargantua. Celui-ci, à l'aide de frère Jean, vainc Picrochole, l'ennemi de son père (satire de la guerre, de sa stupidité, de sa futilité). Ensuite il récompense frère Jean en lui faisant bâtir l'abbaye de Thélème où hommes et femmes vivent en commun sous une même règle: « Fais ce que voudras » (satire de la vie monacale et défense de la nature comme principe de vie morale).

Livre II (*Pantagruel*): Naissance et enfance de Pantagruel, fils de Gargantua (critique de l'éducation scolastique). Rabelais veut que l'on développe le corps et l'esprit; il demande des connaissances plutôt qu'il n'insiste sur la formation du jugement. Panurge, fripon et savant, devient le compagnon du jeune Pantagruel.

Livre III : Discussions sur les différents aspects de la vie. Panurge demande conseil su sujet du mariage ; on l'envoie consulter l'oracle de la Dive Bouteille (la science).

Livre IV : On part à la recherche de la Dive Bouteille, on visite des îles imaginaires. La description des gens et des coutumes donne l'occasion de cingler du fouet de la satire la cour, les catholiques, les protestants et les épicuriens.

Livre V : Le voyage se continue. On arrive à Rome (satire de l'Église). Guidés par l'étoile de la science, les voyageurs consultent l'oracle qui leur répond : « trinch,» ce qui veut dire : « buvez aux sources de la science.»

4. JEAN CALVIN (1509–1564) naquit en Picardie. Son nom Cauvin devint Calvinus en latin et, plus tard, donna Calvin, en français. Destiné à l'Église par son père, il étudia la théologie, mais ne reçut jamais les ordres. Ensuite, il étudia le droit, pour lequel il montra toujours une prédilection particulière. Cela nous fait comprendre, en partie du moins, pourquoi il devint le législateur du protestantisme et le défenseur de la Réforme en France. Nicolas Cop lut un jour un discours inspiré par Calvin ; ce discours, jugé hérétique, força Cop et Calvin à s'enfuir de Paris. Après plusieurs années de voyage, Calvin s'établit à Genève et fit de cette ville une « Rome protestante.» Il organisa une théocratie unique, réduisit au silence ses ennemis et ses contradicteurs, et surveilla la traduction de la Bible en français. Son *Institution de la religion chrétienne* parut d'abord en latin, en 1536, puis fut traduite en français en 1541. Ce livre, son ouvrage principal, est la défense et l'exposé logique de la foi réformée ; c'est aussi le premier livre de théologie publié en français. La doctrine de Calvin sur la prédestination influença plusieurs générations de protestants ; même au

sein de l'Église catholique, nous en trouvons un écho, au siècle suivant, dans le jansénisme. A l'intolérance et au dogmatisme catholiques il opposa un dogmatisme protestant non moins intolérant; à une Église infaillible, il opposa une Bible infaillible. Au point de vue littéraire, son *Institution* fait époque dans le développement de la prose française.

5. LE THÉÂTRE. La représentation des mystères se continue même après l'édit de 1548 qui les défend. La farce est toujours populaire. Dans les écoles et parmi les lettrés on écrit des pièces latines à l'imitation des Anciens.

III. *Seconde Moitié du Siècle* (*1550–1600*)

A. LA PLÉIADE

La Pléiade est le nom donné à une école composée de sept jeunes enthousiastes: Ronsard, Baïf, Ponthus de Tyard, Belleau, Jodelle, du Bellay et Daurat (ou Dorat). Ils s'affublèrent de ce nom en souvenir d'un groupe de poètes d'Alexandrie, en Egypte. L'ardeur juvénile des membres de la Pléiade et leur humanisme se manifestent dans l'amour de l'antiquité classique. Leur but fut d'élever le français à la dignité du latin comme mode d'expression et aussi de purifier la langue et la littérature par l'imitation des classiques grecs et latins. Entraînés par leur sentiment du beau, leur amour exagéré de « vocables non vulgaires,» ils dédaignèrent le moyen âge et s'embarquèrent dans une imitation sans frein de l'antiquité. Ils avaient horreur du vulgaire; « odi profanum vulgus » fut leur devise et leur principe; ils avaient honte de la simplicité. Comme résultat, ils tombèrent dans la raideur et donnèrent dans des formes artificielles. En préparant un art poétique, ils aidèrent à former le goût du siècle suivant pour la poésie classique. Cependant, malgré leur imitation de l'antiquité et leur amour de l'art, ils s'attirèrent les foudres de Malherbe. Ce grammairien grincheux fit table rase de l'imitation servile de la Pléiade et ne contribua pas peu à la faire enterrer dans un oubli qu'elle ne méritait pas. Elle ne survécut pas aux coups de Malherbe et il faudra attendre la venue de l'école romantique pour la voir revivre et porter des fruits.

1. PIERRE RONSARD (1524–1585), chef de la Pléiade et le plus grand poète de son temps, naquit à Vendôme. Jeune encore, il fut admis à la cour, fut page du dauphin et du duc d'Orléans. Charles IX lui écrivit un jour:

> Tous deux également nous portons des couronnes:
> Mais, roi, je la reçois; poète, tu la donnes.

Ce qui veut dire qu'il était le roi des poètes et le poète des rois. Il voyagea en Angleterre, en Écosse, en Allemagne et en Italie. A dix-sept ans, frappé de surdité, il dut renoncer à sa carrière de courtisan et de soldat, mais il trouva sa consolation dans l'étude des Anciens. En 1550 parut son premier volume de vers. Ses poésies lyriques—odes, églogues et sonnets—l'ont rendu célèbre. Désireux de donner un poème épique à son siècle, il publia, en 1572, les premiers chants de *la Franciade,* qu'il ne put finir. L'inspiration de Ronsard souffre parfois de son excès d'érudition: il reste, malgré tout, un poète lyrique de grande importance.

2. JOACHIM DU BELLAY (1522–1560) est, après Ronsard, le poète le plus éminent de la Pléiade; il en fut aussi le polémiste le plus distingué. Il écrivit la *Défense et Illustration de la langue française* (1549), qui est, à la fois, un plaidoyer et la profession de foi de la nouvelle école. L'auteur proclame que la langue française se prête à une beauté supérieure d'harmonie et de finesse, et peut égaler le grec et le latin. « Coupons, taillons, ajoutons et rendons la langue digne de sa mission.» Le mot *illustration* suggère ici l'idée de *illustre.* La *Défense* fut la première œuvre importante

de critique littéraire en français. Du Bellay écrivit aussi quelques belles poésies lyriques.

3. ÉTIENNE JODELLE (1532–1573). Dans son fameux manifeste, du Bellay avait fort mal parlé des moralités et des farces: il faisait appel aux auteurs qui désiraient restaurer le théâtre en France en « son ancienne dignité.» Jodelle accepta l'invitation et fit de vaillants efforts pour imiter avec intelligence les modèles classiques. En 1552, à l'âge de dix-neuf ans, il composa *Cléopâtre,* tragédie en cinq actes, en vers. La même année, il présenta *Eugène,* comédie, également en vers. *Didon,* autre tragédie, en vers alexandrins, deviendra, dans la suite, le modèle de la tragédie française. Ces tragédies nouvelles ne furent cependant que de nobles essais de la part des savants et des théoriciens qui cherchaient à fonder un théâtre national; le peuple ne pouvait ni comprendre ni apprécier ces nouveautés. Elles furent donc représentées à la cour ou d'une façon privée, en présence d'amis compétents. Jodelle, en tout cas, a fait preuve d'initiative s'il n'a pas réussi à donner une pièce de génie; on peut le considérer comme le fondateur de la tragédie classique française.

Sauf BAÏF, qui essaya d'écrire en vers métriques sur le modèle des vers grecs et latins, les autres poètes de la Pléiade n'ont rien laissé qui mérite l'attention.

B. DÉVELOPPEMENT DU THÉÂTRE

1. LA TRAGÉDIE. Jodelle fit école. Il eut des imitateurs qui, grâce aux idées lancées par lui, firent faire de grands pas à la tragédie et annoncèrent, dans les cinquante ans qui suivirent, la tragédie classique du dix-septième siècle. On imita beaucoup, sinon avec succès du moins avec enthousiasme. On prit Sénèque pour modèle; mais la *Poétique* d'Aristote, commentée en latin par Scaliger, servit de guide

aussi aux écrivains. On crut voir dans la *Poétique,* incomprise dans ses points essentiels les plus abstraits, la théorie des trois unités—unité de temps, de lieu et d'action. L'interprétation qu'on en tira fut que l'action doit être une, durer vingt-quatre heures au plus, et s'enfermer dans un seul lieu.

ROBERT GARNIER (1534–1590), dont les pièces gagnent à être lues plutôt que représentées, est le meilleur poète tragique de l'époque. Dans *Bradamante,* imitée de l'Arioste, il créa la tragi-comédie, genre nouveau qui n'est autre chose qu'une tragédie qui finit heureusement.

2. LA COMÉDIE. La comédie ne suit pas les mêmes voies d'évolution que la tragédie; elle naît de la farce des époques précédentes, et des modèles italiens. LARIVEY (1550–1612), italien de naissance, mérite d'être regardé comme le meilleur poète comique du temps. Il adapta, avec succès, ses modèles italiens au goût français.

C. MONTAIGNE ET AUTRES ÉCRIVAINS

1. MICHEL DE MONTAIGNE [2] (1533–1592). Rabelais remplit la première moitié du siècle par sa vie intense et son amour de l'action; Montaigne représente la seconde par sa modération et son observation psychologique. Rabelais est un professeur d'énergie, Montaigne un maître de tolérance. Sa gloire est assurée par les *Essais,* « livre, disait-il, consubstantiel à son auteur.» La première édition, en deux livres, parut en 1580; la cinquième, en trois livres, revue et augmentée de plus de cinq cents additions, en 1588. Cette dernière aida à la préparation de l'édition posthume de 1595,

---

[2] Michel Eyquem de Montaigne naquit au château de Montaigne, en Périgord. Son père lui donna, dès son enfance, des maîtres qui lui enseignèrent à parler le latin avant le français. Plus tard, on l'envoya au Collège de Guyenne à Bordeaux. En 1570 il se retira en son château pour lire, méditer et écrire ses *Essais.* Il voyagea beaucoup, et pendant un séjour en Italie il fut élu maire de Bordeaux (1581).

mise à jour par les soins de Mlle de Gournay, sa « fille d'alli-ance.» Dans les *Essais* Montaigne observe la vie en général mais s'observe surtout lui-même; lui, Montaigne, serait donc l'homme en raccourci. Il donne l'impression d'un certain scepticisme sans système défini. Il aime à n'être point caté-gorique; il doute même de ses propres conclusions et, cepend-ant, quelques idées positives et définies se dégagent de ses écrits. Signalons, par exemple, le développement de l'indi-vidu par l'éducation, laquelle consiste à former le jugement plutôt que la mémoire; enfin, sa foi dans la formule « mens sana in corpore sano.» Le doute, pour lui, est le jugement en suspens. Il croit à la raison, à la monarchie absolue, à une religion d'état. S'il est chrétien, s'il croit au dogme, sa morale ne semble pas prendre source aux eaux pures du christianisme. Les *Essais* se divisent en chapitres de longueur inégale, allant, sans lien, à l'aventure; le titre lui-même ne donne pas toujours l'idée du sujet; « mon esprit et mon style vont vagabondant,» nous dit-il. Ce livre fait penser. Les essais sur l'Éducation (*De l'institution des enfants*), sur *l'Amitié*, sur *les Cannibales,* sont parmi les meilleurs. Les écrits de Bacon et d'Emerson nous révèlent l'influence de Montaigne.

2. JACQUES AMYOT (1513–1593) est connu par ses tra-ductions d'auteurs grecs et latins. Son ouvrage *les Vies parallèles de Plutarque* (1559) est un livre très lu et très estimé.

3. GUILLAUME DU BARTAS (1544–1590). Ce disciple de Ronsard appartient à l'Église réformée. Il a écrit deux poèmes épiques: *la Première Semaine* et *la Seconde Semaine*. Le premier nous raconte la création; le second est une espèce d'histoire universelle.

4. AGRIPPA D'AUBIGNÉ (1552–1630), le plus grand poète huguenot, trouva assez de loisirs, pendant les guerres de reli-gion, pour écrire une poésie mordante et sectaire. Son prin-

cipal ouvrage, *les Tragiques* (publié en 1616), est un poème satirique en sept parties, décrivant les malheurs de la guerre civile et religieuse en France. Les trois premières parties du livre traitent des guerres civiles et de la corruption des juges qui vendent la justice à prix d'argent. Les quatre dernières dépeignent les martyrs de la foi nouvelle, le nombre croissant des fidèles et le destin des ennemis de l'Église réformée.

5. BLAISE DE MONTLUC (1502–1577), au soir de sa vie, écrivit ses *Commentaires,* qui ne sont que l'histoire d'un soldat qui a passé un demi-siècle à la tête des armées du roi en combattant les huguenots.

6. BRANTÔME (1540–1614) dans ses *Vies* nous peint la société de son temps sous tous ses aspects.

7. SAINT FRANÇOIS DE SALES (1568–1622) s'efforce, dans son *Introduction à la vie dévote,* de rendre la dévotion plus attrayante pour les gens du monde. Son livre appartient plutôt au siècle suivant.

8. *La Satire Ménippée* (1594) est un pamphlet politique écrit par certains catholiques modérés qui s'opposaient aux efforts de la Ligue, parti ultra-catholique. Ce dernier clan avait pour but de demander la protection et l'intervention étrangères pour empêcher le huguenot, Henri de Navarre, de recevoir la couronne de France.

A l'Étranger

1. EN ANGLETERRE. La dernière partie du siècle est connue sous le nom de PÉRIODE D'ÉLIZABETH, période rendue fameuse par plusieurs écrivains dont les plus importants sont: SHAKESPEARE et d'autres auteurs dramatiques; BACON (par ses *Essays*); SPENSER (par sa *Faërie Queen*); SIR PHILIP SIDNEY (par son *Arcadia*).

2. EN ALLEMAGNE. HANS SACHS se distingue dans la poésie et le théâtre; MARTIN LUTHER dans la traduction de la Bible.

3. EN ESPAGNE. MONTALVO inaugure le siècle par son roman de chevalerie, *Amadis de Gaula*. La *Celestina* parut vers l'an 1500. L'auteur de ce curieux roman dialogué est inconnu. BOSCÁN et GARCILASO furent des poètes distingués. Vers le milieu du siècle, le roman picaresque fit son apparition. Le meilleur exemple du genre est *Lazarillo de Tormes* dont l'auteur est inconnu. Le Portugais MONTE-MAYOR, s'inspirant de l'Italie, écrivit en espagnol sa *Diana Enamorada,* en 1558; ce livre est un exemple fameux du roman pastoral. LOPE DE VEGA et CERVANTES dont les chefs-d'œuvre verront le jour au siècle suivant, commencent à écrire avant 1600.

4. EN ITALIE. L'ARIOSTE (Ludovico Ariosto) continue les romans de chevalerie avec son *Roland Furieux* (*Orlando Furioso*). Le TASSE (Torquato Tasso) écrit son poème pseudo-épique, la *Jérusalem délivrée*. BANDELLO et quelques autres s'illustrèrent dans le conte ou *novella*. Le style de l'*Arcadia* de SANAZZARO donna le ton au roman pastoral. CASTIGLIONE présente un code de mœurs de cour dans son *Courtisan* (*Il Cortegiano*). L'artiste BENVENUTO CELLINI nous a laissé, dans son autobiographie, une peinture animée et amusante de son temps. MACHIAVEL s'est rendu célèbre par son *Prince,* qui représente une diplomatie sans vergogne, basée sur les conditions politiques du temps.

CHAPITRE IV

LE DIX–SEPTIÈME SIÈCLE (1600–1715)
(PÉRIODE CLASSIQUE)

PÉRIODE DE TRANSITION (1600–1660)

(*Formation de la Discipline Classique*)

Aperçu Historique

Le règne d'Henri IV (1589–1610) est une période de
transition entre le chaos politique et intellectuel de la fin du
16e siècle et la centralisation dans le gouvernement, la
société, les lettres et les arts. On voit aussi poindre une
certaine discipline dans la société. Henri IV, héritier légitime d'Henri III, était aimé du peuple; chez lui, cependant,
le protestant faillit tuer le roi, car sa religion fut sur le point
de lui faire perdre la couronne. La Ligue, autrement dit,
le parti ultra-catholique, eut l'idée d'offrir la couronne de
France à la fille du roi d'Espagne, Philippe II. Celui-ci,
favorable au projet, fournit de l'argent et des troupes pour
aider la Ligue. D'un autre côté, la reine Élizabeth d'Angleterre et les princes protestants d'Allemagne vinrent en aide
au roi Henri. Il fallut se battre; mais malgré la défaite de
Mayenne, chef de la Ligue, à Arques et à Ivry, les Espagnols
empêchèrent Henri IV de prendre Paris. En se faisant
catholique, en 1593, le roi Henri gagna l'approbation de la
majorité des Français. Il fit son entrée dans la capitale en
1594; en 1598, il chassa de France les Espagnols. La même
année, il proclama l'Édit de Nantes qui donnait aux protestants la liberté du culte en même temps que les libertés
civiles. Pendant son règne les guerres de religion prirent fin,

la France se fit respecter au dehors et centralisa son pouvoir politique au dedans en affaiblissant la noblesse féodale. Sully, le premier ministre, raffermit les finances, établit des voies de communication, protégea les paysans et rendit prospères le commerce et l'industrie.   En résumé, le premier des BOURBONS, Henri IV, fut un des plus grands rois de France. Il mourut assassiné par la main d'un fanatique, en 1610.

LOUIS XIII (1610–1643), fils d'Henri IV, devint roi à l'âge de onze ans, sous la régence de sa mère, Marie de Médicis.[1]   Les querelles religieuses d'un côté, et la révolte de la noblesse de l'autre, déterminèrent la régente à convoquer les États Généraux [2] en 1614.   Le Tiers État [2] demanda des réformes dont on ne tint aucun compte; il faudra attendre jusqu'en 1789 pour assister à une nouvelle convocation des États Généraux.

Le jeune roi manquait de volonté; mais le CARDINAL RICHELIEU, son ministre de 1624 à 1642, devint un homme d'état très puissant, un chef à l'intelligence souple, à la volonté de fer; il fut la gloire du règne.   Pour abaisser la maison d'Autriche, c'est-à-dire le pouvoir de l'empereur d'Allemagne et du roi d'Espagne, il s'allia aux protestants d'Allemagne et les favorisa dans la Guerre de Trente Ans.   Au milieu de graves difficultés, Richelieu réorganisa l'armée, créa une flotte puissante et de nouveau libéra la France de la présence des Espagnols; en un mot, il établit la monarchie absolue, soumit les protestants, força la noblesse à l'obéissance et gouverna les provinces à l'aide de fidèles bourgeois. Richelieu mourut en 1642 et Louis XIII en 1643.

MINORITÉ DE LOUIS XIV (1643–1661).   Fils aîné de Louis XIII, Louis XIV commença son règne à l'âge de cinq ans.   Sa mère, ANNE D'AUTRICHE, devint régente et gou-

---

[1] Prononcez: «médississe» [medisis].   Elle était de la fameuse famille florentine de'Medici.

[2] Voir Glossaire.

verna à l'aide du premier ministre, le CARDINAL MAZARIN, homme d'état italien, intelligent mais sans scrupule. La France, toujours en guerre avec l'Allemagne et l'Espagne, défit les Espagnols à Rocroi, en 1643, et nombreuses furent les victoires qu'elle remporta sous le commandement des généraux Condé et Turenne. Par le Traité de Westphalie (1648), l'Allemagne céda l'Alsace à la France, mais l'Espagne continua la guerre. Cette même année, une querelle de cour amena une guerre civile, appelée, par dérision, LA FRONDE, mais le pouvoir royal sortit de cette querelle plus fort que jamais. L'Espagne, fatiguée de la guerre, signa la Paix des Pyrénées (1659), qui valut à la France une autre acquisition de territoire. Pour cimenter cette paix, Louis XIV épousa Marie Thérèse, fille du roi d'Espagne, Philippe IV. Ce mariage de haute politique permit de donner, plus tard, la couronne d'Espagne à un prince français. Mazarin mourut en 1661.

La Littérature

L'ESPRIT DU DIX-SEPTIÈME SIÈCLE.[3] Le mouvement classique se fit sentir en deux courants opposés : d'une part, il continua l'humanisme de la Renaissance ; de l'autre, il réagit contre lui. Dans son effort pour mettre de l'ordre dans l'organisme individuel et chaotique du 16e siècle, l'ère nouvelle cherche à créer un esprit nouveau d'*ordre*, de *vérité* et de *goût*, sans toutefois y réussir tout d'un coup. Pendant la période de TRANSITION ET DE PRÉPARATION (1600–1660) on peut discerner un *ordre* partiel dans l'état, sous Henri IV ; dans la littérature, sous Malherbe, qui l'orienta vers la formation de l'esprit classique. Descartes introduisit la *vérité* dans la pensée, Pascal dans la morale, et

[3] Plusieurs des idées contenues dans ces paragraphes sont tirées de Stewart and Tilley, *Classical Movement in French Literature* (Cambridge University Press, 1923).

tous deux amenèrent la *sincérité* dans l'expression littéraire.
La *raison* devint suprême; ella régna partout.   L'indiscipline
de l'imagination n'a pas encore complètement disparu, cependant, à la mort de Richelieu en 1642; le mauvais goût et
l'exagération menaçent encore d'égarer les esprits.

La Période des Grands Classiques (1660–1685) vit
fleurir les principes nouveaux d'*ordre*, de *vérité* et de *raison;*
à ces principes elle ajouta le *goût* puisé dans les Anciens.
Pascal avait annoncé l'art de cette période; Molière, Racine,
La Fontaine et Boileau lui donnèrent la consécration de leur
génie.

L'inévitable Déclin de l'Age Classique (1685–1715)
devint une période de Libération et de Transition; les Anciens ne furent plus les maîtres incontestés et le classicisme
se contenta d'une imitation servile.

I. *Préparation de la Discipline Classique*

Pendant les soixante premières années du 17e siècle, il y
a lutte entre l'esprit de discipline et de liberté; la centralisation littéraire n'est pas faite, elle se fait.   On change donc,
on hésite, on développe.   Le goût, la discipline et l'ordre se
manifestent: (1) dans les salons; (2) chez Malherbe et
Balzac; (3) dans les règles dramatiques; (4) à l'Académie;
(5) dans la philosophie de Descartes, qui peut être considéré
comme l'un des premiers classiques.   On observe des tendances opposées dans le roman, la comédie et chez les précieux.   La simplicité et le naturel ne règnent pas encore
en maîtres mais on travaille à cette fin.   L'esprit classique
n'étant pas déterminé, les grands écrivains du temps montrent plus de variété et d'indépendance que ceux de la période
suivante.

A. RÉFORME DE LA POÉSIE ET DE LA PROSE

1. FRANÇOIS DE MALHERBE [4] (1555–1628), RÉFORMATEUR DE LA POÉSIE. Malherbe, critique et poète secondaire, fit sentir son influence en enseignant le goût et la mesure. Bien qu'au début il ait imité les Italiens, il ne tarda pas à suivre le penchant de sa nature faite de bon sens, sans émotion. *Les Stances à du Périer sur la mort de sa fille* donnent un exemple du génie de l'écrivain, mathématiquement parfait, mais sans émotion vraiment lyrique. C'est qu'en effet Malherbe n'a pas l'imagination vive ni le sentiment profond; de plus, il ignore la nature; il a l'imagination d'un citadin qui ne connaît pas la campagne. Son influence, cependant, fut heureuse; il libéra le génie national de tous les éléments hétérogènes qui l'encombraient, il donna à la poésie aussi bien qu'à la prose un tour nouveau, une physionomie nouvelle, et c'est avec raison que Boileau put dire: « Enfin, Malherbe vint. . . .» Les seuls écrits critiques qu'il ait laissés consistent en notes marginales sous forme de commentaires sur la poésie de Ronsard et d'un certain Desportes. Malherbe, « ce tyran des mots et des syllabes,» a épuré le vocabulaire au point d'appauvrir la langue, mais, avec lui comme après lui, si elle a moins de richesse, elle a plus de clarté. Boileau disait de lui que « Personne n'a jamais mieux su la langue que lui, et n'a mieux entendu la propriété des mots et la juste mesure des périodes.» Il prêche la *sobriété*, le *goût* (pas d'images exagérées ni de longues métaphores), la *clarté* (précision dans les termes et soumission aux règles du langage).

Malherbe fut fortement secondé par VAUGELAS [5] (1585–

[4] Né à Caen, en Normandie, Malherbe vint à Paris en 1605 et fut admis à la cour. Il y vécut longtemps. Comme poète de cour, il connut la faveur d'Henri IV, de Marie de Médicis et de Louis XIII auquel il dédia une grande partie de sa poésie.

[5] En 1647 il donna les *Remarques sur la langue française.* Le *Dictionnaire de l'Académie* est dû à son initiative.

1650), esprit judicieux, positif et délicat, s'il en fut.   Grâce
à sa *Grammaire* et à son *Dictionnaire,* il continua de donner
à la langue la fixité, à la littérature, l'unité.   En épurant le
vocabulaire, Vaugelas voulut perfectionner le français, « net-
toyer [la langue] des ordures qu'elle avait contractées.»
Malherbe voulait aussi réduire la langue aux mots purement
français, bannir l'italianisme, les dialectes et les mots sentant
le pédantisme.   Selon lui, la poésie elle-même doit se soumettre à des règles définies.   La grande différence qu'il
admet entre la poésie et la prose est une différence de technique plutôt que d'inspiration.   L'art de Malherbe consiste
dans la technique, la facture serrée, la précision et la sobriété,
l'effort lent et laborieux.   Esprit étroit, minutieux et for-
maliste plutôt que puissant, il combat l'exubérance, l'art
facile, le savoir varié mais confus de la Pléiade ; il est à
regretter qu'il n'ait pas compris les qualités lyriques de cette
école.   Malherbe est important par son influence beaucoup
plus que par ses œuvres.

Malherbe est l'homme de son siècle, qu'il représente en
bien des points.   Nous verrons le triomphe de son enseignement vers 1660, quand les grands classiques de l'époque le
reconnaîtront pour maître et pour guide.   Parmi les contemporains, deux poètes médiocres (Maynard et Racan)
furent ses disciples.   Sa discipline parut intolérable à beaucoup de ses contemporains, et en dépit des dires de Boileau
(« tout reconnut ses lois »), il eut des adversaires puissants
qui, en bien des points, le surpassèrent.   Parmi ceux-ci, on
peut citer :

(a) THÉOPHILE DE VIAU (1590–1626), poète lyrique tout
     rempli du sentiment de la nature.
(b) MATHURIN RÉGNIER (1573–1613), poète satirique
     dont la verve comique et piquante contraste avec le
     calme froid de Malherbe.   Il veut la liberté dans l'art

et ne voit en Malherbe qu'un « gratteur de papier, un pédagogue grincheux, un poète sans inspiration.» Parmi les *Satires* de Régnier signalons *Macette,* la femme hypocrite « dont l'œil tout pénitent ne pleure qu'eau bénite,» vraie émule de Tartufe.

2. JEAN LOUIS GUEZ DE BALZAC [6] (1594–1654) a réformé la prose.   Dans ses *Lettres,* écrites avec soin, il « a construit la période éloquente » et «personne n'a mieux entendu la propriété des mots.»   Il est le maître de l'éloquence.   Il est bon d'ajouter, cependant, que l'uniformité de ses procédés est le vice de sa méthode; sa phrase est souvent pompeuse; en un mot, il n'est pas naturel, spontané; il devient, à la longue, monotone, en dépit de l'harmonie et de la pureté de sa phrase.   Dans sa correspondance avec les grands de l'époque, il discute littérature, religion et philosophie, sans oublier la campagne, qu'il a vraiment aimée.   Il est aussi l'auteur de *Dissertations,* du *Prince,* du *Socrate chrétien,* de l'*Aristippe.*

B. LA VIE SOCIALE: ORGANISATION ET INFLUENCE

1. LES SALONS.   Sous Henri IV la vie militaire avait donné du piquant à la société, mais un aspect rude et grossier, un sans-gêne blessant dans les manières et dans le langage. La société raffinée des salons s'efforce de perfectionner la langue et d'épurer les mœurs; dans la première moitié du 17e siècle, elle se réunissait dans les hôtels privés; dans la seconde, à la cour de Louis XIV.

[6] Les premières lettres de Balzac, publiées en 1624, furent admirées de la société parisienne.   Après avoir connu un moment de gloire à Paris, Balzac se retira à la campagne, faisant de rares apparitions à l'Hôtel de Rambouillet où les lettres qu'il adressait à ses contemporains étaient lues et discutées.   Il fut un des premiers membres de l'Académie.

(a) Le salon le plus important fut celui de MADAME DE
RAMBOUILLET.   Commencé vers 1610, il se continua
jusqu'en 1660, mais sa période de gloire et d'importance réelle fut de 1624 à 1648.   Ce salon fut le
rendez-vous des princes, des femmes et des écrivains
distingués.   VOITURE (1598–1648), fin épistolier et
auteur de poèsies légères, était l'âme de ce cercle où
régnaient l'élégance des manières et le bon goût.
L'influence de l'Hôtel de Rambouillet ne fut surpassée
que par celle de Malherbe.

(b) Vers 1650 le salon de Mlle DE SCUDÉRY éclipsa celui
de Madame de Rambouillet.   La tendance au pédantisme se manifeste déjà.

(c) Les salons se multiplièrent à Paris et dans les provinces, mais l'imitation engendra l'affectation dans
les manières aussi bien que dans le langage qui devint
un jargon incompréhensible, excepté aux initiés.
C'est l'époque des précieuses ridicules qui vont détruire l'influence des salons.

2. LA PRÉCIOSITÉ.   On donna ce nom au style littéraire
dont la société se servait dans les salons.   Ce fut, au début,
un effort, un principe de distinction, de culture intellectuelle
et de décence morale, une réaction contre la licence des
mœurs du commencement du siècle.   La première mani-
festation de la préciosité est la galanterie en amour.   On
veut tout dire avec grâce ; on prend le ton des belles manières ;
en un mot, on développe l'esprit de la conversation lequel,
disait Mlle de Scudéry, « est le moyen le plus ordinaire
d'introduire non seulement la politesse dans le monde, mais
encore la morale la plus pure et l'amour de la gloire et de
la vertu. »   On vise, en tout cela, à former l'*honnête homme*
qui fait tout et sait tout sans exagération, un homme qui « ne
parle pas savamment mais raisonnablement, » dont le langage

et le style ne sentent pas le vulgaire. La préciosité disciplina la société exquise du 17e siècle mais, avec le temps, elle tomba dans l'affectation. La galanterie s'affadit et la pureté du langage se changea en purisme. Les écrivains en reçurent une double influence *bonne* et *mauvaise;* ils gagnèrent en *clarté, propriété* et *goût;* ils perdirent en étant trop subtils et superficiels; ils gagnèrent en *noblesse* et en *pureté;* ils perdirent en *beauté* expressive et en *couleur.*

3. L'ACADÉMIE FRANÇAISE. Quelques amis, amateurs de lettres, avaient coutume de se réunir chez Valentin Conrart pour discuter diverses questions philosophiques ou littéraires. L'idée de l'Académie prit naissance au milieu de ces rendez-vous. Richelieu approuva, et en 1634 la nouvelle assemblée se réunit sous son patronage. L'Académie se distingua, au début, par deux faits notoires, la critique du *Cid,* en 1637, et le *Dictionnaire,* en 1694. L'Académie vit encore; elle se compose de 40 membres élus à vie.

C. LE ROMAN AVANT 1660

Le roman comique ou sérieux de cette époque manque de naturel et de finesse; il est fait d'inventions grotesques et d'art inférieur, surchargé d'esprit et d'imagination, gonflé de sentiment mais manquant d'analyse et dépourvu de sens historique. Les lecteurs les plus sérieux du 17e siècle furent, néanmoins, charmés par la lecture de ces romans.

1. LE ROMAN PASTORAL apparaît le premier. C'est une imitation de modèles italiens et espagnols qui nous donne, en langage raffiné, le portrait de bergers de convention. L'*Astrée* (1607–1627) d'HONORÉ D'URFÉ est le chef-d'œuvre du genre. C'est l'histoire des amours du jeune Céladon pour Astrée; après toute une série de soupçons, d'enchantements et de réconciliations, Astrée épouse son Céladon.

2. LE ROMAN D'AVENTURE. Le *Grand Cyrus* (1649–1653), roman précieux de MADELEINE DE SCUDÉRY (1608–

1701) nous donne une idée du genre. Le thème est l'amour de Cyrus pour sa cousine, l'incomparable Mandane, pour laquelle il conquiert l'Asie avant de l'épouser. Ne cherchons pas de vérité historique dans le *Grand Cyrus;* cherchons-y seulement la peinture ou la caricature de beaucoup de contemporains. *Clélie* (1654–1661) nous représente aussi les hommes du temps. Ce livre, qui contient la fameuse « Carte de Tendre,» [7] eut un très grand succès.

3. LE ROMAN BURLESQUE fut la réaction réaliste contre l'idéalisme extravagant des autres romans, pastorales, etc. CHARLES SOREL (1602?–1674) dans *l'Histoire comique de Francion* choisit ses personnages dans la basse société; dans son *Berger extravagant,* il ridiculise la pastorale et nous fait penser à l'idée principale de Cervantès dans son *Don Quichotte.* PAUL SCARRON (1610–1660) est le maître du burlesque. Dans son *Roman comique,* qui décrit une troupe d'acteurs ambulants et de campagnards, il se livre à une parodie réaliste.[8]

D. LE THÉÂTRE AVANT CORNEILLE

Au moyen âge le théâtre fut d'abord religieux, puis laïque ou séculier. La Renaissance donna des pièces académiques construites sur le modèle ancien et faites pour être lues ou, tout au plus, pour être représentées d'une façon privée. Au 17e siècle le théâtre apparaît comme œuvre d'art. Au début du siècle le genre comique se divise ainsi: la farce, la comédie d'intrigue et la comédie de mœurs. Les autres genres dra-

---

[7] Voir Glossaire.

[8] Gomberville et la Calprenède n'ont qu'une importance secondaire dans le roman d'aventures. Cyrano de Bergerac est moitié réaliste, moitié burlesque. Un peu plus tard, Boileau, dans son *Dialogue sur les héros du roman* (1664), critique le style des personnages du *Grand Cyrus* et montre le déclin de la littérature précieuse. *Le Roman bourgeois* de Furetière se sépare explicitement du roman heroïque en nous montrant des hommes de vie moyenne.

matiques sont: la tragédie, dont les règles ne sont pas encore clairement définies, la tragi-comédie et la pastorale. Les premières compagnies d'acteurs de profession remplacent les amateurs et les « confréries.»

1. La Tragédie—la Tragi-Comédie—la Pastorale.

(a) Montchrétien (m. 1621) continue la Pléiade dans ses tragédies sans vie. Il a le tempéramment élégiaque plutôt que dramatique.

(b) Alexandre Hardy (1569–1632), membre de la troupe de l'Hôtel de Bourgogne, conserve quelques caractères de la pièce académique mais obtient un vrai succès populaire par ses tragédies, tragi-comédies et pastorales. S'il ne fut point artiste, la mise en scène, pour lui, n'avait pas de secrets. On peut dire qu'il est le fondateur de la tragédie en ce sens qu'il fut le premier à introduire sur la scène des actions dramatiques et non pas seulement des thèmes poétiques. Très prolifique, il avoue lui-même qu'il composa plus de 600 pièces dont 40 seulement furent imprimées. La mise en scène, dans ces représentations dramatiques, ne différait pas beaucoup de celle des mystères; le théâtre pouvait représenter plusieurs lieux à la fois. Quant aux unités, elles n'existaient pas au sens qu'on leur donnera plus tard. Le grand succès de Hardy est dû à ce genre hybride qu'on appelle « tragi-comédie » et qui consiste dans un dénouement heureux, un sujet populaire, et une forme classique sans les unités de temps et de lieu. La tragi-comédie avec la tragédie « irrégulière » relie le moyen âge au théâtre classique. Avec *le Cid* de Corneille, la représentation des pièces de ce genre devint très populaire.

(c) JEAN DE MAIRET (1604–1686), contemporain et adversaire de Corneille, écrivit une pastorale, *Sylvanire* (1631), précédée d'une importante préface sur les unités. *Sophonisbe* (1634) est la première tragédie complètement classique en ce sens que non seulement on y trouve les unités, la noblesse du style et la base psychologique de l'action, mais encore le sujet historique.

(d) LES UNITÉS. La tragi-comédie et la pastorale avaient, pendant un certain temps, remplacé la tragédie comme divertissement populaire, parce que le public demandait de l'action et de la vie. Les « unités, » dont on a déjà parlé, gagnaient du terrain dans l'esprit des lettrés qui demandaient la logique au théâtre. Après le *Sophonisbe* de Mairet, les unités semblent avoir gain de cause. Par exemple, la représentation simultanée des lieux fut remplacée par l'unité de lieu qui s'harmonisait avec l'unité de temps. L'unité d'action fut aussi reconnue et, sous l'influence de Corneille, l'action devint psychologique. Ces règles qui ont si fortement agi sur l'évolution de l'art dramatique depuis l'apparition, en 1640, de l'*Horace* de Corneille jusqu'au Romantisme, semblent avoir satisfait l'idée de « raison » du 17e siècle. Elles ont eu l'avantage de rendre plus intense l'étude des problèmes d'ordre psychologique, mais elles ont coupé les ailes à l'imagination. En vérité, les règles des unités attribuées aux Grecs et fondées, en partie du moins, sur leur autorité, sont le résultat d'une erreur du critique italien Castelvetro qui commenta, sans la comprendre, la *Poétique* d'Aristote. Celui-ci, en effet, remarque que la tragédie grecque repose généralement sur une action qui dure d'ordinaire 24 heures; il ne parle pas de l'unité de lieu. La tragédie de Racine marque l'apogée du genre; elle en est l'exemple le plus typique, l'expression la plus parfaite.

2. La Comédie. Après l'*Eugène* (1552) de Jodelle, la comédie française n'est que l'écho de la comédie italienne, fourmillant de traits et de types exagérés de réalisme ou de bouffonnerie, sans relation définie avec la farce française ou les Anciens. Hardy inaugure un genre nouveau à côté de cette comédie artificielle; il n'écrit pas de comédies mais conserve un certain élément comique dans la tragi-comédie, la pastorale et la farce. Vers 1630 Rotrou et Corneille renouvelèrent la comédie.

II. *La Première Génération des Grands Classiques*

1. Pierre Corneille (1606–1684): Création de la Tragédie Classique en France.[9] Son origine normande lui a donné une certaine dose de subtilité d'esprit; son amour de la littérature latine fait mieux comprendre l'atmosphère romaine de ses pièces; son étude du droit a pu favoriser son penchant naturel pour la discussion. Ce sont les points principaux à considérer en dehors de l'histoire littéraire de Corneille.

Après avoir débuté par la comédie (il donna *Mélite* en 1630) il entra dans une période de gloire pendant laquelle il publia ses tragédies à grand succès (1637–1651). Au commencement de 1637 parut le *Cid,* qui suscita une fameuse querelle. Vinrent ensuite *Horace* (1640; pièce plus classique que la précédente), *Cinna* (qui dépeint la grandeur d'âme d'Auguste), *Polyeucte* (1641, l'histoire d'un martyr chrétien), *Pompée* (1642), *le Menteur* (comédie, 1643), *Rodogune,* et *Nicomède* (1651). Après l'échec de *Pertharite*

---

[9] Il semble qu'on aime à faire partager ce titre à plusieurs auteurs. Jodelle, le premier, imite les Anciens; Hardy introduit l'action dramatique moins l'art; Mairet, le premier, observe les unités; Corneille écrit la première tragédie de génie.

(1651), il se tint éloigné du théâtre; il y retourna plus tard, mais le génie du grand poète allait s'affaiblissant et il ne connut plus le succès d'autrefois. Son théâtre se compose de plus de 30 pièces dont les deux tiers sont des tragédies.

Quand il eut fourni des modèles de comédie de société polie en un temps où l'on ne connaissait que la bouffonnerie grossière, Corneille créa la tragédie classique en combinant l'art purement académique de Jodelle avec l'art vivant mais médiocre de Hardy. Il mêla l'élément d'action morale avec la logique des caractères, produisant ainsi une œuvre de génie.

Corneille accepta les critiques de l'Académie sur le *Cid* et s'attacha, dans la suite, à la stricte observance des lois classiques du temps, sans cesser, toutefois, de donner à ses caractères un air romanesque et héroïque. Son thème favori est le triomphe de la volonté sur les passions; il nous montre l'héroïsme du devoir, la beauté du sacrifice, le courage et la constance dans la lutte contre le destin. Il nous peint l'homme idéal tel qu'il devrait être, éclairé moralement par les lumières de la raison et guidé dans ses actes par une volonté consciente. Il se plaît dans les conflits des sentiments tels que l'amour filial et l'honneur (*le Cid*), le patriotisme et l'amour (*Horace*), la dignité royale et la clémence (*Cinna*), la religion et la fidélité conjugale (*Polyeucte*). L'amour, chez Corneille, n'est pas la fatalité aveugle et entraînante de Racine; c'est le libre choix né de l'estime et fortifié par un acte de raison. Les femmes même sont peu féminines; elles sont des passionnées par intelligence plutôt que par instinct ou sentiment. Corneille fouille la conscience de ses héros, les place entre deux alternatives—devoir et passion—et nous sommes toujours certains que la victoire finale sera pour le devoir: « la vie est une lutte entre la passion et le devoir; celui-ci doit triompher.»

Les héros de Corneille sont des êtres conscients; ils sont l'expression d'une force intellectuelle et morale plutôt que le jouet d'une imagination poétique ou d'un sentiment délicat. Les qualités oratoires de Corneille sont la force et le mouvement ; sa pensée se condense en vers vigoureux, concis comme des maximes. Ses vers sont rarement poétiques. Sauf dans quelques rares passages lyriques, il se sert de l'*alexandrin*.[10]

Le Cid (mot arabe, *seid*, qui signifie « chef ») est le titre donné à Rodrigue, héros espagnol qui remporta plusieurs victoires sur les Maures. Guillén de Castro écrivit, sur ce sujet, *las Mocedades del Cid* que Corneille imita. Au commencement de la pièce française le problème est posé : Rodrigue aime Chimène et en est aimé, mais le père de celle-ci a offensé le père de Rodrigue. L'honneur demande que Rodrigue venge son père, d'où conflit entre devoir et passion. Rodrigue tue le père de Chimène, laquelle à son tour, doit à son honneur de punir l'assassin de son père. Ici encore, devoir, honneur, passion. Rodrigue enfin se couvre de gloire sur le champ de bataille, sauve son pays et, par là, lave sa faute dans la victoire ; il obtient ensuite le pardon de Chimène qui, finalement, consent au mariage.—*Horace* nous expose le patriotisme des Horace, les défenseurs de Rome, contre les Curiace, les champions d'Albe. Le sujet est tiré de Tite-Live. Camille, sœur des Horace, pleure la mort de son fiancé, un Curiace. Le dernier survivant des Horace, indigné des imprécations de sa sœur, la perce de son épée en lui disant : « Va dedans les enfers joindre ton Curiace.»

(a) LA COMÉDIE DE PIERRE CORNEILLE ET DE SES CONTEMPORAINS. Avant Molière, pendant 30 ans environ, on voit divers types de comédie dont le trait commun est l'absence de sentiment. Corneille, au début, contribua à nous donner une peinture réelle de la société ; plus tard, pour *le Menteur* et *la Suite*

[10] Voir Glossaire.

du Menteur, il demanda son inspiration aux sources espagnoles. Toute la comédie de cette période repose sur une intrigue exagérée et embrouillée; mais Corneille se distingue par une certaine étincelle de grâce et de vivacité. *Le Menteur* (1643) servit de modèle pour la comédie de caractère de Molière. La FARCE continue de vivre au même niveau qu'autrefois, c'est-à-dire au-dessous de la comédie.

(b) LA TRAGÉDIE CONTEMPORAINE ET LA TRAGI-COMÉDIE ont comme représentants THOMAS CORNEILLE (1625–1709), frère de Pierre Corneille, auteur de tragédies et d'une tragi-comédie très populaire, *Timocrate* (1656); et ROTROU (1609–1650), dont les meilleures tragédies sont *Saint-Genest* et *Venceslas,* et qui écrivit aussi des tragi-comédies.

2. RENÉ DESCARTES (1596–1650): RÉFORMATEUR DE LA PHILOSOPHIE. Issu d'une ancienne famille de Touraine, Descartes étudia chez les Jésuites, servit dans l'armée comme volontaire, et prit part à la Guerre de Trente Ans. Il conçut l'idée, en 1619, d'une nouvelle méthode de philosophie à laquelle il travailla pendant vingt ans. Il mourut à Stockholm où il s'était rendu à l'invitation de la reine de Suède. Avec Malherbe et Balzac, Descartes aida à former la discipline classique; on peut même dire que son *Discours* est un des premiers chefs-d'œuvre de la prose française moderne. Il est vrai que la structure de la phrase est moins parfaite que celle de Pascal; elle est parfois enchevêtrée, longue à l'excès, alourdie, mais elle est claire, forte et sonore. Descartes fit table rase de l'autorité, émancipant ainsi l'esprit du formalisme scolastique; pour lui, le « moi » est le principe de toute connaissance. En prenant la raison pour juge souverain des choses, il libéra l'esprit, organisa, clarifia. Il est le FONDATEUR DE LA PHILOSOPHIE MODERNE.

Au sortir du collège, ayant déjà épuisé la science de son temps, il en sentit tout le vide. Il rejeta tout pour n'admettre que l'évidence. Il s'établit à Amsterdam où il écrivit son *Discours de la Méthode* (1637). Bien qu'il n'admît point le principe d'autorité, il adopta, par prudence, un moyen terme, dans le domaine de la raison et de la foi. Le fondement de tout est le bon sens dont on fait un usage imparfait à cause du manque de méthode. Par un procédé d'analyse et de synthèse, la méthode nous conduira à la connaissance de la vérité. Cette méthode repose sur quatre principes fondamentaux : (a) le *doute* qui rejette l'autorité comme principe de science, suspend le jugement jusqu'à preuve absolue de raison ; (b) l'*analyse* ou la subdivision d'un problème en ses éléments constitutifs ; (c) le *progrès méthodique* du simple au complexe ; (d) la *collation complète des faits*. Descartes est résolu à « ne recevoir jamais aucune chose pour vraie qu'il ne la connût évidemment être telle.» Il s'assure d'abord de sa pensée : « je pense, donc je suis.» L'intuition immédiate par la pensée donne l'idée de son existence ; la pensée donne l'idée de Dieu, de son existence ; l'existence de Dieu, la réalité de la matière.

Le *Discours,* écrit en français, provoqua un grand intérêt. Ce fut une innovation importante tant au point de vue littéraire qu'au point de vue des idées. Descartes, animé du désir de répandre sa doctrine, voulait parler à tous, être compris de tous. Il créa un esprit nouveau, le « cartésianisme.» Nous trouvons des traces de cet esprit avant lui, mais Descartes lui donna forme et vie. C'est de Descartes que date le rationalisme scientifique, c'est-à-dire la recherche patiente de la vérité par la raison et—il faut bien l'avouer—la raison pure supplantant parfois l'observation. La philosophie de Descartes a façonné tout le 17e siècle et, dans un sens, le 18e siècle lui-même, bien que les conclusions de Descartes n'aient pas toujours été en accord avec les théories des Encyclopédistes. Les grands classiques auraient peut-être évolué, sans Descartes, vers la raison, l'ordre, les idées générales et l'analyse psychologique; mais, malgré son style un peu lourd, il a, pendant des siècles, révélé les traits principaux de l'esprit français: LOGIQUE, RAISON, CLARTÉ, EXACTITUDE.

Descartes a écrit aussi un *Traité des passions* et des *Méditations*. Ce grand philosophe fut également un éminent mathématicien et un physiologiste.

3. BLAISE PASCAL [11] (1623–1662): SAVANT, PHILOSOPHE RELIGIEUX, MAÎTRE DE LA PROSE ARTISTIQUE. De santé fragile, Pascal montra, dès l'âge le plus tendre, un goût précoce pour les mathématiques. Son éducation religieuse fut des plus soignées, ce qui ne l'empêcha pas, pour un temps, de s'engager dans une sorte de dissipation mondaine. Un accident lui révéla Dieu d'une manière particulière; sa raison et sa foi étant, dès lors, en harmonie, il redonna son cœur et son âme à la cause janséniste de Port-Royal,[12] cause dont l'essence, au point de vue dogmatique, se caractérise par la doctrine de la prédestination et, au point de vue de la morale, par une grande austérité de conduite.

En épousant la cause janséniste, la communauté de Port-Royal avait encouru le déplaisir de Rome. Elle en blâma les Jesuites, qu'on accusait déjà d'une morale trop accommodante et d'une casuistique subtile. Les Jésuites étaient, en effet,

[11] Pascal naquit à Clermont-Ferrand, en Auvergne. Il étudia la géometrie par lui-même, écrivit un *Traité des sections coniques* à l'âge de 16 ans et, à 18, construisit une machine à calculer. Il s'occupa d'applications pratiques toute sa vie; il conçut même l'idée de l'omnibus. A l'âge de 23 ans, il vit la conversion de toute sa famille au jansénisme. Après une période mondaine, il échappa, comme par miracle, à un accident de voiture sur le pont de Neuilly. Il eut une seconde conversion, en 1654, puis se retira à Port-Royal où sa sœur était religieuse. Ses dernières années se passèrent dans la maladie et la souffrance.

[12] Voir Glossaire.

d'experts casuistes. Pascal défendit la cause janséniste dans ses *Lettres provinciales* (1656–1657), un recueil qui, dit Voltaire, « est le premier livre de génie qu'on vit en prose » (*Siècle de Louis XIV*, chap. XXXII). Descartes, par la clarté de sa langue et la logique de sa pensée est considéré comme le premier maître de la prose moderne, mais Pascal ajoute à ces qualités l'art d'un style consommé. En attaquant les opinions des Jésuites sur la grâce, il s'élève du comique au sublime, de l'ironie subtile à la plus haute éloquence. La querelle a fait son temps, mais les *Provinciales* gardent encore leur beauté, leur saveur intellectuelle, leur sincérité et la puissance expressive de leur côté comique et critique.

Les Pensées de Pascal sont une ébauche, des notes jetées çà et là en préparation d'une défense du christianisme. Ce livre nous séduit par ses envolées d'imagination et de profonde raison, qui nous poussent à méditer sur l'éternel problème de la destinée humaine. L'explication de la vie, d'après Pascal, se trouve dans le christianisme. L'homme a une nature contradictoire. Les sceptiques, tel Montaigne, n'ont vu que la faiblesse humaine; les stoïques, comme Epictète, n'ont vu que sa grandeur. La doctrine chrétienne de la chute de l'homme explique cette apparente contradiction, et la rédemption justifie nos espérances : « l'homme est un dieu tombé qui se souvient des cieux. »

Sceptique,[13] *mathématicien, chrétien,* Pascal fut tout cela à la fois; il synthétise science et foi, logique et imagination, pensée et sentiment. Il possède aussi l'esprit d'analyse, et cet inventeur, ce chercheur, ce raisonneur profond et puissant, est dévot avec passion. Ce génie est une combinaison

[13] Le scepticisme de Pascal n'est pas en conflit avec sa religion. Ce scepticisme représente une période de doute qui précède l'adhésion à une vérité. Cela veut dire aussi que la pure raison ne peut pas tout pénétrer, « le cœur a ses raisons que la raison ne connaît point. »

de foi, de poésie et de science.   Le style de Pascal est unique ;
il se distingue par la vigueur, la souplesse, la profondeur, la
précision, la raison et le naturel, qualité récemment acquise.
Il est le premier depuis Calvin qui ait soumis au public les
questions troublantes de la théologie.   Ses expériences scientifiques n'ont pas moins contribué que ses autres écrits à sa
célébrité et à son importance.

PÉRIODE DES GRANDS CLASSIQUES (1660–1685)

(*L'École de 1660*)

Aperçu Historique

Louis XIV (1638–1715) régna de 1643 à 1715.   A la
mort de Mazarin (1661), il voulut gouverner par lui-même et
guider la destinée de la nation en brillant autocrate.   Bien
qu'il fût fidèle à son métier de roi, il aima trop la guerre, la
pompe et les plaisirs.   Son règne fut l'apogée de la monarchie absolue et la fameuse parole qu'on lui attribue, « l'état,
c'est moi,» le caractérise parfaitement.   Il eut deux ministres
habiles, Colbert et Louvois, qui l'aidèrent sans le dominer.
Colbert, le plus important des deux, favorisa l'agriculture et
l'industrie pour enrichir le royaume ; il ouvrit aussi de nouvelles routes, perça des canaux, organisa la marine mar-
chande et créa une flotte assez puissante pour protéger le
développement des colonies de l'Amérique du Nord, de
l'Amérique du Sud, de l'Asie et de l'Afrique.   L'extravagance du roi l'empêcha de diminuer les impôts qui pesaient
si lourdement sur le peuple.   Louvois, ministre de la guerre,
réforma l'armée et la rendit plus forte ; aidé de l'ingénieur
Vauban, il fit de la France une puissance militaire de premier
ordre.   Malheureusement, l'influence du ministre engagea le
roi dans la guerre et il reste responsable des violences com-
mises par quelques-uns de ses généraux en terre étrangère.

En 1661, la France était la nation la plus puissante de l'Europe. Charles II d'Angleterre subissait son influence; l'Allemagne divisée penchait presque toute entière du côté de la France, et l'Espagne vaincue (1666–1668) dut céder à la France plusieurs villes dans les Flandres. En 1672 Louis XIV fit la guerre à la République protestante de Hollande parce que celle-ci, avec sa flotte puissante, entravait ses projets de conquête. La France victorieuse excita la jalousie de l'Allemagne et de l'Espagne, qui lui déclarèrent la guerre. L'Allemagne envahit l'Alsace en 1674, mais fut battue par Turenne. La paix de Nimègue (1678) donna à la France de nouvelles villes en Flandre, et la Franche-Comté sur les bords de la Suisse.

En 1685 eut lieu la Révocation de l'Édit de Nantes. Cette révocation effaça toute trace de tolérance religieuse et sembla préparer l'éclipse de ce beau règne. Les puissances étrangères se liguèrent contre l'ambition arrogante de Louis XIV, qui subit bientôt des défaites sur le champ de bataille aussi bien que dans les intrigues de la diplomatie.

La Littérature

I. *Caractère Moral et Littéraire de l'Age Classique*

L'individualisme du 16e siècle se meurt sous l'influence de la société du 17e siècle faite de discipline, de régularité et d'orthodoxie. Pendant la période brillante et victorieuse de Louis XIV, la cour de Versailles résume l'époque. C'est une période d'intolérance, de privilèges, et d'abus de toutes sortes. La société, fondée sur des principes injustes et étroits, est indifférente aux souffrances du peuple. Il existe une certaine noblesse de ton et de manières, un monde de pompe et d'éclat, un genre de vie splendide et bien ordonné sous un roi qui, croyait-on, tenait son sceptre de Dieu même.

La royauté absolue et l'influence directe du roi lui-même eurent un effet bienfaisant sur la littérature. Les loisirs de la noblesse, à la cour et ailleurs, donnèrent des dehors brillants à cette société unique. Les femmes, avides de littérature, furent des juges avisés du beau, et épurèrent le goût. Bien que la plupart des écrivains appartinssent à la bourgeoisie, la littérature classique fut aristocratique et mondaine, écrite pour un public choisi; elle refléta une certaine beauté artistique, l'idéal social de ce groupe; elle se renferma aussi dans un monde restreint, se souciant peu de justice sociale. Dans cette société, en effet, si belle à bien des égards, régna l'inégalité la plus marquée; et la justice semblait être un terme abstrait, sans réalité concrète. Au 17e siècle, l'influence étrangère fut presque nulle sur la littérature française, qui se complut dans son propre milieu, méprisant le moyen âge et ignorant l'agitation spéculative du 18e siècle.

Avant 1660, plusieurs chefs-d'œuvre avaient paru au milieu d'une grande confusion. Maintenant l'unité est faite et les esprits sont soumis à une stricte discipline dans laquelle tous les courants sont confondus; le terrain est préparé pour la riche éclosion des chefs-d'œuvre classiques. La discipline « classique » ne s'applique pas entièrement et uniquement à l'école de 1660, mais c'est à ce moment qu'elle reçoit son plein essor et son parfait épanouissement. On peut résumer les qualités essentielles du classicisme de la manière suivante:

(1) Respect des Anciens que l'on considère comme maîtres et dont on s'inspire sans servilité.

(2) Le classicisme tend vers la raison, l'ordre, le bon sens, la simplicité, la discipline, l'autorité; il demande donc l'exclusion de l'individualité, du rêve, de l'expression lyrique, mais favorise les idées générales, les concepts clairs, plutôt qu'une imagination vagabonde.

(3) Grâce à la prévalence donnée à l'intelligence et à la raison, on étudie l'homme psychologique, le monde extérieur

n'étant qu'un fait secondaire réduit à sa plus simple expression. On admet le principe chrétien de la faiblesse de l'homme; la mythologie païenne est réduite à ne plus être qu'une chose de convention, une figure poétique.

(4) Respect de l'autorité constituée. La rationalisme de cette époque affirme l'autorité spirituelle et temporelle comme thèse déjà prouvée. La littérature du 17e siècle exprime la vie calme et sereine, et accepte l'état presque stationnaire « du monde et de la vie sans aspirer à en changer les conditions.» Si la société est fixe, les individus qui la composent doivent avoir une règle de conduite tracée à l'avance; la période classique, sans dédaigner l'art, aura pour but d'étudier l'homme moral d'abord.

(5) Le classicisme exige la séparation des genres. La tragédie doit rester tragique sans devenir comique, et la comédie ne doit pas sortir de son élément:

> Le comique, ennemi des soupirs et des pleurs,
> N'admet point en ses vers de tragiques douleurs.

(6) Cette école, enfin, tend à créer une méthode d'expression abstraite, purement intellectuelle, d'où le particulier, l'exception, l'imagination, et la langue diffuse du 16e siècle sont bannis. On cultive un style simple, clair, naturel, direct, uniforme, précis, un peu froid, dans lequel les mots ont une signification presque mathématique.

La vertu de ces qualités est de nous donner une connaissance intime de la nature humaine, d'amener l'ordre, la simplicité et le fini dans l'art. Les défauts de ces qualités sont cachés, en partie, par le génie supérieur des grands classiques, mais sont très visibles dans la période de déclin. Ces défauts sont: la suppression de l'individualisme, le manque de qualités poétiques et pittoresques, l'étroitesse du point de vue. La suggestion poétique manque et l'imagination tient trop peu de place. La tradition classique, dans sa forme exagérée, dégénère en une sorte de préciosité, en généralités de bon ton, gonflées mais vides.

II. *Mondains et Grands Classiques*

1. Les Mondains ou gens de société ne sont que des amateurs en littérature. Ils ont leur importance, cependant, parce qu'ils montrent le milieu dans lequel les grands artistes cisèlent leurs chefs-d'œuvre et la société pour laquelle ils écrivent; et enfin parce qu'ils marquent la transition des Précieux aux grands Classiques.

(a) Le Duc de La Rochefoucauld [14] (1613–1680). Issu d'une vieille famille française, il fut un brave soldat qui eut le malheur, un jour, de se lancer dans la politique. Il ne fut heureux ni en politique ni en amour; de là, son humeur pessimiste. Ses *Mémoires,* qui parurent en 1662, lui créèrent des ennemis. Ses *Maximes* (1665), son ouvrage le plus important, nous révèlent l'homme et aussi le siècle où il vécut; elles consistent en épigrammes courtes, concises, analysant, creusant le mobile de nos actions, affirmant que la vertu est faite d'égoïsme et de vices cachés. Ces brèves formules, trop pleines d'antithèse, sont, en somme, bien sévères pour l'humanité, mais malgré tout elles font penser. Les maximes suivantes serviront à donner une idée du livre: « Les vertus se perdent dans l'intérêt, comme les fleuves se perdent dans la mer »; « Si nous résistons à nos passions, c'est plutôt par leur. faiblesse que par notre force »;

[14] Soldat dès l'âge de seize ans, grièvement blessé en 1652, il se jeta ensuite dans l'intrigue, prit parti pour la reine contre Richelieu, favorisa les rebelles contre la cour. Dans sa retraite, il jouit de l'amitié de Madame de Sablé et de Madame de Lafayette. Ses *Maximes* furent tirées à cinq éditions de son vivant.

« Le refus des louanges est un désir d'être loué deux fois.»

(b) LE CARDINAL DE RETZ [15] (1614–1693). Entré dans l'Église par politique et non par conviction, ambitieux, sans scrupule dans l'intrigue, il joua un rôle prépondérant dans la Fronde. Devenu cardinal, il se retira pour écrire ses *Mémoires* en 1671.[16] Cet homme, d'une intelligence rare, a donné une peinture d'une lumineuse clarté des hommes et des choses de son temps. On ne peut pas toujours se fier à ce qu'il dit, mais il voit tout et colore tout, grâce à un tempérament violent et égoïste.

(c) MADAME DE LAFAYETTE [17] (1634–1693). Nous lui devons le premier roman psychologique—*la Princesse de Clèves* (1678). Ce livre se distingue des romans antérieurs par la brièveté, le réalisme, la forte moralité, l'analyse délicate des sentiments, et un style sobre et précis. Avec tout cela, on y respire un air de savoir-vivre, de distinction et de simple élégance qui fait penser à l'art classique. La princesse de Clèves aime Monsieur de Nemours, mais elle révèle à son mari la situation dangereuse dans laquelle elle se trouve et lui demande de l'aider. Tout en admirant les hauts sentiments de la princesse, le prince meurt, terrifié par cet aveu. La princesse refuse cependant d'épouser Monsieur de Nemours, qu'elle considère comme la cause indirecte de la mort de son mari.

[15] Prononcez « rès » [rɛːs]. François Paul de Gondi semble avoir eu le désir de devenir premier ministre; il fut nommé cardinal en 1657. Tombé en disgrâce après la Fronde, il se retira et, malgré le pardon de Louis XIV, il ne recouvra plus son influence politique.

[16] Les *Mémoires* furent publiés pour la première fois en 1717.

[17] Une des femmes des plus instruites de son temps. Personne vertueuse, de sens rassis et pratique, elle vécut séparée de son mari mais eut beaucoup d'amis, parmi lesquels Madame de Sévigné, La Fontaine, La Rochefoucauld et Condé. Elle fréquenta, quelque temps, l'Hôtel de Rambouillet.

Madame de Lafayette a écrit aussi *Zayde, la Princesse de Montpensier.*

(d) MADAME DE SÉVIGNÉ[18] (1626–1698). Encouragée par l'organisation de la poste et le développement de l'esprit social, la correspondance devient très importante. Madame de Sévigné est la plus grande épistolière du siècle. Veuve, elle se consacra à l'éducation de ses enfants. Plus tard, elle aura avec sa fille, devenue madame de Grignan, une correspondance très suivie. Ses lettres, remplies de l'affection la plus intense pour cette fille, ont une grande valeur historique; elles nous révèlent l'esprit de la cour et nous tracent, en documents sincères, le portrait de la société. Madame de Sévigné a le sentiment de la nature, chose rare en ce temps-là. Elle donne aussi des jugements intéressants sur la littérature de l'époque. Toujours elle écrit comme elle parle; son style est donc celui de la bonne conversation. Madame de Sévigné est une femme intelligente qui a le don de voir clair et de peindre vrai.

2. NICOLAS BOILEAU[19] (1636–1711), LÉGISLATEUR DU CLASSICISME. « Petit poète, doublé d'un grand artiste,»

[18] Marie de Rabutin-Chantal, devenue orpheline de bonne heure, eut pour tuteur son oncle, l'abbé de Livry. Deux hommes de lettres qui l'introduisirent à l'Hôtel de Rambouillet lui donnèrent une forte instruction. Mariée sans amour au marquis de Sévigné, veuve en pleine jeunesse (1651), elle passa sa vie à refaire sa fortune fortement ébréchée par les fredaines du mari et du fils. Elle vécut à Livry près de Paris, aux Rochers, en Bretagne, ou en Provence avec sa fille, dont elle n'aimait pas à être séparée.

[19] Boileau, que ses contemporains appelaient Despréaux, du nom d'une propriété, naquit à Paris. Un héritage lui permit de se consacrer à la littérature. Il étudia aussi le droit et la théologie. Il pencha du côté des Jansénistes, ce qui lui valut l'inimitié des Jésuites. Ses dernières années furent attristées par la mort de son ami Racine et par ses propres infirmités. Il prit parti pour les Anciens contre les Modernes. Il fut nommé historiographe du roi. L'Académie Française lui ouvrit ses portes en 1684.

Boileau fut, à son heure, le plus important critique du siècle, le juge éclairé et l'*arbiter elegantiarum* en littérature.   Ses *Satires,* ses *Épîtres, le Lutrin* (poème héroï-comique) et surtout son *Art poétique* sont des chefs-d'œuvre littéraires, bien que dénués d'inspiration poétique.   Boileau continue et fortifie la réforme de Malherbe et, comme lui, défenseur de l'art classique, il fait claquer le fouet de la satire sur les écrivassiers du temps.   S'il a critiqué, il a aussi encouragé le vrai génie et loué le talent des grands maîtres dont beaucoup comptaient parmi ses amis.   Malheureusement il a erré en voulant formuler des principes universels en littérature. D'abord, y a-t-il une beauté, un goût absolus?   Boileau suppose, *a priori,* qu'il y a une règle absolue du beau, et que les Anciens—entendez aussi les Modernes qui les imitent— avaient le monopole de la raison et de la vérité et qu'eux seuls connaissaient la nature.   Boileau est donc un chef d'école, mais sa doctrine est étroite; il voit l'espèce sans se douter des variétés de l'espèce; il pose des règles absolues pour chaque genre sans égard pour le goût littéraire de différents pays ou de différentes époques, sans se douter que la nature elle-même ne se pare pas toujours d'une forme constante de clarté, d'ordre et de bon goût.   Boileau commence ses attaques contre le mauvais goût de son temps dans ses *Satires* dès 1660, mais c'est dans *l'Art poétique* et les *Épîtres* qu'on trouve exposées plus clairement sa doctrine et sa critique impitoyable de l'esprit précieux ou burlesque, en un mot, son horreur de toute exagération.   Pour lui, la raison et la vérité sont identiques; « Rien n'est beau que le vrai, le vrai seul est aimable »; de là, la raison, commune à tous les hommes, est supérieure à l'imagination qui mène à l'exagération ou à l'incohérence; elle est supérieure même à la sensibilité qui nous porte à trop nous fier à nos sensations;

> Aimez donc la raison, que toujours vos écrits
> Empruntent d'elle seule et leur lustre et leur prix.
>
> (*Art poétique,* chant 1.)

Nous apprendrons à distinguer le vrai du faux en étudiant les *Anciens,* dont les œuvres ont survécu grâce à des caractères universels que nous y trouvons. *L'Art poétique* se divise en quatre chants. Le premier contient des préceptes généraux sur la nécessité de l'inspiration. Boileau recommande de ne s'adonner à la poésie que si l'on a une réelle vocation; il conseille à l'auteur de faire effort pour éviter l'exagération et le burlesque et pour acquérir netteté et précision. Le deuxième traite des genres inférieurs comme l'élégie, etc.; le troisième formule les règles de la tragédie, de la comédie et de l'épopée. C'est ici que nous trouvons les fameux vers qui résument les unités dramatiques:

> Qu'en un lieu, qu'en un jour, un seul fait accompli
> Tienne jusqu'à la fin le théâtre rempli.

Le quatrième donne des conseils généraux.

3. JEAN DE LA FONTAINE [20] (1621–1695), LE PLUS GRAND DES FABULISTES. La Fontaine s'est distingué dans plusieurs genres (par exemple, dans ses *Contes et Nouvelles*), mais sa renommée repose sur les *Fables* qu'il fit paraître en diverses collections, de 1668 à 1694. Le bonhomme, comme on l'appelle, est un artiste incomparable, un vrai poète dont le lyrisme déborde dans un âge de réalisme et de prose. Les *Fables* de ce conteur habile sont pleines de sentiment et de pensée dans les limites du récit; elles font « une ample

[20] Incapable d'occuper son esprit à quoi que ce fût de sérieux sauf à la littérature, La Fontaine abandonna l'étude de la théologie et du droit. Marié et père de famille, il délaissa femme et enfant, gaspilla son patrimoine et vécut ensuite des libéralités de ses amis. Nous savons cependant qu'en littérature il fut capable de travail assidu, lisant, méditant, rêvant, écrivant et corrigeant ses fables immortelles. Il publia en tout 237 fables, en 12 livres. Il fut l'ami de Boileau, de Racine et de Molière; il fut aussi le protégé de madame de la Sablière dans le salon de laquelle il rencontra un cercle brillant des célébrités du temps. Il fut élu à l'Académie en 1684. Au soir de sa vie il se réconcilia avec l'Église et mourut pieusement.

comédie à cent actes divers.» La Fontaine est l'immortel
fabuliste de tous les temps. Il n'invente pas ses sujets, mais
il met dans ses vers une richesse d'émotion, de vérité, de
variété toujours soumise à un sens infaillible de l'art.

Les sujets de ses *Fables* ont leur cadre dans la nature; par
conséquent ses personnages sont vivants. Il travaille, en
effet, sur des faits, mais ajoute une touche lyrique et personnelle à tout ce qu'il dit. La morale, reléguée au second plan,
n'est pas toujours explicite mais est contenue implicitement
dans la peinture qu'il fait de la société: elle est, en somme,
celle des honnêtes gens; elle représente le bon sens plutôt
qu'un idéal élevé: « Aide-toi, le ciel t'aidera,» ou encore:

> Garde-toi bien, tant que tu vivras,
> De juger les gens sur la mine.

La Fontaine, ami de plusieurs des grands classiques, partagea leur idéal littéraire, mais fut le moins conventionnel de
tous, sauf Molière qui pourrait l'égaler sur ce point. Ayant
la spontanéité d'un enfant, il en a aussi tout l'égoïsme. C'est
un épicurien qui jouit de la vie, « j'aime le jeu, l'amour, les
livres, la musique.» Vivant au sein de la nature qu'il adore,
il sent profondément, mais cependant n'est pas sentimental;
sa belle humeur et son insouciance le font sourire même dans
le fracas de la vie et les luttes de chaque jour; sa sympathie
pour les humbles le fait aimer. En même temps, il présente
un tableau de la société de son siècle, et de la nature humaine
de tous les âges.

Parmi ses *Fables,* une des plus connues est *le Corbeau et
le Renard.* « Maître corbeau, sur un arbre perché, tenait en
son bec un fromage »; « maître renard, par l'odeur alléché,»
le flatte et veut le faire chanter. Le corbeau « laisse tomber
sa proie » et La Fontaine moralise par ces mots: « Tout
flatteur vit aux dépens de celui qui l'écoute; cette leçon vaut
bien un fromage, sans doute.» D'autres fables bien connues

sont : *le Chêne et le roseau, les Animaux malades de la peste, la Laitière et le pot au lait, le Coche et la mouche.*

4. MOLIÈRE [21] (1622–1673), LE PLUS GRAND POÈTE CO-MIQUE. Molière « prend son bien où il le trouve » et il le trouve partout, dans la farce surtout, qui exerça sur lui une profonde influence.[22] Il est le créateur de la comédie fran-çaise en ce sens qu'il trouve la note artistique dans l'observa-tion et la peinture de la vie. Repu d'expérience après une vie errante, pleine des labeurs d'auteur, d'acteur et de direc-teur de théâtre, il écrivit, en quatorze ans, une série de plus de vingt chefs-d'œuvre dont les plus importants sont : *les Précieuses ridicules* (1659), *l'École des maris, l'École des femmes, Tartufe, Don Juan, le Misanthrope, le Médecin malgré lui, l'Avare, le Bourgeois gentilhomme, les Fourberies de Scapin, les Femmes savantes, le Malade imaginaire* (1673). Molière écrit en vers et en prose ; il parcourt, dans ses œuvres, la gamme de nos sentiments, allant de la farce au semi-tragique, choisissant de préférence le milieu bourgeois où il vit. Il est le génie français universel, admiré et imité du monde entier.

[21] Jean-Baptiste Poquelin, dit Molière, naquit et mourut à Paris. Il reçut une bonne instruction, étudia la philosophie sous Gassendi. Dominé par son amour du théâtre, il voulut faire partie de l'Illustre Théâtre. Tombée en déconfiture, la nouvelle troupe parcourut les provinces de 1645 à 1658. De retour à Paris, la troupe joua devant le roi au Louvre. En 1662 Molière épousa Armande Béjart, jeune ac-trice de sa troupe, avec laquelle il vécut malheureux. Après une longue maladie, il mourut à la fin d'une représentation du *Malade imaginaire.* Il ne fit jamais partie de l'Académie, probablement à cause de sa pro-fession d'acteur. Il eut la réputation d'un honnête homme et d'un grand cœur.

[22] Molière pilla les œuvres de ses prédécesseurs et de ses contempo-rains. Parmi ceux-ci, nous trouvons Desmarets de Saint-Sorlin (1596–1676) dans les *Visionnaires,* Scarron (1610–1660), Thomas Corneille (1625–1709), Boisrobert (1592–1662) dans *la Belle plaideuse,* Quinault (1635–1688), Cyrano de Bergerac dans *le Pédant joué* (1654). La comédie italienne, qu'il connaissait bien, influença son style et l'intrigue de ses pièces.

Molière se soumet aux règles des unités si ses sujets le demandent; il ne s'en fait pas un fétiche cependant, il garde sa liberté. Pour cette raison, et aussi à cause de son style, qui n'atteint pas à la dernière perfection, on l'a appelé le moins classique des classiques. Si sa langue n'a pas la perfection demandée par l'école, si son esprit plane au-dessus du monde classique, sa méthode, néanmoins, est d'accord avec la méthode classique la plus rigoureuse. Ses portraits sont réels, d'un réalisme exigeant, non pas tant au point de vue matériel qu'au point de vue de l'exactitude psychologique. Il est classique encore dans le choix et l'arrangement des incidents qui mettent en relief un caractère peint d'une façon objective et réaliste. Si ses personnages se présentent dans une vision claire et précise, l'intrigue est parfois légère et le dénouement ne découle pas toujours logiquement de la pièce elle-même, par exemple dans *Tartufe*. C'est que son but principal est la satire sociale et morale; il observe les hommes de son temps, analyse le mobile de leurs actions et, parce qu'il connaît l'humanité, dépeint leurs faibles et leurs absurdités. Les personnages de Molière étant humains, ne sont pas d'une pièce (Tartufe est avare aussi bien qu'hypocrite). Il ne se contente pas de peindre un seul trait comme dans la tragédie classique. Ses caractères, cependant, sont bien moins complexes que ceux de Shakespeare; en comparaison, ils semblent réduits à leur plus simple expression; ce sont, en quelque sorte, des abstractions simplifiées, mais des êtres profonds, satisfaisants. Moins doué que Shakespeare en envolées poétiques, Molière est le maître du rire intelligent; « son rire est toujours un jugement,» même dans l'intrigue la plus fantaisiste. Par sa netteté, son bon sens, sa variété et sa gaieté, il est essentiellement Français. Molière est aussi un penseur qui voit les tragédies de la vie et en dégage le côté plaisant; son but est de peindre, d'amuser et d'instruire.

Sa morale est humaine, c'est-à-dire qu'il la réduit aux vertus sociales sans s'engager dans la morale religieuse de dévotion et de sacrifice. Pour lui, la nature est bonne et nous devons la suivre. Il ajoute à la nature la raison qui guide l'instinct et corrige l'égoïsme brutal.

Ayant à faire face à de multiples occupations, Molière écrivait vite. Son style est donc parfois négligé mais éminemment naturel. Il fait parler ses personnages suivant leur état et leur degré d'instruction.

Les Précieuses ridicules représentent deux jeunes filles venues de la province à Paris. Elles ont donné dans le goût du temps, c'est-à-dire l'emphase et l'exagération. Elles refusent d'épouser deux jeunes gens qui ne semblent pas être assez distingués. Ceux-ci, pour se venger, envoient leurs valets déguisés se présenter aux deux jeunes filles. L'élégance de leur manières et l'éclat de leur nom créent un grand enthousiasme. Les maîtres retournent et humilient les deux précieuses en leur dévoilant l'identité des deux valets déguisés.

Le protagoniste de *Tartufe* est un hypocrite, aux dehors pieux, qui réussit à se faire donner les biens d'Orgon, et essaie de séduire la femme de son bienfaiteur; la ruse est découverte à temps, et l'imposteur est dévoilé. Cette pièce suscita à Molière beaucoup d'ennemis.

Le Misanthrope. Alceste, énervé de la fausseté des relations sociales, veut se retirer dans la solitude. Il aime une jeune veuve, la coquette Célimène, et il tâche en vain d'obtenir d'elle une promesse de mariage et l'assurance qu'elle renoncera à ses amants. Célimène est convaincue d'avoir écrit des billets compromettants; mais, malgré tout, Alceste lui pardonne et l'invite à fuir avec lui cette société fausse et vaine. Elle refuse. Alceste, alors, s'en va seul à la recherche d'un monde plus propice à ses goûts.

5. JEAN RACINE [23] (1639–1699), LE POÈTE TRAGIQUE PAR
EXCELLENCE.   Les tragédies de Racine se caractérisent par
une puissance poétique, dramatique et psychologique de la
plus grande valeur.   Les principales sont: *Andromaque*
(1667) [24] qui eut un très grand succès, *Britannicus, Bérénice,
Bajazet, Mithridate, Iphigénie, Phèdre*.   Après *Phèdre*, en
1677, il renonça au théâtre pour deux raisons—d'abord à
cause des critiques et de la cabale qui fit triompher un rival,
ensuite à cause de ses scrupules religieux sur le théâtre en
général.   Il se maria, se consacra à l'éducation de sa famille,
oublia le théâtre.   Plus tard, à la demande de madame de
Maintenon,[25] il composa pour l'école de Saint-Cyr deux tragédies bibliques, *Esther* (1689) et *Athalie* (1691).   Racine
écrivit aussi une comédie pleine d'esprit, *les Plaideurs*
(1668).

   Les héros de Racine appartiennent à la royauté ou à l'élite
de la société.   Il demeure cependant un psychologue réaliste
dans ce sens que ses personnages, quels qu'ils soient, sont
avant tout hommes et femmes vivant de la commune humanité et gouvernés par leurs passions.   Racine est également-

---

[23] Orphelin de bonne heure, Jean Racine fut élevé par ses grands-
parents, d'abord à Beauvais, puis à la maison des Granges à Port-
Royal des Champs, où il étudia le latin et le grec.   Tour à tour il
eut l'idée d'étudier le droit ou d'entrer dans les ordres; mais son
inclination pour le théâtre le fit pencher du côté de la littérature, en
dépit de l'opposition de sa famille et de Port-Royal.   Il vint à Paris,
où il connut Boileau, La Fontaine, et Molière; la troupe de celui-ci
représenta ses deux premières pièces, mais il se brouilla avec Molière.
Malgré le succès de ses tragédies, ou à cause de ce succès, il fut sé-
vèrement critiqué et se fit beaucoup d'ennemis.   Il fut nommé historiographe du roi, mais son jansénisme semble avoir causé un froid dans
l'amitié du roi à son égard.   Il fut reçu à l'Académie en 1673.
[24] En 1652, Corneille, après la chute de *Pertharite,* s'était retiré
pour un temps du théâtre.   Dans l'intervalle, avant le succès de Racine, Thomas Corneille et Quinault furent populaires.
[25] Madame de Maintenon (1635–1719), secrètement mariée à Louis
XIV en 1685, fonda Saint-Cyr, école pour jeunes filles pauvres appartenant à la noblesse.

ment réaliste parce qu'il tend à émouvoir plutôt qu'à étonner à l'instar de Corneille. Chez Racine nous trouvons le simple développement d'une crise de passion et non la victoire d'une volonté héroïque. Unité de pensée et d'action, perfection concentrée, sont des qualités raciniennes qui contrastent avec la complexité et l'envergure du théâtre de Shakespeare. Chez Racine, l'action est limitée, simple, progressive, inévitable. Ses personnages sont pris dans le vif d'une passion, et quand la pièce commence, le problème est devant nous et la solution est imminente. Cette situation psychologique, simplifiée par les circonstances, lui fait observer aisément la règle des unités. Bien loin de lui nuire, les unités l'aident dans la concentration de son plan et contribuent à la perfection de son théâtre. Tout se passe dans les 24 heures, en un seul lieu. L'action intérieure est une, sans mélange de comique et sans contraste d'action physique et violente. Les imitateurs de Racine n'avaient pas son génie; la stricte observation des unités les conduit à une représentation froide et sans vie. Mais la technique classique de concentration a été acceptée comme norme du théâtre artistique.

Comme psychologue Racine a peint des êtres passionnés, surtout des portraits de femme; c'est-à-dire, son théâtre est essentiellement féminin. Il est vrai qu'il a étudié l'ambition chez l'homme et chez la femme, le sentiment religieux, la loyauté, la cour et la diplomatie, la fidélité conjugale, l'amour maternel, etc.; mais c'est l'amour passion, l'amour tout court, qui est le thème principal de sa tragédie, parfois teint de galanterie, mais souvent débordant de passion, surtout mêlé de jalousie. Dans quelques pièces, pourtant, l'amour joue un rôle secondaire ou même n'existe pas, comme dans *Athalie*. L'influence janséniste perce dans ses œuvres, influence qui se caractérise par une morale sévère et une conception pessimiste de l'humanité. On voit aussi que la littérature grecque était en honneur à Port-Royal. Racine fut, pour un temps, l'enfant prodigue des Solitaires, mais se réconcilia bientôt pour rester fidèle à ses précepteurs jusqu'à la fin.

Une puissance poétique se dégage des tragédies de Racine. Son style nous charme malgré son vocabulaire restreint, limité par les conventions du temps. L'influence de la cour de Versailles, il est vrai, est très visible; mais, malgré tout, sa langue est sublime de simplicité, de beauté poétique et d'harmonie. L'impression de monotonie, de froideur et d'artificialité qui se manifeste chez beaucoup de lecteurs de langue anglaise vient, sans doute, de ce qu'on ne se rend pas compte que Racine devait, à cette époque, se conformer aux exigences de l'étiquette au point de vue de la langue et du goût. Sous cette apparence de froideur artificielle brûle une forte passion, toujours active.

Phèdre, la seconde femme de Thésée, conçoit un amour coupable pour son beau-fils, Hippolyte. Un faux bruit répand la nouvelle de la mort de Thésée et encourage Phèdre à avouer son amour à Hippolyte, qui le refuse. Au retour de Thésée vivant, Phèdre aurait avoué sa faute, n'eût-elle pas été rongée de jalousie en apprenant qu'Hippolyte en aime une autre. Elle laisse croire que c'est Hippolyte qui lui a fait des propositions honteuses, et les malédictions de Thésée causent la mort de son fils. Finalement Phèdre avoue tout, avale du poison et meurt.

Andromaque, prisonnière de Pyrrhus, est la fidèle veuve d'Hector. Pyrrhus aime Andromaque et veut même, pour son amour, abandonner Hermione, la princesse grecque, et défier les Grecs qui, par la bouche d'Oreste, qui aime passionnément Hermione, lui demandent la vie du petit Astyanax, fils d'Hector. Andromaque consent enfin à épouser Pyrrhus; mais elle nourrit dans son cœur l'idée de suicide, prête à accomplir son dessein aussitôt que son fils aura trouvé un appui. Hermione, dans un accès de rage jalouse, envoie Oreste assassiner Pyrrhus. Quand le meurtre est consommé,

elle insulte Oreste et se donne la mort.   Oreste devient fou.
Andromaque commande en reine.

Athalie, princesse païenne, reine des Juifs, est mise à mort
par le peuple choisi de Dieu, qui place sur le trône le petit
Joas de la lignée de David.

Après Racine la tragédie décline; les formules remplacent
l'observation.   La dernière tragédie de Corneille, *Suréna,*
date de la même année qu'*Iphigénie* (1674).   Thomas Corneille écrivit des tragédies qui eurent un succès éphémère.
Quinault, auteur tragique médiocre, écrivit des librettos pour
le musicien Lulli.   Pradon est connu pour sa tragédie rivale
de la *Phèdre* de Racine.

6. JACQUES-BÉNIGNE BOSSUET [26] (1627–1704), PRÉDI-
CATEUR, ÉDUCATEUR, HISTORIEN, THÉOLOGIEN.   Bossuet fut
un religieux dont la vie s'écoula dans un labeur incessant; il
fut un savant, un homme de son temps en toutes choses et non
point un prophète des temps nouveaux.   Il se consacra à la
prédication, se donna corps et âme à ses devoirs ecclésiastiques et à l'instruction du dauphin qui ne vécut pas assez
longtemps pour régner.   Le clergé l'admira et l'estima beaucoup.   Bossuet s'engagea aussi dans la controverse religieuse.
C'est un grand écrivain qui, malgré son amour de la polémique, sa foi inébranlable, son orthodoxie étroite, ne semble
nourrir en son cœur aucun fanatisme; il a même l'âme
tendre, saine, droite, gouvernée par l'idée du devoir.   On
peut critiquer, si l'on veut, la substance de ses œuvres; mais

[26] Bossuet fit ses premières études à Dijon, sa ville natale, et étudia
la théologie et la philosophie à Paris.   Doué d'un talent oratoire précoce, il vint prêcher à Metz où vivaient nombre de protestants et de
Juifs.   De retour à Paris en 1659, il prêcha pendant 10 ans avec succès.   En 1670 il obtint d'être relevé de sa charge de l'évêché de Con-
dom pour se consacrer à l'instruction du dauphin; il continua sa tâche
jusqu'en 1680, époque à laquelle il devint évêque de Meaux.   L'assemblée du clergé, en 1682, le chargea de formuler la Déclaration des
libertés de l'église gallicane.   Ses dernières années furent occupées
par les querelles avec les protestants et les quiétistes.

par sa beauté et l'ordre des matières, sa prose reste un
monument littéraire de la plus haute envolée. Qu'on en juge
surtout par la lecture de ses *Sermons*.

Comme prédicateur,[27] Bossuet s'intéresse surtout au
dogme, car sa morale n'est qu'un corollaire du dogme. Pour
lui, l'éloquence de la chaire doit être l'éloquence du cœur;
c'est ce qui explique pourquoi il se servit de l'oraison funèbre
comme moyen d'édification, d'analyse de soi-même, trouvant
dans les morts une instruction morale profitable pour les
vivants. Il a idéalisé ses personnages, mais n'a jamais dé-
passé les limites, même dans les grands sujets tels que l'oraison funèbre du Grand Condé ou d'Henriette d'Angleterre.[28]

Bossuet écrivit, en outre, pour son royal élève:

(1) *Traité de la connaissance de Dieu et de soi-même.*

(2) *Politique tirée de l'Écriture sainte,* dans laquelle il
étudie la nature du gouvernement et de l'autorité royale.
Il se fait le théoricien de l'absolutisme et du droit divin des
rois, faisant ressortir les devoirs aussi bien que les droits.

(3) *Discours sur l'histoire universelle.* Bossuet considère l'histoire non pas dans le sens scientifique moderne
mais au point de vue religieux. Ce livre est un résumé
chronologique des faits principaux de l'histoire qui tendent
à prouver que tout événement historique est un fait qui pré-

[27] Le 17e siècle fut une période de prédication chrétienne. La foi
était intense, malgré un certain nombre de libres penseurs. Le public
manifestait un grand intérêt pour les questions religieuses et les sermons. Avant Bossuet on voit Saint François de Sales, Saint Vincent
de Paul, quelques oratoriens, les Jésuites et les Jansénistes. L'éloquence politique fut étouffée par l'autorité du roi.

[28] Dans le sermon sur Condé, Bossuet commence par dire que le
but du prédicateur est de démontrer que toutes les qualités d'un prince
seraient vaines sans la piété. Il rappelle son courage, sa modestie, sa
loyauté, sa bonté, sa vie privée, sans oublier les fautes que Condé lui-
même regrettait. Il nous représente son brillant génie militaire ren-
forcé par l'étude. Vient ensuite une comparaison entre Condé et
Turenne. Enfin, il nous décrit sa piété, les dernières années de sa vie
et sa mort.

pare le christianisme et le triomphe de l'Église. L'unité de
l'empire de Rome est l'œuvre de la Providence, unité nécessaire pour la propagation de l'Évangile.

Voulant confondre le protestantisme, Bossuet écrivit les
Variations des églises protestantes. Dans ce livre, l'auteur
prend à tâche de prouver la thèse que l'unité de l'Église
catholique démontre sa vérité. Dans ses *Maximes et réflexions sur la comédie* il attaque le théâtre en général; il
combat l'hérésie quiétiste dans la *Relation sur le quiétisme*.[29]

7. Louis Bourdaloue (1632–1704), un Jésuite austère
et charitable, devint, après Bossuet, le prédicateur le plus
apprécié à la cour et le plus goûté. Comme Bossuet, il
fait appel à la raison plutôt qu'à l'imagination; mais, à l'encontre de celui-ci, il prêche la morale plutôt que le dogme. Il
prépara ses sermons avec beaucoup de soin et se mit au
niveau de son auditoire. Son éloquence est à la mesure de
son siècle auquel il plaît par l'analyse psychologique, les
portraits, les comparaisons de la vie de cour et de la morale
de l'Évangile. Ses sermons les plus fameux sont ceux sur
l'Ambition, et les Plaisirs; dans la Médisance il vise les
Lettres provinciales de Pascal.[30]

[29] Voir *quiétisme* dans le glossaire.

[30] Après Bossuet et Bourdaloue, l'éloquence religieuse dégénère en
un exercice littéraire. *Fénelon* (1651–1715; v. page 90) nous a
laissé seulement quelques discours de cérémonie. *Fléchier* (1632–
1710) combina les qualités littéraires mondaines avec celles d'un
chrétien sincère. *Mascaron* (1634–1703) était son contemporain.
Massillon (1633–1742), le dernier des grands orateurs, préféra la
morale au dogme; il appartient plutôt au 18e siècle dans lequel la religion est combattue par les « philosophes.»

FIN DE L'AGE CLASSIQUE (1685–1715)

(*Libération et Transition*)

Aperçu Historique

La période de 1660 à 1685 était magnifique au point de vue politique, social et littéraire. Mais nous voyons la guerre, l'ambition désordonnée du gouvernement, l'égoïsme brutal d'une autocratie militaire, et la liberté religieuse foulée aux pieds par la Révocation de l'Édit de Nantes (1685) ; comme conséquence et, par contraste, la pauvreté et les souffrances du peuple.

Louis XIV, après ses victoires militaires et la paix de Nimègue (1678), se crut maître de l'Europe, et s'empara, en pleine paix, de territoires appartenant à l'Espagne et à l'Allemagne. Le résultat fut la Ligue d'Augsbourg, qui coalisa l'Europe contre lui. En 1688, l'Angleterre avait chassé les Stuart qui furent remplacés par le gouvernement libéral du hollandais, Guillaume d'Orange (Guillaume III), ennemi juré de Louis XIV. Après neuf années de guerre (1688–1697), la France, quoique victorieuse, était à bout de forces.

En 1700 Louis XIV voulut donner la couronne d'Espagne à son petit-fils, Philippe. Alarmée par la puissance de la France et l'attitude belliqueuse de Louis XIV, l'Europe forma la Grande Ligue. Dans une guerre qui dura 12 ans, les Français subirent des défaites fréquentes et, si Paris ne fut pas bloqué, une partie du moins du territoire français fut envahie. Le Traité d'Utrecht (1713) reconnut Philippe V comme roi d'Espagne, mais la France dut céder plusieurs colonies à l'Angleterre.

Louis XIV mourut en 1715 à l'âge de 77 ans. Dans ses 72 années de règne il eut 45 ans de guerres, grâce auxquelles il agrandit la France en l'appauvrissant. A la suite de ces guerres continuelles et coûteuses et de la construction du palais de Versailles, le peuple écrasé d'impôts vivait dans la misère. Beaucoup de protestants s'enfuirent en pays étrangers, allant ainsi demander ailleurs la liberté politique et religieuse qui leur était refusée dans leur propre pays. Les dernières années du roi furent attristées par la défaite, les souffrances du peuple et la mort de son fils unique et de son petit-fils. A sa mort, Louis XIV léguait à son arrière-petit-fils, Louis XV, misère, tyrannie, fanatisme. Il avait exercé une grande influence sur les lettres et les arts. Nous pouvons ne pas aimer son ambition, nous avons le droit de critiquer son absolutisme, mais il nous est impossible de ne pas admirer la grandeur de son règne et la beauté de la littérature qui le remplit tout entier. La langue française était devenue le sceau de toute culture intellectuelle, la marque du bon goût. Louis XIV se fit le protecteur des lettres en général et le Mécène de Racine et de Molière en particulier.

A la fin du siècle, les revers de la guerre et l'humiliation de plusieurs défaites diplomatiques secouèrent la douce confiance de cette vie si bien ordonnée. Un goût nouveau pour la philosophie et les sciences va naître et remplacer les règles fixes de l'art, et tout cela est l'avant-coureur d'une révolution dans la pensée.

La Littérature

LA QUERELLE DES ANCIENS ET DES MODERNES fait comprendre le nouvel esprit. Depuis la Pléiade, les Anciens, dans l'esprit de Racine, de Boileau et de La Fontaine, étaient les maîtres incontestés en littérature. Une réaction se fit sentir vers le milieu du 17e siècle. Le Classicisme était, en effet, une combinaison de deux tendances réciproquement destructives, le rationalisme d'une part et le respect pour les règles classiques d'autre part. Le rationalisme réaffirme maintenant ses droits. De plus, l'éclat et le talent des écrivains firent comprendre qu'il serait ridicule de malmener les Modernes ; l'idée courante du progrès scientifique rendit plausible l'idée du progrès en littérature. CHARLES PERRAULT prit parti pour les Modernes dans son *Discours à l'Académie* (1687), ainsi que dans ses *Parallèles des Anciens et des Modernes.* Boileau s'échauffa et répondit par ses *Réflexions sur Longin.* D'autres auteurs comme La Bruyère, Fénelon et La Fontaine entrèrent en lice et prirent part à la querelle. Les Modernes eurent gain de cause. La réputation de Perrault n'est pas due à ces œuvres : elle repose plutôt sur les *Contes de la mère l'Oie* (1697), ouvrage qui n'est qu'une compilation de contes dérivés d'une tradition orale et mise en forme par lui. C'est dans cette collection que se trouvent les fameux contes du *Petit Chaperon rouge* et de *Cendrillon*, et beaucoup d'autres.

I. *La Prose en Général*

1. JEAN DE LA BRUYÈRE [31] (1645–1696) fut le précepteur du petit-fils de Condé, et plus tard il s'attacha à cette famille comme gentilhomme. Il eut là un vaste champ d'observation qui nous valut, en 1688, les *Caractères ou les mœurs de ce siècle,* ouvrage précédé d'une traduction de peu d'importance du philosophe Théophraste. Les *Caractères* forment un recueil de maximes et de portraits où les saillies personnelles abondent. Le livre se divise en 16 chapitres traitant de sujets divers comme, par exemple : du Mérite personnel, du Cœur, des Biens de Fortune, des Grands, de la Cour et des Femmes.

Naturellement honnête et bon, rempli de pitié pour les humbles, La Bruyère, en bourgeois qu'il était, se sentait supé-

[31] Admis au barreau, La Bruyère employa son patrimoine à l'achat de l'office de receveur général des finances à Caen, poste qui ne demandait pas de résidence. De 1684 à sa mort, il vécut chez Condé. Il se présenta trois fois à l'Académie et fut reçu en 1693. Vers la fin de sa vie il écrivit ses *Dialogues sur le quiétisme* pour seconder les efforts de son ami et protecteur, Bossuet.

rieur aux courtisans qui l'entouraient, flatteurs, ambitieux et orgueilleux.   Il n'a pas tant de préjugés que La Rochefoucauld, il voit la vie plus large et plus sereine et il a moins de sévérité pour l'égoïsme humain; son style est un peu plus diffus, mais il manie l'épigramme d'une façon très adroite. Dans ses maximes concises ou dans ses « portraits » un peu plus longs (qui peignent toujours le moral par le physique), il étudie la société entière et stigmatise de son mépris la banalité et la futilité des choses mondaines.   Quand il décrit les mœurs contemporaines, il se fait mordant, cruel même, contre les grands, les gens de finance, les juges sans vergogne et les abbés mondains; parfois aussi sa satire est amère.   Il épargne la bourgeoisie et nous fait entendre une note de pitié pour le peuple opprimé.   La Bruyère est un moraliste et un merveilleux observateur dont l'esprit fait deviner le 18e siècle; il n'est pas réformateur.   Le livre fut écrit au jour le jour, sans ordre systématique; le décousu de la composition a une tendance à rendre sa morale moins aride au lecteur.   Son style est universellement admiré.

2. Fénelon [32] (1651–1715).   Archevêque et aristocrate de haute naissance, Fénelon est le représentant du passé par sa foi sincère et son amour de l'antiquité; il est le protagoniste de l'avenir par la curiosité hardie de son esprit et l'indépendance de sa pensée.   Il marque donc la période de transition.   Fénelon fut un prince charmant, imbu de son propre « moi »; « je tiens à moi, l'amour-propre me décide souvent », dit-il (Lettre à Madame de Mortemar).   Sa personnalité est complexe; il a la grâce d'un grand seigneur, la puissance de séduction, la gravité d'un évêque et, avec tout cela, une fermeté qui va jusqu'à l'entêtement.   Sa carrière est des plus

[32] L'éloquence de Fénelon aida le roi à calmer les esprits après la Révocation de l'Édit de Nantes.   L'affaire du quiétisme lui valut la défaveur du roi et la censure du pape.   Peu après, il se dévoua tout entier à ses devoirs ecclésiastiques.   Il fut reçu à l'Académie et nommé archevêque de Cambrai.

nobles. Il montra beaucoup de tact dans ses rapports avec les protestants. Il fut nommé précepteur du duc de Bourgogne, petit-fils de Louis XIV, et joua un rôle important, mêlé d'adresse et d'obstination, dans la querelle du quiétisme.[33]

ŒUVRES POLITIQUES ET PÉDAGOGIQUES. Outre son *Traité de l'éducation des filles,* qui le range parmi les fondateurs de l'éducation féminine, Fénelon écrivit d'importants ouvrages pour l'instruction de son élève, le duc de Bourgogne. Il exerça une influence bienfaisante sur son élève, dont la mort prématurée coupa court à bien des rêves d'ambition. Ces ouvrages sont: (1) *les Fables,* pour l'instruction morale. (2) *Les Dialogues des morts,* ou conversations entre les hommes illustres de tous les temps. Ce livre avait pour but d'enseigner la mythologie, l'art, la philosophie et la vie morale. Les *Dialogues* nous intéressent particulièrement en ce sens qu'ils nous enseignent que la politique doit reposer sur la morale chrétienne; ils contiennent aussi une critique sévère des rois de France. (3) *Télémaque,* ouvrage qui exprime des vues politiques si avancées qu'on peut dire qu'il fut le point de départ de la réaction contre le gouvernement de Louis XIV; les contemporains eux-mêmes ne surent s'y méprendre. Fénelon apprit à son élève à haïr le gouvernement de son aïeul en lui enseignant, par example, que le roi existe pour le bien de son peuple seulement et qu'il doit éviter la guerre, l'oppression, l'injustice et les autres défauts qui accompagnent généralement la royauté absolue.

Sa *Lettre à l'Académie française* est le monument de critque littéraire le plus important après l'*Art poétique* de Boileau. C'est un mélange étrange de choses anciennes et modernes, vraies et fausses. Indirectement, du moins, Fénelon se range du côté des Anciens.

[33] Les écrits religieux de Fénelon contiennent une discussion de l'existence de Dieu. Il publia aussi les *Maximes des Saints* qu'il composa au cours de la controverse du quiétisme avec Bossuet.

II. *Le Théâtre*

A. LA COMÉDIE APRÈS MOLIÈRE

1. LA COMÉDIE-FRANÇAISE.   A la mort de Molière, une seconde compagnie se joignit à sa troupe et, en 1680, une troisième s'ajouta aux deux autres.   Cette date marque le commencement de la Comédie-Française, institution sans rivale dans les annales de l'art dramatique.

2. JEAN-FRANÇOIS REGNARD (1655–1709).   Avant d'écrire, Regnard voulut connaître la vie par expérience.   Ayant hérité d'une certaine fortune, il entreprit de longs voyages, s'adonna au jeu, fut saisi par des pirates, puis revint à Paris où il vécut en épicurien.   Dans ses pièces il nous a donné un portrait de la société peu enviable des joueurs et autres gens sans scrupule, comme, par exemple, dans *le Joueur, le Légataire universel* et *les Folies amoureuses*.   L'esprit et la gaieté sont ses qualités principales.   Il est l'auteur le plus important parmi les successeurs immédiats de Molière.   D'autres auteurs dramatiques de moindre importance sont : Boursault (*Mercure galant*), Baron (acteur célèbre de la troupe de Molière), Dufresny, et Dancourt (son *Chevalier à la mode* est la critique d'une société dont le but est l'argent et le plaisir).

3. LESAGE [34] (1668–1747) se consacra à l'étude des mœurs, comme Molière à l'étude des caractères.   Il garda toujours son indépendance, ce qui lui permit de critiquer les hommes d'argent dans son *Turcaret* (1709).   Cette pièce, la plus importante de Lesage, contient un portrait en pied du financier vénal de basse origine, idiot et scélérat, qui s'enrichit aux

---

[34] Alain-René Lesage, devenu orphelin, dut se suffire à lui-même quand son oncle, son tuteur, eut dissipé sa fortune.   Il se lança dans le droit et la littérature et, tant bien que mal, gagna sa vie par des traductions et la publication de romans et de pièces de théâtre.   Malgré sa surdité précoce, il garda sa bonne humeur tout en vivant d'une vie saine et honnête.   Ses romans appartiennent à la période suivante.

dépens du trésor public. La pièce tire son importance moins de l'intrigue que du style, du réalisme de la situation et de l'observation vraie. Lesage écrivit aussi beaucoup de pièces pour le « Théâtre de la Foire.» [35]

B. LA TRAGÉDIE APRÈS RACINE

La tragédie dégénère en un exercice littéraire purement artificiel. CRÉBILLON (1674–1762) sema l'épouvante par sa terreur mélodramatique dénuée de grandeur aussi bien que de profondeur. Dans sa tragédie *Rhadamiste et Zénobie* (son plus grand succès), Rhadamiste tue son oncle, essaie de mettre à mort sa femme Zénobie, et finalement reçoit lui-même la mort des mains de son père, Pharasmane.

III. *La Poésie*

La poésie est insignifiante. JEAN-BAPTISTE ROUSSEAU (1671–1741) excella dans l'épigramme.

IV. *Deux Précurseurs de l'Esprit Nouveau*

Bien que faisant partie de cette période, Pierre Bayle, par sa critique savante, et Fontenelle, par son rationalisme scientifique, appartiennent par leur esprit au 18e siècle. Par la formation d'un mélange de scepticisme et de vie épicurienne, ces deux hommes ont créé un puissant courant d'opinion contre la religion.

1. PIERRE BAYLE [36] (1647–1706) tient une place importante dans l'histoire de la pensée par son *Dictionnaire his-*

[35] Voir Glossaire.

[36] Protestant converti au catholicisme, il revint à sa foi première. Il occupa la chaire de philosophie à l'Académie protestante de Sedan, et plus tard il enseigna à Rotterdam. A cause de ses idées avancées, il perdit sa cháire de Sedan; il se dévoua ensuite, en toute liberté, à la recherche scientifique de la vérité.

torique et critique (1697). C'est une sorte d'encyclopédie historique et philosophique qui continue la tradition de l'esprit sceptique des 16e et 17e siècles. Dégagé de tout préjugé religieux, il met en doute les conclusions traditionelles en religion et en morale. Sa doctrine positive demande la tolérance, même pour l'athée ; sa méthode consiste à citer tous les arguments pour ou contre les opinions établies ; mais, par une méthode ingénieuse de renvois, bénins en apparence, il arrive à creuser de profondes brèches dans les idées du christianisme. Bayle est un savant, passionné pour le travail, méticuleux dans les faits mais peu soigneux dans la forme ; il n'est pas artiste. Son *Dictionnaire* fit les délices des incrédules du 18e siècle, Voltaire, Frédéric II et beaucoup d'autres.

2. FONTENELLE (1657–1757) publia les plus importants de ses ouvrages avant 1700. Homme du monde, il vulgarisa la science et ses principes, et mérita ainsi d'être l'intermédiaire entre la science et la société. Dans son *Histoire des oracles* il attaqua le surnaturel par de subtiles et innocentes insinuations ; dans ses *Entretiens sur la pluralité des mondes* (1686), simplification habile des phénomènes astronomiques, il expliqua le système solaire à un public intelligent mais d'esprit peu scientifique. Nommé secrétaire perpétuel de l'Académie des sciences, il écrivit les *Éloges des Académiciens de l'Académie des sciences* dans lesquels il fit connaître, d'une façon claire et exacte, les travaux de Leibnitz, de Newton et d'autres. Dans ses *Dialogues des morts* sa méthode devient quelque peu paradoxale et il développe l'idée intéressante que la science doit toujours chercher l'absolu sans jamais espérer le découvrir.

Il préfère la raison à l'autorité et, par là, contribue à l'éveil de l'esprit critique du 18e siècle qui consiste en une certaine curiosité scientifique, un goût pour la recherche méthodique qui ouvre l'intelligence aux vérités nouvelles. Il martelle dans les esprits la théorie du progrès ; par là, il est moderne. Moins agressif que Voltaire, il en est le précurseur.

A l'Étranger

1. EN ANGLETERRE. Après la mort de SHAKESPEARE en 1616, le théâtre dépérit, malgré l'importance de son contemporain BEN JONSON et de ses successeurs BEAUMONT et FLETCHER. En 1597 FRANCIS BACON publia ses *Essays,* et en 1605 son *Advancement of Learning.* Il mourut en 1626. MILTON écrivit en prose et en vers. Son œuvre principale est le *Paradise Lost* (1665–1667). L'influence française se manifesta dans le théâtre de la « Restoration,» après 1660. DRYDEN, poète et auteur dramatique, WYCHERLEY, etc., subirent l'influence du classicisme français. BUNYAN publia son *Pilgrim's Progress* en 1678. Vers la fin du siècle, NEWTON se distingua dans les sciences, HOBBES et LOCKE en philosophie.

2. EN ESPAGNE. Cette période comprend une partie de l'Age d'Or. CERVANTES, auteur de *Don Quichotte* (1605–1615), mourut en 1616. LOPE DE VEGA, le plus grand auteur dramatique de l'Espagne, écrivit la plupart de ses pièces entre 1600 et 1635. GÓNGORA (m. 1627) donna son nom à un style peu naturel, le *gongorisme.* QUEVEDO (m. 1645) fut un satirique d'importance. Ce siècle vit paraître tout un essaim d'auteurs dramatiques tels que TIRSO DE MOLINA et CALDERÓN.

3. EN ITALIE. La période de 1600 à 1700 annonce un déclin. En poésie, MARINI (m. 1625) donna son nom à un style affecté, le *marinisme,* qui rappelle le *gongorisme* espagnol, et l'*euphuïsme* anglais. GALILÉE se distingua dans les sciences.

4. En Allemagne. Après la Guerre de Trente Ans les conditions n'étaient pas favorables au développement des aspirations politiques et sociales. La période qui s'étend jusqu'au milieu du 18e siècle est vide d'intérêt. Un imitateur du poète Opitz (m. 1639) introduisit la tragédie en cinq actes en Allemagne. Une école de poètes imitèrent le *marinisme* et, un peu plus tard, on observe l'influence de l'*Art poétique* de Boileau.

CHAPITRE V

LE DIX-HUITIÈME SIÈCLE (1715-1799)

PREMIÈRE PÉRIODE (1715-1750)

(*Formation de l'Esprit Philosophique*)

Aperçu Historique

La mort du roi Louis XIV (1715) produisit une détente générale dans l'esprit, et dans les mœurs une sorte d'émancipation. La piété austère des dernières années du monarque avait, en effet, étouffé la liberté et surchauffé les consciences; « Un homme né chrétien et Français se trouve contraint dans la satire, les grands sujets lui sont défendus,» dit La Bruyère. Nous assistons donc à une décadence dans le sentiment religieux aussi bien que dans la discipline littéraire; nous voyons la royauté perdre de son prestige sous Louis XV pour devenir impuissante sous Louis XVI.

Louis XV (1715-1774). Au moment où, à l'âge de cinq ans, Louis XV fut proclamé roi, sous la Régence (1715-1723) de son oncle, le duc d'Orléans, la France se trouvait dans une situation critique. La dette publique déjà lourde et le commerce paralysé faisaient prévoir la banqueroute; la noblesse elle-même était ruinée, le peuple dans la misère. Pour faire face à la crise, on proposa des plans de réforme financière qui augmentèrent les difficultés au lieu de les supprimer. Au milieu de tous ces désordres, la licence succéda à la décence.

Sous le ministère du Cardinal Fleury (1726-1743) la paix et la prospérité furent plutôt un mirage qu'une réalité, et n'atténuèrent en rien la misère du peuple. La guerre

d'Autriche (1733–1735) valut à la France la Lorraine, qui
fut donnée à Stanislas, roi de Pologne en exil, dont la fille
Marie avait épousé Louis XV.   En 1776 la Lorraine fut an-
nexée à la France.   Après la mort du Cardinal Fleury, le roi,
intelligent mais autocrate, dissipé et sans courage moral, voulut gouverner seul.   Sans raison apparente Louis XV s'allia
à la Prusse contre l'Angleterre et l'Autriche dans la guerre de
la Succession d'Autriche (1740–1748) dont le résultat fut
nul pour la France.

La Littérature

L'Esprit du Siècle.   Il faudrait bien se garder de penser
qu'il y eût une rupture complète, absolue et immédiate entre
le 17e et le 18e siècles, en dépit des différences que nous
voyons poindre.   Tout d'abord, le 18e siècle garde le culte
de la raison légué par le 17e, mais les fautes, voire même les
faiblesses, de la Royauté et de l'Église, le mépris de la religion
et la licence des mœurs sous la Régence, mettront en valeur
des penseurs comme Bayle et Fontenelle et, plus tard, Montesquieu et Voltaire.   La foi et le roi ne seront plus désormais
deux entités inviolables; on mettra en doute, pour les passer
au crible de l'analyse, ces deux mots jusqu'ici sacrés, religion
et gouvernement.

En jetant un coup d'œil sur le développement de l'intolérance politique et religieuse en France, développement qui
s'étend à des degrés divers de Louis XIV à la Révolution,
de l'esprit classique à la révolte romantique, nous constatons
que l'influence du 18e siècle est d'une importance capitale
pour le monde entier, en histoire aussi bien qu'en littérature.
Le 18e siècle se distingue par son esprit critique, scientifique
et anti-religieux, sans oublier l'influence étrangère qui fut
surtout anglaise.   Newton et Locke donnèrent, en effet, une
direction nouvelle aux sciences et à la philosophie; Shakespeare et Richardson furent imités en littérature.   A mesure

que le cosmopolitisme se développe, le champ de l'opinion publique devient plus vaste et plus fort, les étrangers viennent vivre à Paris, et l'influence française se fait partout sentir. La pensée scientifique va faire aussi de rapides progrès.

La cour, n'ayant plus la forte personnalité de Louis XIV pour la soutenir, s'étiole et son pouvoir s'évanouit. Ce n'est plus la cour qui donne le ton, ce sont les salons et les cafés. La noblesse est ruinée, et la bourgeoisie économe détient le pouvoir parce qu'elle possède l'argent. Comme résultat, les classes se fondent, le bourgeois côtoie le noble qu'il méprise. Dans les salons on parle de science, de politique; on discute de nouveaux plans; on propose des réformes.

La littérature du 18e siècle se divise en deux courants: (1) Une continuation plus ou moins mécanique de la tradition classique du 17e siècle. On rejette l'autorité des Anciens mais on imite leurs imitateurs. (2) Une littérature nouvelle faite de critique, de raison, de propagande philosophique et de réforme sociale grandissant de jour en jour et ayant son point culminant dans la Révolution. Dans ce second courant les écrivains dédaignent l'étude psychologique de l'individu pour étudier les défauts de la société; la littérature devient une arme plutôt qu'un art.

Nous verrons comment les Philosophes de la seconde moitié du 18e siècle résument en eux-mêmes le point faible de cette famille de doctrinaires dont l'idéal subjectif tient lieu de réalité et qui considèrent avec un égal mépris l'observation et la révélation. Ils traitent en axiomes des principes qui ne sont que des postulats nés de la haine de l'orthodoxie ambiante (par exemple, « l'homme est naturellement bon »), ou de préjugés de leur groupe social. La révélation et le surnaturel ne sont pour eux que des mots illusoires et trompeurs. Ce sont Bayle et Fontenelle qui deviennent les directeurs spirituels du siècle; Fontenelle par son rationalisme et Bayle par sa critique théologique ont cherché à justifier les tendances hostiles à la religion.   Le scepticisme des libertins produit une atmosphère favorable à leur influence.

La langue, sous les efforts des rationalistes qui veulent atteindre un style purement intellectuel, n'a plus ni couleur ni harmonie.   La poésie et la tragédie ne sont guère que l'ombre du passé; la comédie brille encore, à ses heures, mais la seule forme de littérature qui compte est la prose; encore faut-il ajouter qu'elle vaut par le fond bien plus que par la forme.   Le roman et le conte prennent une importance jusque-là inconnue comme œuvre d'art.

La littérature, jusqu'en 1750, est satirique avant d'être révolutionnaire.   Montesquieu et Voltaire, par leur critique relativement modérée des institutions et des croyances, remplissent cette période.   Voltaire, plus tard, devient plus mordant et plus acerbe.   La tradition classique anime encore le siècle, mêlée qu'elle est de sentimentalité et toujours vivifiée par « l'esprit philosophique » qui veut le libre examen des idées, demande des preuves et non des postulats basés sur l'imagination, prêche l'amour de la science et encourage la critique des traditions religieuses et sociales.

I. *La Prose en Général*

1. LE DUC DE SAINT-SIMON (1675–1755) est comme l'écho d'un autre âge.   Après un court service à l'armée, il démissionne, quoique très jeune, parce qu'il n'a pas eu l'avancement espéré.   Ce grand seigneur, duc et pair de France, très attaché au système féodal, vécut à Versailles durant les années assombries de la fin du règne de Louis XIV.   Le gouvernement de la Régence (1715–1723) lui confia certaines missions importantes.   Au soir de sa vie il écrit ses *Mémoires,* aidant ses souvenirs du *Journal* de Dangeau.   Il note soigneusement ce qu'il a vu, ses amours et ses haines.   Il parle des dernières années du règne de Louis XIV et de la Régence en témoin des événements, notant ses impressions

qui sont parfois mordantes. Il cite des anecdotes comiques ou tragiques burinées dans une expression pittoresque, car son style est nerveux, coloré, varié, quoique parfois négligent et souvent un peu rude. Avec cela, Saint-Simon est un très honnête homme qui fit de son mieux pour être un excellent historien ; par malheur, il lui manqua la méthode d'un savant. Il croit aux « on dit,» il ne contrôle ni les témoignages ni les sources ; par conséquent, ses *Mémoires* fourmillent d'erreurs et d'inexactitudes. De cœur, il était du passé, haïssant le gouvernement de Louis XIV, « ce long règne de vile bourgeoisie,» comme il l'appelle. Il eut cependant assez de courage et d'intelligence pour condamner la révocation de l'Édit de Nantes. Saint-Simon n'est ni philosophe ni moraliste profond, mais il a des yeux pour voir et excelle à peindre les hommes, soit dans le privé, soit dans la foule. Son esprit féodal et réactionnaire contraste d'une façon tranchante avec les tendances libérales de ses contemporains.

2. LE MARQUIS DE VAUVENARGUES (1715–1747), galant soldat au régiment du roi, dut démissionner à cause de graves blessures. Il eut l'idée de briguer les honneurs de la diplomatie mais, après avoir souffert l'humiliation d'un refus, il chercha la consolation dans l'étude. Il écrit, pour occuper ses loisirs, ses *Réflexions* ou *Maximes* et autres ouvrages, dans lesquels il réagit contre le pessimisme de La Rochefoucauld, défend le sentiment contre la raison, et proclame la bonté naturelle de l'homme. Vauvenargues est optimiste ; il ne nie pas que l'égoïsme existe, mais il maintient que l'altruisme existe aussi. Il prêche le respect des passions car, dit-il, le premier principe de la vertu est de savoir les diriger ou utiliser. La nature est un bon guide ; suivons donc la nature. Vauvenargues aime la vie mais il l'aime sérieuse ; voilà pourquoi il est contre la frivolité dans l'art et l'expression sans pensée.

CARL A. RUDISILL
LIBRARY
LENOIR RHYNE COLLEGE

II. *Le Théâtre*

A. LA TRAGÉDIE

Le 18e siècle s'intéresse au théâtre, mais, malgré tout, la tragédie se meurt; elle n'est plus que la forme d'une grandeur qui a cessé d'exister. Malgré le succès de Crébillon, Voltaire, que nous étudierons plus loin, éclipse tous les autres.

B. LA COMÉDIE

Durant tout le 18e siècle la comédie est supérieure à la tragédie. Regnard, Lesage et d'autres de moindre importance, imitateurs de Molière, ont déjà été signalés.

MARIVAUX (1688–1763). Dans presque toutes les tragédies de Racine l'amour avait joué un grand rôle; dans la comédie du 17e siècle il se tenait au second plan. Marivaux créa la COMÉDIE D'AMOUR comme d'autres avaient créé la comédie de caractère et la comédie de mœurs. Il étudie l'amour sous toutes ses formes, l'amour qui triomphe de tout. L'action est surtout intérieure, l'intrigue psychologique; c'est pour cette raison et aussi parce qu'il a étudié spécialement l'âme féminine qu'on l'a comparé à Racine. Marivaux présente une combinaison unique: un sentiment vrai, une psychologie dramatique réelle dans des conditions artificielles. La nouveauté fait le charme de son théâtre, charme qui se fait encore sentir aujourd'hui, plein de grâce, d'esprit et de délicatesse de sentiment. Il écrit en prose; par son léger badinage, par son dialogue un peu affecté, son style qui « est de l'homme même » a reçu le nom de « marivaudage.» Recherché de la société mondaine par son esprit et ses manières, Marivaux cependant vécut malheureux, ayant eu à subir plusieurs revers de fortune. Il se distingue de l'intellectualisme froid et du scepticisme de ses contemporains par sa charité, sa bonté, sa foi et son sens de l'honneur.[1]   Dans *le Jeu de l'amour et du hasard,* un jeune homme de qualité voulant cacher son identité, endosse l'habit de son valet ; la jeune et belle Silvia fait de même en prenant le tablier d'une soubrette.   Ce déguisement doit leur permettre de se mieux connaître pour se mieux aimer dans la suite.   Cette situation est pleine de confusion charmante et amusante ; naturellement, tout finit pour le mieux.   *Les Fausses confidences* présentent les mensonges d'un malin et rusé valet à la veuve Araminte. Son but est de favoriser son ancien maître qui s'est déguisé en domestique dans la maison de la veuve.   Parmi plus de trente autres pièces, mentionnons *le Legs, l'Épreuve, l'Ile des esclaves.*

C. COMÉDIE LARMOYANTE

Après avoir fait rire, les écrivains devaient songer à faire pleurer.   La comédie, répondant à un sentiment général, devient sentimentale avec NIVELLE DE LA CHAUSSÉE (1691–1752), dont le but était d'attendrir comme, par exemple, dans *le Préjugé à la mode* (1735) qui fait le portrait d'une femme vertueuse que la vie a maltraitée.   C'est maintenant que se développe la « sensibilité, » qui est moins le sentiment que la notion du sentiment qui nous émeut en littérature ou en art. Le rire est banni des comédies de la Chaussée ; son théâtre est rempli de situations niaises, de traits de convention, de harangues didactiques, de sentimentalité enfantine, et il n'y a rien pour racheter tout cela, pas même le style.   Néanmoins, sa vogue fut immense.   Pour nous, il annonce la comédie

---

[1] Sa vie se passa sans graves incidents.   Il vécut de sa plume.   Son insuffisante préparation intellectuelle fut compensée par sa fréquentation des salons qui l'aidèrent à trouver une carrière et lui fournirent l'occasion d'observer la société parisienne telle que nous la retrouvons dans ses comédies.   Il fut élu à l'Académie en 1742.   Pour ses romans, v. plus loin.

moderne dans laquelle on étudie les problèmes et les difficultés de la vie privée.[2]

III. *Le Roman*

Bien que l'on trouve au 17e siècle plusieurs écrivains qui s'essayèrent dans le roman, les grands classiques dédaignèrent ce genre, qui en ce temps-là n'avait pas encore de tradition fixe, de règles bien établies. On peut dire que le roman moderne est la création du 18e siècle.

1. LESAGE[3] (1668–1747), un des plus grands romanciers du 18e siècle, créa le roman de mœurs. Dans beaucoup de ses ouvrages il s'inspire d'auteurs espagnols; quelquefois il les imite ou traduit. Son chef d'œuvre, *Gil Blas* (1715–1735), se compose d'une série d'histoires et d'aventures au milieu desquelles pivote un héros qui conclut que la meilleure manière de réussir dans le monde où le vice est à la mode et l'honnêteté inconnue, est de se faire domestique pour vivre aux dépens des autres et profiter de leurs faiblesses. On trouve chez lui une fine satire des folies humaines, écrite dans un style admirable de naturel. Ce livre est bien français, mais la mise en scène est espagnole; *Gil Blas* est ce qu'on appelle un roman « picaresque,» dont le protagoniste est un « pícaro » (fripon). Dans le *Diable boîteux* (1707), dont le titre et le cadre sont empruntés à l'Espagne, l'intrigue est un peu délayée et vague. Le point important de ce livre est de présenter la société telle qu'elle est, vue à travers les toits défoncés et de l'observer à l'intérieur dans le négligé et le naturel. Lesage voit et fait voir; c'est un artiste qui observe la vie. Cependant, voulant vivre de sa plume, il dut sacrifier l'art à la compilation de récits intéressants.

---

[2] Destouches, qui essaya de faire revivre la comédie de caractère, subit une forte influence anglaise. Citons: *le Philosophe marié* (1727) et *le Glorieux* (1732). Destouches est un précurseur de la Chaussée. Piron (*la Métromanie,* 1738) eut aussi son heure de célébrité.

[3] Voir p. 92.

2. Marivaux [4] (1688–1763), outre ses comédies, a écrit deux romans qu'il n'a pas finis ; mais le lecteur peut, sans grand effort d'imagination, suppléer aisément à ce qui manque. *La Vie de Marianne* (1731–1741) est l'autobiographie d'une ingénue, orpheline de naissance et laissée seule sans appui. *Le Paysan parvenu* (1735), de moindre importance que le précédent, est l'histoire d'un campagnard qui réussit dans ses desseins, grâce à des moyens plus ou moins honnêtes. Marivaux, comme Lesage dans ses romans d'aventure, nous donne une variété de portraits ; il y ajoute le sentiment qui est l'élément naturel de son talent. Ses héros, qui ont des âmes délicates, sont présentés comme des êtres admirables ; même le paysan Jacob, dont la conscience ne connaît aucun scrupule, apparaît sous le manteau de la vertu. Le réalisme de Marivaux est plus objectif que celui de Lesage en ce sens, qu'il dépeint la vie qu'il a vue et observée lui-même, et que ses caractères se meuvent dans un cadre français. Il y a aussi chez Marivaux moins d'incidents et plus de logique dans le développement des personnages principaux. Le pouvoir de l'auteur se résume dans la peinture réaliste des classes humbles, et surtout dans l'analyse minutieuse du sentiment.

3. L'Abbé Prévost [5] (1697–1763) est un homme dont la vie décousue fut un tissu de passions et d'aventures. Il contribua au développement du roman français, grâce à sa traduction de Richardson ; il aida, par là-même, à l'infusion et à la vulgarisation des idées anglaises. L'ouvrage qui l'a rendu célèbre est *Manon Lescaut* (1731). Ce livre est, en partie, une autobiographie où il s'abandonne au souvenir de

[4] Voir p. 102.

[5] Novice chez les Jésuites, soldat, amoureux passionné, il essaya des Bénédictins. Las de tout, il s'enfuit de Hollande pour passer en Angleterre. Il rentra en France, en paix avec l'Eglise ; dès lors, ennuis, disgrâce et exil se suivirent. Il passa les vingt dernières années de sa vie tranquillement en France.

sa vie orageuse. Le chevalier des Grieux et la coquette Manon donnent l'impression d'une passion sans frein, nourrie d'un amour sans bornes. Comme chez Marivaux, on trouve dans *Manon Lescaut* plusieurs personnes des basses classes de la société; mais au lieu du sentiment se découvre une passion que la raison ne domine point. *Manon Lescaut* (thème de plusieurs opéras) est un roman réel plutôt que réaliste, pathétique en tous points mais qui, malgré tout, reste chaste.

Le roman, après l'abbé Prévost, va subir les tendances des « Philosophes.» La date, aussi bien que l'esprit, des romans et des contes de Voltaire est de la seconde moitié du siècle.

IV. *La Poésie*

Dans l'espace de 200 ans, de Malherbe à Lamartine, la poésie française n'a que très rarement exprimé l'émotion lyrique. Au 18e siècle nous voyons quelques épigrammes plaisantes et spirituelles; mais la vraie poésie reste cachée jusqu'à Chénier, à la fin du siècle. La plupart des écrivains de cette époque sont des « philosophes »; ils ont pour guide l'idée et non le sentiment. On parle de la nature, on ne la sent pas; partant, on n'en voit pas les beautés. On croit que la poésie s'oppose à la raison; Montesquieu et Buffon la condamnent. Il est vrai qu'il y a des versificateurs; les formes traditionnelles revêtent encore une certaine élégance; on rencontre des circonlocutions grandiloquentes, mais partout l'artifice et la convention. On trouve rarement l'expression directe et simple du sentiment et de la sensation; on ne connaît pas la musique de la poésie.[6] Lisons Voltaire pour nous convaincre de ce qui précède.

[6] Louis Racine (1692–1763), fils de Jean Racine, écrivit un poème didactique sur la *Religion* (1742). Il publia aussi ses *Mémoires* qui parlent de son illustre père.

V. *Débuts de la Littérature « Philosophique »*

1. MONTESQUIEU [7] (1689–1755), PÈRE DE LA SCIENCE HISTORIQUE MODERNE. Issu d'une famille illustre, Montesquieu fut nommé magistrat à la cour de Bordeaux mais dédaigna bientôt la magistrature pour se consacrer à la littérature. Dans ses *Lettres persanes* (1721) il représente deux orientaux imaginaires, qui visitent la France et s'engagent dans une vive critique des manières, des coutumes, de la littérature et de la religion. L'auteur critique surtout le fanatisme de Louis XIV, ses guerres et ses conquêtes; enfin, il attaque, pêle-mêle, la société européenne entière. Montesquieu se montre homme de son temps par son rire, son style gai, parfois polisson, qui fixe l'attention et fait lire l'ouvrage. Ce désir de plaire, d'aiguiser la curiosité, se fait sentir dans ses livres les plus sérieux; par là, il s'éloigne de la formalité classique du 17e siècle.

Dans ses *Considérations sur les causes de la grandeur des Romains et de leur décadence* (1734) le penseur se révèle et le philosophe politique nous montre le jeu de la politique intérieure des Romains. Dans ses arguments il procède de cause à effet, au lieu de voir partout, comme Bossuet, la main de la Providence dans le gouvernement du monde. Il a étudié les sources de l'histoire et a compris le génie de Rome et admiré son évolution historique. Le livre, cependant, n'est pas sans défauts: Montesquieu n'a pas le sens critique assez prononcé.

[7] Charles-Louis de Secondat, baron de Montesquieu, naquit près de Bordeaux où il devint conseiller au Parlement. Après le succès des *Lettres persanes,* il fut élu à l'Académie. Poussé par le désir d'étudier et d'écrire, il vendit sa charge de magistrat et voyagea en Allemagne, en Hongrie, en Italie, en Suisse, dans les Pays-Bas et en Angleterre. *L'Esprit des lois* fut traduit dans toutes les langues, mais fut vivement attaqué par les Jansénistes et les Jésuites, puis dénoncé à Rome. Sa défense apaisa le Saint-Siège ainsi que la Sorbonne. L'étude fut la grande préoccupation de la vie de Montesquieu.

L'Esprit des lois (1748) est, à la fois, l'ouvrage le plus important et le plus caractéristique de l'auteur. Nous y trouvons le même esprit que dans les *Considérations,* mais la méthode est expérimentale. Pas plus ici qu'ailleurs il ne fait la critique des sources; par conséquent, des conclusions téméraires. Il est porté à généraliser sur une seule observation prise au cours de ses voyages ou de ses lectures; il donne aussi trop d'importance aux cas particuliers. Hâtons-nous de dire qu'il se distingue par son rationalisme libre de tout préjugé. Son but est d'expliquer la nature des lois au point de vue politique et social. Les lois résultent de la nature des choses; elles doivent donc être en rapport nécessaire avec la constitution, le tempérament du peuple. Il distingue trois sortes de gouvernements: *républicain,* basé sur la vertu; *monarchique,* basé sur l'honneur; *autocratique,* basé sur la crainte. Montesquieu visita beaucoup de pays, surtout l'Angleterre, et il se montre grand admirateur de la constitution anglaise qu'il voudrait voir fonctionner en France; il trouve aussi des termes de chaleureuse protestation contre l'esclavage des nègres. Il avance des idées libérales un peu téméraires pour son temps, dans sa critique des institutions. Bien qu'il ait, comme Fontenelle, une curiosité scientifique que l'on ne peut que louer, il a des opinions fausses parce que basées sur une science imparfaite; il y a trop d'insuffisance dans son information. Ce grand homme fut, néanmoins, un maître et un modèle en son temps. Les chefs les plus modérés de la Révolution et les promoteurs de la Restauration le choisirent pour guide.

VOLTAIRE (1694–1778)

(Sa Vie et Ses Œuvres; Ses Idées et Son Influence)

L'activité de Voltaire s'étend de la mort de Louis XIV (1715) à la veille de la Révolution. Son nom remplit le 18ᵉ siècle, son esprit le domine.[8]   Son influence est non seulement très large, mais compréhensive.   Étant l'incarnation du siècle, le porte-parole d'une ère nouvelle, il importe d'étudier le légendaire « patriarche » en analysant, pour les mieux comprendre, les différentes étapes de sa longue carrière.

I. *Voltaire avant 1750*

1. L'HOMME DE LETTRES. L'EXIL EN ANGLETERRE. DÉBUT DE SA CRITIQUE SOCIALE. CIREY. Les faits saillants de la première partie de la vie de François-Marie Arouet qui prit, plus tard, le nom de Voltaire, sont son enthousiasme pour la littérature, sa fréquentation des libres penseurs et bons vivants de la société du Temple, son emprisonnement, sa réputation comme poète et la publication de ses tragédies, sa querelle avec de Rohan qui lui valut l'exil en Angleterre (1726–1729) où il fit la connaissance de personnages importants, la condamnation de ses *Lettres philosophiques* (1734), son départ de Paris pour Cirey, en Lorraine. C'est dans le silence de cette retraite (1734–1749), sous le toit hospitalier de Mme du Châtelet, femme d'intelligence et de savoir, que Voltaire travailla à la rédaction de ses plus importants ouvrages.   Sa fortune était immense; sa gloire littéraire, dans l'opinion de ses contemporains, encore plus grande.   Les autorités paraissent alors avoir oublié ses fredaines.   La publication de ses *Lettres philosophiques* révéla son génie critique et aida à répandre les idées anglaises dans

[8] Voltaire naquit et mourut à Paris. De sa brillante éducation chez les Jésuites, il garda sa culture latine et sa haine des Jansénistes.   Il fut élu à l'Académie en 1746.   Ses restes reposent au Panthéon.   Le nom de Voltaire serait peut-être l'anagramme de la forme « Arovet l[e] i[eune].» Dans un article intéressant, publié en juin 1929 dans *P. M. L. A.*, Ira Wade avance la théorie qui paraît très plausible que le nom de Voltaire viendrait de Airvault, village où la famille de l'écrivain avait une propriété.   Voltaire ne serait donc que la transposition de ce mot, Vaultair—Voltaire.

la France du 18e siècle.   Voltaire se pose en admirateur de
l'Angleterre, pays de liberté individuelle que la France connaît peu ou point.   En discutant le point de vue religieux
anglais, il critique indirectement la religion catholique en
France; il donne aussi de grands coups au système décrépit
de la politique française en l'opposant au pays de la richesse,
du bonheur, de la culture, de la justice, des lettres et de la
science.[9]

2. Le Poète.   Voltaire n'avait rien du tempérament d'un
poète.   Il se tient, cependant, au premier rang de la phalange
du Parnasse, et c'est comme poète qu'il fut surtout connu au
début de sa carrière.   Il est vrai qu'il écrivait des vers gra-
cieux et spirituels, mais on y chercherait en vain le vrai sens
de la poésie; et il est à croire que c'est grâce à la force de
son intelligence et au magnétisme de sa personnalité qu'on
l'admire comme poète.   Dans sa *Henriade* (1728), poème
épique ayant pour héros Henri IV, il s'efforça de donner
à la France une autre *Énéide* composée d'après les règles de
l'*Art poétique* de Boileau.   Cette épopée sans vie est maintenant oubliée.   L'auteur, d'ailleurs, y montre plus de haine
fanatique que de sentiment national.   Voltaire excelle dans
la poésie légère aussi bien que dans les discussions en vers
des questions philosophiques et scientifiques.

3. Le Théatre.   La psychologie de Voltaire a ses points
faibles, mais l'auteur possède le sens de la scène, de l'effet.
Il s'est servi du théâtre comme d'une tribune pour prêcher
ses doctrines contre le fanatisme et le despotisme.   Les contemporains le considéraient l'égal de Racine, dont il fut le
continuateur.   Il est loin d'en avoir le génie dramatique; il

---

[9] Voltaire lui-même ne fut jamais un homme de science, au sens
strict du mot; certainement, il ne fut jamais impartial.   Au nom de
la science, cependant, il attaqua la religion et prêcha la valeur du
confort humain.   Il nous a donné, par exemple, des détails sur la
valeur de la vaccination que la France avait adoptée avec tant de
difficulté.

reste, néanmoins, le premier poète tragique après Racine.
Abstraction faite du style, on pourrait appeler Voltaire, du
moins dans un certain sens, le précurseur du drame romantique, pour avoir introduit au théâtre les particularités du
décor et du costume, et surtout parce qu'il ne représente pas
seulement le monde antique mais aussi les temps modernes.
Ses pièces, en effet, nous promènent de la Chine au Pérou
ou ailleurs ; d'autres ignorent les femmes et l'amour. Dans
quelques-unes de ses tragédies (*Brutus, la Mort de César*),
l'influence de Shakespeare est visible, ce qui lui donne un
air d'indépendance et de nouveauté contraire à la tradition
française. Plus tard, il renie Shakespeare et ses amis « barbares.» Voltaire est essentiellement de l'école de Corneille
et de Racine, mais il n'a ni la grandeur morale du premier
ni la profondeur psychologique du second. Il les prolonge
en ce sens qu'il emploie le même vers et observe les mêmes
règles. Parmi ses tragédies les plus importantes nous trouvons *Zaïre* (cette histoire de l'amour du sultan Orosmane
pour une chrétienne captive fait penser à *Othello*) et *Mérope*.
Cette dernière pièce, dont l'action se passe dans l'ancienne
Grèce, représente la lutte entre l'amour maternel et la pression tyrannique de la politique. Mérope refuse la main d'un
tyran qui a assassiné le roi, son mari. Elle croit que son fils
a été tué par un jeune homme qui arrive à la cour, mais plus
tard elle reconnaît que ce jeune homme est en effet son fils.
L'usurpateur menace de le faire mourir, mais se laisse fléchir
à pardonner si Mérope consent à l'épouser. Le fils, pour
sauver Mérope, tue l'usurpateur.

II. *Voltaire après 1750*

1. L'Ennemi de la Tradition. Le Pamphlétaire.
Le Génie Universel. Voltaire, avant 1750 homme de lettres, dans le sens traditionnel du mot, se trouve alors être une
figure européenne, une sorte de croisé combattant pour la libé-

ration de l'esprit humain. Il est, en effet, le génie universel de l'époque, s'intéresse aux sciences et aux questions sociales, écrit plusieurs ouvrages d'histoire, le *Dictionnaire philosophique,* des romans, des contes satiriques et, avec tout cela, des milliers de lettres.

L'hostilité des dévots, la mort de Mme du Châtelet et surtout l'invitation de Frédéric II, le déterminèrent à se rendre à Berlin en 1750. L'entente avec Frédéric fut de courte durée, car trois ans plus tard, après une querelle avec le roi, Voltaire décampa pour retourner en France. Il s'établit enfin au petit village de Ferney, près de Genève, où, en cas de danger, il pourrait se réfugier à la hâte. Il vécut là, en paix, entouré d'amis, respecté, roi dans le domaine des idées. Il collabora à l'*Encyclopédie,*[10] attaqua le christianisme, aida les humbles et les opprimés, publia des contes, des comédies, des tragédies; il défricha la terre et bâtit des usines. Les plus grands hommes du temps vinrent de tous les pays d'Europe le visiter dans sa retraite. En 1778 il se rendit à Paris, où il mourut la même année à l'apogée de sa gloire.

Laissant de côté ses poèmes et son théâtre dont nous avons déjà parlé, nous nous occuperons de l'activité littéraire de Voltaire durant cette période, à savoir:

(a) L'HISTOIRE. C'est à Voltaire et à Montesquieu qu'appartient l'honneur d'avoir créé l'histoire telle que nous la comprenons aujourd'hui. Son *Histoire de Charles XII*[11] (1731) avait été son premier ouvrage historique.[12] D'autres œuvres historiques de Voltaire englobent l'histoire du genre humain, s'étendant depuis les origines jusqu'à la mort de Louis XV. Elles se

[10] Voir p. 119.
[11] Roi de Suède.
[12] C'est un des premiers ouvrages d'histoire écrits d'après les sources, ce qui lui donne une importance scientifique. C'est aussi l'une des premières fois que nous voyons combinés dans le même volume une réelle érudition et un art consommé.

divisent en trois parties : (1) L'*Essai sur les mœurs*
(1756) combat la thèse de Bossuet dont la tendance
est de tout expliquer par l'intervention de la Providence. Ce livre, précédé d'un tableau des civilisations
primitives, est une œuvre d'histoire générale, de
Charlemagne à Louis XIII. (2) *Le Siècle de
Louis XIV* (1751). (3) Un volume moins fameux,
Précis du siècle de Louis XV (1768). Voltaire veut
nous faire voir la vie entière d'une nation, y
compris la littérature, les arts et les sciences.
La documentation écrite et orale lui fournit, avec
l'analyse critique, le principe de ses conclusions ; il
est presque moderne, enfin, dans sa conception de
l'histoire. Bien que son esprit, d'une lucidité remarquable, saisisse toujours dans leur emsemble les
faits qu'il tire de leurs sources multiples, ses conclusions sont affaiblies par ce préjugé que l'histoire de
la civilisation n'est que celle de la lutte entre la raison
et la superstition fanatique qui, chez lui, est synonyme
de religion révélée et organisée.

(b) Dans le *Traité sur la Tolérance* (1763) Voltaire
élabore ses vues sur la tolérance religieuse. Il cite
des cas de persécution et d'injustice qui font trembler ;
sa narration s'échauffe à mesure qu'il raconte, car il
présente des incidents auxquels il s'est directement
intéressé, tels, par exemple, le meurtre juridique du
protestant Jean Calas, accusé faussement d'avoir
étranglé son fils pour l'empêcher de se faire catholique.

(c) *Le Dictionnaire philosophique* (1764), dont l'idée
centrale est l'hostilité contre l'ordre établi, renferme
des articles sur des sujets très variés rangés en ordre
alphabétique ; quelques-uns avaient déjà parus dans
l'*Encyclopédie*. Le style de Voltaire et son bon sens

font bonne figure dans ce livre, mais il y met aussi à nu sa frivolité et l'étroitesse de sa critique religieuse.

(d) LE ROMAN. Voltaire exprime dans ses romans sa philosophie sociale ou fait une critique cinglante des abus de la société du temps. *Zadig* (1748), dont l'idée maîtresse se résume dans une accusation insidieuse de la Providence, renferme un épisode de « roman policier.» Un sage d'Orient est mis à l'amende pour son habileté à décrire le chien du roi qu'il n'a jamais vu. Il est nommé premier ministre, mais est obligé de s'enfuir à cause de son amour pour la reine. Après nombre d'épreuves, il devient roi et rend son peuple heureux. Dans *Candide* (1759), la verve caustique et satirique de Voltaire se déclanche, brillante et amère. Pangloss croit que tout est pour le mieux dans le meilleur des mondes ; mais, après avoir escorté son élève, Candide, à travers une série de misères et de hideux incidents, il est clair que les faits démentent ses paroles. Conclusion : la théorie de Pangloss est fausse et la Providence est un vain mot.

Ajoutons à tout cela ses nombreux PAMPHLETS et ses LETTRES qui s'adressent à presque tous les personnages de quelque importance en Europe.

2. IDÉES ET CARACTÈRE DE VOLTAIRE. On a pu dire de Voltaire qu'il était « la perfection des idées communes » ; il n'avait certes pas la tête métaphysique et ne fut même pas un penseur original. Il croyait à la liberté, au progrès matériel et à la tolérance. S'il a cru à un Dieu créateur, il a nié la Providence et le miracle, refusant également d'admettre une religion révélée qu'il attaqua au nom de la raison et d'une critique superficielle dont la fausseté a été démontrée depuis. En fait, il ne croit qu'à la raison ; de là, ainsi que de

ses préjugés et d'une certaine superficialité, l'étroitesse de
sa critique que nous devons juger imparfaite. Il n'a pas
su saisir l'idée de l'infini, le sens mystique de la religion ; il
n'a pas compris l'esprit de sacrifice et de charité du christianisme. On s'étonne même un peu que, parlant sans
cesse d'obligation sociale, il se montre hostile envers l'austérité de la morale biblique. Dans *Candide,* il attaque l'op-
timisme avec une ironie mordante. Les révolutions de la
nature, telles que le tremblement de terre de Lisbonne,
ajoutées à la vilenie de l'homme, l'empêchent de se leurrer
de phrases creuses et de pensées abstraites. En politique, il
voudrait une monarchie libérale, la liberté de la presse et la
tolérance religieuse. Voltaire est un mélange étonnant
d'idées contradictoires ; il voit large et grand, il a l'intelligence
alerte, toujours en éveil, le don de pénétrer dans les recoins
d'un système compliqué ; il prêche la tolérance tout en étant
l'intolérance même. Il est généreux et dévoué pour les
opprimés, faisant preuve pour eux d'une énergie sans bornes ;
il est vain, nerveux, irritable, pétri d'amour-propre, jaloux
de ses rivaux, injuste et cinglant envers ses adversaires, sceptique, souvent cynique et trop prompt à identifier la raison
avec ses propres préjugés.

3. Son Art et Son Influence. L'art de Voltaire est
la mesure de son intelligence. Tout fait de raison, précis,
rarement pittoresque, son style est clair, limpide, spirituel,
souvent ironique, sans couleur et sans passion, dénué de
poésie et de sentiment. Grande a été l'influence de Voltaire
au 18e siècle parce que ses idées étaient la répercussion des
idées courantes ; c'est à lui qu'appartient la gloire de les avoir
propagées dans l'Europe entière. Il est douteux que Voltaire eût approuvé la révolution politique de la fin du siècle,
car en dehors de la religion il est loin de se montrer radical
consommé, mais il est certain que son ricanement, son ironie
et son esprit critique hâtèrent la dissolution de l'Ancien

Régime. L'influence principale de ce soi-disant déiste a été la diffusion de l'incrédulité par la contagion de sa satire amère et irrespectueuse envers l'Église de son temps.

Malgré ses préjugés et ses défauts, Voltaire a préparé la liberté et le progrès actuels. Il a été le philosophe de « l'avenir, » et nous pouvons lui pardonner quelques excès pour avoir fait du bonheur de l'humanité la passion dominante de sa vie.

DEUXIÈME PÉRIODE (1750–1789)

(*Le Conflit Philosophique: Raison—Humanité— Propagande—Progrès Scientifique*)

Aperçu Historique

Revenons à LOUIS XV. Après FLEURY (1743), le roi se laissa guider par les femmes, ses favorites, la Pompadour et la Du Barry. La royauté essaya quelques réformes, mais si faibles qu'elle perdit bientôt le respect des honnêtes gens en se déshonorant; de plus, le désordre à l'intérieur, les défaites politiques et militaires à l'extérieur, bouleversèrent le royaume. Dans la GUERRE DE SEPT ANS (1756–1763) la France s'allia à l'Autriche contre Frédéric II de Prusse dans le but de rendre la Silésie à Marie-Thérèse. L'Angleterre vint en aide à la Prusse, et la France, au milieu de turbulences de toutes sortes, de la décadence politique et militaire et de la marine en ruine, fut vaincue. Elle signa le TRAITÉ DE PARIS (1763) qui lui fit perdre le Canada, le Sénégal et les Indes. En 1766 cependant, à la mort de Stanislas, la Lorraine revint à la France, qui acheta la Corse aux Génois (1768). CHOISEUL, devenu premier ministre, imbu d'un grand patriotisme, raffermit l'armée, construisit une forte marine et chassa de France les Jésuites. Malgré tout, au moment du partage de la Pologne (1772), la France n'était plus la première nation de l'Europe et ce fut en vain que l'impuissant Louis XV voulut protester. Ce roi, dont la devise était : « après moi, le déluge,» est un des plus faibles monarques qui soient montés sur le trône de France. Il se laissa mourir en 1774 après avoir affaibli et ruiné le pays.

Louis XVI (1774–1792), petit-fils de Louis XV, monta sur le trône à l'âge de 20 ans. Il épousa Marie-Antoinette d'Autriche, belle et coquette, aimant les fêtes et les plaisirs. Le jeune roi, intelligent et bon, mais faible, offrit des demi-mesures pour améliorer le sort de la nation ; Marie-Antoinette s'y opposa. Ce fut à ce moment de misère générale, de désorganisation, de corruption, de tyrannie politique et religieuse et de dépravation morale complète, que le roi fut couronné. Turgot, un grand ministre (1774–1776), demanda la liberté religieuse, voulut donner au peuple les moyens de s'instruire, abolit quelques-uns des impôts les plus oppressifs et les plus injustes et essaya en vain de prélever des contributions sur les biens de la noblesse ; mais lui, aussi bien que son intelligent collègue Malesherbes (1774–1776) et son successeur libéral Necker (1776–1781), durent donner leur démission.

Grâce aux efforts de Benjamin Franklin, représentant très estimé des Colonies américaines, Louis XVI résolut de soutenir la jeune république contre l'Angleterre (1778). Cette décision contribua au succès de la Révolution américaine en 1783.

Au milieu de la confusion générale, le roi hésite pendant que le mécontentement augmente. Le trésor est épuisé, mais on n'ose plus charger d'impôts nouveaux un peuple déjà surchargé et l'idée de prélever des impôts sur les biens de la Noblesse et du Clergé n'est pas encore mûre. Le roi rappela Necker au ministère des Finances ; puis, en 1789, convoqua les États Généraux, c'est-à-dire la réunion des représentants du Clergé, de la Noblesse et du Tiers État ;

c'était la première fois depuis 1614.   Le Clergé et la Noblesse
voulaient rétablir l'état des finances ; mais, en retour, le Tiers
État demandait d'importantes réformes.

La Littérature

I. *Tableau Général*

Voltaire revient de Berlin plus que jamais l'ennemi juré
de l'Ancien Régime en France ; nous voyons aussi pendant
les années 1750–1751 le début de l'œuvre destructive de
l'*Encyclopédie* et l'entrée en scène de Rousseau avec ses
théories toutes neuves.   C'est maintenant que commence
l'attaque violente contre les institutions actuelles ; la Révolution se prépare dans les esprits ; elle finira dans le sang.

Les écrivains ne sont plus des courtisans à la merci des
grands ; leur force est redoutable parce qu'ils ont acquis
un prestige européen.   La littérature est plus que jamais
une arme, une force dynamique qui croît en puissance à
mesure qu'elle avance.   Les qualités distinctives de cette
littérature plus brillante que profonde sont l'esprit et la
clarté.   Les *Philosophes* triomphent partout.   Rousseau,
cependant, malgré ses critiques, fait comprendre la passion
et la nature.

Il est évident que nous avons, dans cette période, un
double courant en littérature : (1) L'esprit d'analyse rationa-
liste qui se fait destructif.   Diderot, Rousseau et Voltaire
assènent des coups mortels à l'ordre établi ; la révolution
intellectuelle à laquelle ils travaillent est complète.   (2) Le
sentiment de la nature et l'émotion s'éveillent ; l'imagination
commence à prendre pied sur la froide et lucide intelligence ;
la nature et le monde visible occupent l'esprit humain ; l'image
et la sensation entrent dans la littérature.

1. Le Conflit « Philosophique » eut pour cause un
groupe d'écrivains et de savants, dont le but immédiat fut

de publier l'*Encyclopédie* et dont le rêve fut de réformer l'humanité au point de vue intellectuel et social. Les idées avancées, engendrées et répandues dans le cours du siècle, formèrent une nouvelle école d'écrivains qui, au nom de la raison et de l'humanité, entreprirent une campagne de propagande contre l'ignorance et les abus. Les Philosophes eux-mêmes, aux idées étroites, furent intolérants, spécialement en matière de religion. Dans leur recherche zélée de l'idéal, ils se fièrent trop à l'idée pure; et trop souvent, chez eux, la raison abstraite remplace les faits. Ils furent les premiers à ériger la VULGARISATION en système, et leur influence dans le LIBÉRALISME INTELLECTUEL ET SOCIAL fut immense. Le Gouvernement et l'Église leur opposèrent une résistance divisée et faible. En 1760 la lutte s'envenima et la crise commença.

2. L'ENCYCLOPÉDIE (1751–1772). La direction de cet ouvrage, auquel la plupart des grands écrivains de l'époque contribuèrent, fut confiée à DIDEROT. D'ALEMBERT (1717–1783) se chargea du *Discours préliminaire*. L'*Encyclopédie,* appelée « le bréviaire des Philosophes,» est un résumé de l'activité humaine et des progrès de la civilisation. Elle se propose deux choses: (1) POPULARISER la science technique: (b) DIRIGER l'opinion publique dans le sens des libertés constitutionnelles et du rationalisme, puis combattre la religion et la monarchie absolue. Au moyen de notes, de renvois bénins en apparence, mais en réalité insidieux, les Philosophes ruinèrent l'autorité. Cette influence fut, en somme, bienfaisante, parce qu'elle hâta la réforme et le progrès des sciences appliquées, encouragea la curiosité intellectuelle et demanda l'exactitude au lieu de conventions et de préjugés. Les nombreux écrivains qui contribuèrent à l'*Encyclopédie* avaient sans doute des opinions différentes, mais tous étaient animés du même idéal. De mérite inégal, de qualité médiocre au point de vue artistique et littéraire,

ayant à faire face à mille difficultés à la fois, l'*Encyclopédie*
n'en eut pas moins un succès immense partout en Europe.

DENIS DIDEROT [13] (1713–1784) fut l'âme de l'*Encyclopédie*
dont il fut le seul directeur après la démission du prudent
d'Alembert.   C'est d'elle qu'il tire sa gloire, car ses autres
ouvrages, si nombreux qu'ils puissent être, pâlissent auprès
de ce vaste monument.   Diderot est le type du « Philosophe,»
universel, brillant, sceptique, optimiste, humain, alerte,
original.   Plébéien de naissance, il l'est aussi de cœur et
d'esprit par son mépris des convenances morales et sociales.
Matérialiste et athée, il juge le vice et la vertu comme invention humaine, préjugés de la société, ne méritant ni
punition ni récompense.   Comme Rousseau, il croit que
l'instinct est supérieur à la morale parce qu'il est né de la
nature et que celle-ci, en soi, est bonne.   En quoi donc consiste la vertu?   Dans la bienfaisance.   Toutes les restrictions imposées à la nature par la religion ou par la société
sont nuisibles à l'homme; mauvaises, par conséquent, parce
que contraires à la nature.   Diderot a compris les sciences
naturelles d'une manière objective tout à fait moderne.   Par
une sorte d'intuition qui touche au génie, il attira l'attention
sur l'électro-magnétisme, et, cinquante ans avant Lamarck,[14]
il a suggéré l'évolution.

En dehors des liens qui l'attachent à l'*Encyclopédie,* Diderot
s'est fait connaître par son théâtre, ses romans, sa critique

[13] Diderot naquit à Langres, étudia chez les Jésuites et fit du droit
avant de se dévouer à la littérature.   Esprit prompt et fertile, écrivain
doué de beaucoup de sensibilité, il vécut misérablement presque toute
sa vie, donna des leçons, fit des traductions et composa même des sermons.   La *Lettre sur les aveugles* lui valut un stage à la prison de
Vincennes.   Catherine II de Russie lui acheta sa bibliothèque pour lui
permettre de doter sa fille.   En reconnaissance, il fit le voyage de
St. Pétersbourg pour remercier sa bienfaitrice.   Malgré sa renommée,
le roi s'opposa à son entrée à l'Académie.

[14] Savant français; un des premiers propagateurs de la théorie de
l'évolution (1744–1829).

littéraire et artistique,[15] sa philosophie et sa correspondance.
Son génie éclaire plutôt qu'il ne crée. Il écrit beaucoup et
vite; son art et sa pensée sont spontanés mais son style souffre
de l'improvisation; il lui manque la mesure, le fini. Il
exprime, cependant, la vie telle qu'elle est, ou du moins telle
qu'il la voit, toujours attentif à être vrai. La société polie
ne l'a pas discipliné; il est donc subjectif et fait penser au
lyrisme romantique qu'il annonce.

3. LES SALONS « PHILOSOPHIQUES.» Au 17e siècle les
salons, à l'ombre de la cour et sous l'égide du roi, formaient
une élite sociale aimant à discuter littérature et morale.
Vers la fin du siècle, les deuils et les revers donnèrent à la
cour un aspect de sévérité et de tristesse qui donna lieu à
l'établissement de salons indépendants connus sous le nom
de « bureaux d'esprit,» dont le but était l'amusement et les
jeux d'esprit. Au 18e siècle les salons se multiplièrent de
telle manière que vers 1750 ils étaient devenus une sorte
« d'état dans l'état,» force et centre de la propagande
« philosophique.» C'est au sein de ces réunions que s'éla-
borent les idées directrices du siècle, que les réputations littéraires s'établissent et que l'élection à l'Académie se prépare.
L'homme de lettres n'est plus seulement toléré mais recherché, et comme « philosophe » il prend une importance
capitale dans la société. Une grande partie de la littérature
sérieuse de l'époque porte l'empreinte de l'influence des
salons où se developpe l'art de dire gentiment des choses
sérieuses et où l'on discute avec témérité toutes les idées
nouvelles. Diderot et Rousseau gardèrent pourtant leur
indépendance.

Le salon de Mme GEOFFRIN, personne pieuse et sage qui
combattit les excès de l'*Encyclopédie* tout en aidant sa pu-

---

[15] Les *Salons* de Diderot fondent, pour ainsi dire, la critique d'art;
c'est la première œuvre importante qui ait pour sujet les beaux-arts.
C'est à Diderot qu'est due l'idée d'une relation intime entre l'art et
la littérature. Pour ses romans et ses drames, voir pages 122, 125.

blication, fut le rendez-vous des écrivains les plus célèbres,
des artistes et des philosophes. La spirituelle Mme Du
Deffand recevait les écrivains et les savants de l'époque
pour plaire à d'Alembert qu'elle admirait. C'était un bel
esprit dont le salon n'était pas « une simple boutique de
philosophes.» Ce fut elle qui, en parlant de Montesquieu,
disait que son *Esprit des lois* était de « l'esprit sur les lois.»
Le salon de Mlle de Lespinasse, appelée la « muse de
l'*Encyclopédie,*» exerça la plus profonde influence.

II. *Le Théâtre*

A. LE DRAME BOURGEOIS

Ce genre nouveau, ce rival pathétique et didactique de la
tragédie,[16] fut inventé par Diderot qui, dans ses *Entretiens*
et son *Discours sur la poésie dramatique,* discute cette sorte
de théâtre et, voulant payer d'exemple, bâcle deux pièces
d'une déclamation insupportable et de sentiment creux, *le
Fils naturel* et *le Père de famille*. Le *drame bourgeois*
présente des gens ordinaires aux prises avec leur conscience
et leur devoir; il tient le milieu entre le rire et les absurdités
de la comédie d'un côté, les larmes et la passion de la tragédie
de l'autre. Il peint des conditions plutôt que des caractères.
Molière et Lesage avaient fait de même; la nouveauté du
drame bourgeois est dans le but moral, dans l'émotion qui
naît d'une situation sérieuse, plutôt que dans l'amusement
produit par le ridicule. Ces théories, jetées au vent au 18e
siècle, vont germer et porter d'excellents fruits au 19e.

Sedaine (1719–1797). Ce genre inspira à Sedaine une
œuvre qui est le modèle du genre sérieux, *le Philosophe sans*

---

[16] La tragédie, durant cette période, est sans vie. Voltaire, cependant, continue à écrire pour le théâtre, et la traduction de Shakespeare par Letourneur nous amène aux versions sentimentales de
Ducis et marque la continuation de l'influence anglaise.

le savoir (1765). Cette pièce est un plaidoyer contre la morgue nobiliaire. Le fils d'un négociant se bat en duel avec un officier qui s'est moqué de la condition sociale de son père. Pendant que ce père fournit de l'argent à la famille de l'ennemi de son fils pour permettre à cet ennemi de s'enfuir, la réconciliation a lieu.

D'autres auteurs écrivirent des *drames,* mais si pauvres de qualité que bientôt ils se confondirent avec le *mélodrame,* passetemps populaire, sans prétentions littéraires.

B. LA COMÉDIE

BEAUMARCHAIS [17] (1732–1799). Tour à tour horloger, musicien, officier de la maison du roi, Beaumarchais s'enrichit, acheta un titre de noblesse, devint diplomate, fournit armes et argent à la Révolution américaine, et finalement, harassé de procès retentissants, il fut ruiné par la Révolution de 1789. Figaro, sa créature, faite à son image, est Beaumarchais lui-même, plein de verve, d'esprit et de sentiment, scrupuleux à demi mais plein de cœur. Deux comédies ont rendu Beaumarchais immortel. Il essaya du genre sérieux, mais son génie se révéla surtout dans le comique brillant, gai, vif; en un mot, dans la comédie d'intrigue pour amuser d'abord mais aussi pour fustiger les abus de la société.

Le Barbier de Séville (1775) raconte comment l'amour du comte Almaviva gagne le cœur de la charmante Rosine, malgré la vigile assidue du vieux tuteur, Bartholo, qui veut l'épouser. Figaro, le valet qui se fait barbier, devient le centre de l'intrigue; par son adresse le comte réussit à épouser Rosine.

[17] Pierre-Augustin Caron qui, plus tard, prit le nom de Beaumarchais, connut le succès, la débâcle et la prison. Ses comédies ne furent qu'un incident de sa vie. Son fameux procès contre Goëzman lui fit publier des *Mémoires* qui établirent sa réputation. On le considéra comme le porte-parole du peuple contre le gouvernement. Il publia la fameuse édition de Kehl des œuvres de Voltaire.

Le Mariage de Figaro (1784) fait suite au *Barbier de Séville,* avec cette différence que la pièce est plus puissante et plus originale, allant du drame à la satire et de la comédie à la farce. Le comte, qui n'aime plus Rosine, voudrait séduire Suzanne, la fiancée de Figaro auquel elle reste fidèle, malgré les apparences compromettantes. Suzanne doit attendre le comte Almaviva dans un lieu retiré; mais c'est la comtesse, qui, dans les habits de Suzanne, vient au rendez-vous et force le comte à consentir au mariage de Figaro. La pièce est une satire sociale, condensée dans des phrases mordantes qui condamnent les privilèges de la Noblesse et demandent pour le Tiers État la justice et les droits. Le monologue de Figaro (acte V, scène 3) est la pierre de touche de cette comédie qui eut un succès immense à cause de sa portée sociale toute particulière. Figaro n'est pas seulement un simple domestique, un membre de la valetaille; il traite son maître sur le pied d'égalité; la révolution est dans l'air. L'intrigue bien conduite, la discussion des problèmes sociaux pleine de vie et de vérité, les personnages burinés sur le vif et le jet d'esprit continu, donnent à ces deux comédies un intérêt tout moderne et une saveur unique. Ces pièces ont aussi leur importance comme modèles, en prose, de la comédie bien faite, au ton gai et enjoué mais sérieux. L'influence de Beaumarchais se fera sentir au siècle suivant dans l'œuvre de Scribe et de Sardou aussi bien que dans celle d'Augier et de Dumas fils.

III. *Le Roman*

Nous avons déjà parlé du roman picaresque et du roman de sentiment, dans la première partie du 18e siècle, en étudiant les œuvres de Lesage, de Marivaux et de l'abbé Prévost. Dans la seconde moitié du siècle, le roman soi-disant « philosophique » prend une tournure de propagande dont le ton est souvent obscène et impie. (Pour les romans de VOLTAIRE voir p. 114.) Enfin, sous l'influence de Richardson et de Rousseau, l'importance du roman comme genre littéraire est énormément augmentée.

1. DIDEROT écrivit trois romans—*Jacques le Fataliste* (série de dissertations) ; *le Neveu de Rameau* (Diderot lui-même parlant sur des sujets divers dans une suite de scènes satiriques dirigées contre les ennemis de l'*Encyclopédie;* c'est aussi l'apologie d'une vie qui se sent libre de toute morale) ; *la Religieuse* (étude de la vie de couvent).

2. ROUSSEAU en écrivant *la Nouvelle Héloïse* (1761) nous a donné un livre important non seulement au point de vue du développement du roman, mais encore plus en raison des idées de l'auteur dont nous parlerons plus tard. C'est un roman philosophique. Nous sommes loin de la méthode épisodique de Lesage ou des aventures de Marivaux. Ce livre fait goûter la poésie du ménage, la vie domestique dans sa simplicité, en nous infusant l'amour de la nature. C'est le développement d'une vie, d'une conscience. Sous l'in-fluence de Rousseau, le roman étudie l'homme dans la nature et prend des tendances humanitaires.

3. BERNARDIN DE SAINT-PIERRE (voir p. 131) introduisit la nature exotique dans le roman et apporta de grands changements dans l'art littéraire.

IV. *Le Groupe des Non-Philosophes*

1. BUFFON [18] (1707–1788). Dans ses travaux scienti-fiques Buffon eut un grand souci de l'art; par là, il fondit ensemble l'art et la science. Son *Histoire naturelle* n'est pas une arme contre la religion comme d'autres ouvrages du temps; elle est, au contraire, une longue discussion, patiente et méthodique, de la théorie de la terre, une histoire naturelle

---

[18] Buffon fit ses études chez les Jésuites. Il voyagea en Angleterre et en Italie. Il s'intéressa d'abord aux mathématiques et à la phy-sique, puis s'occupa d'histoire naturelle. Il fut nommé Intendant du Jardin des Plantes, charge qu'il remplit avec honneur.

de l'homme, des quadrupèdes, des oiseaux et des minéraux.
Les *Époques de la nature* sont une sorte de supplément au
livre précédent. Les théories de Buffon peuvent avoir
vieilli, mais son style est noble et majestueux. A ses yeux,
l'homme est le véritable roi de la création, supérieur à tous
les êtres vivants, capable de penser et de se perfectionner.
La nature, croit-il, a été créée pour l'usage de l'homme. Il
va même jusqu'à classifier les animaux en deux classes : ceux
qui sont utiles à l'homme et ceux qui lui sont nuisibles. Il
a révélé le principe de lois naturelles importantes et a jeté
les bases du système transformiste et évolutionniste que
développèrent, plus tard, son disciple, Lamarck, et l'anglais,
Darwin. Il eut une influence féconde et heureuse sur le
développement des sciences naturelles; grande fut aussi son
influence en littérature. Dans son *Discours sur le style,* qui
n'est autre que son discours de réception à l'Académie, il
maintient que la multitude des connaissances, la singularité
des idées ou des faits et leur nouveauté même deviennent bientôt le domaine de tout le monde et ne sont pas de sûrs garants
d'immortalité; ces choses sont en dehors de l'homme; mais
« le style est de l'homme même.» Pour bien écrire il faut
penser clairement, méditer longuement, car le style n'est que
l'ordre et le mouvement dans les idées.

2. JEAN-JACQUES ROUSSEAU [19] (1712–1778), LE PRO-
PHÈTE D'UN ESPRIT NOUVEAU. Rousseau, fils de parents

---

[19] Rousseau s'enfuit de Genève à l'âge de 16 ans. Il fut reçu chez
Mme de Warens, se fit catholique, redevint protestant, et se rendit à
Paris en 1742, où il vécut pauvrement. Il connut Diderot, Marivaux, Fontenelle et d'autres personnages importants. Son *Discours
sur les sciences et les arts* le rendit célèbre. Mme d'Épinay lui donna
gîte et appui à Montmorency. Ce fut là qu'il conçut une passion pour
Mme d'Houdetot (belle-sœur de Mme d'Épinay). Il publia *la Nouvelle Héloïse,* qui eut un grand succès, puis *l'Émile* (1762) qui fut
condamné. Rousseau se réfugia en Suisse. Il dut s'enfuir encore et
passa en Angleterre pour visiter Hume en 1766. De querelle en
querelle, il se crut victime de la persécution. Il s'établit définitivement à Paris en 1770 où il mourut en 1778.

protestants français, naquit à Genève où ses ancêtres étaient venus s'établir à la suite de Calvin. Orphelin de mère dès sa naissance, il souffrit d'une éducation mal soignée, sans but ; toute sa vie il portera l'empreinte du manque de direction morale du début de sa vie. Plus tard, il aura de bien belles paroles sur la morale, mais ne s'attachera à aucune de ses lois ; et toute son existence sera entachée de faiblesses coupables. Né plébéien, il vécut chez les grands, à leurs dépens ; mais son tempérament et ses dispositions sensitives aidant, il se sentit humilié dans son orgueil et se posa en ennemi de la civilisation.

« Avec Voltaire un monde finit, avec Rousseau un autre commence, » disait Goethe. Le fait est que Rousseau fut trop indépendant pour se laisser enrégimenter par l'esprit des Philosophes en général, de Voltaire et des Encyclopédistes. Ses pensées sont d'un autre âge ; c'est un critique qui détruit et bâtit. Innovateur hardi en pédagogie, père du Romantisme et d'autres tendances littéraires qui durent encore, très religieux dans son sens à lui, il représente les vues du 19e siècle en littérature beaucoup mieux que la littérature de raison du 17e siècle et du 18e. En révélant les beautés de la nature, il nous initie et nous conduit à une littérature pittoresque plutôt qu'intellectuelle. Voltaire brille par son bon sens et son rationalisme ; Rousseau par son originalité et son sentiment. Son style n'a ni la clarté ni la froide élégance de celui de Voltaire ; mais malgré sa valeur inégale et quelques passages déclamatoires, ce style a renouvelé la littérature française par son éloquence et le sens du pittoresque. Sa prose contient maint passage qui suggère la poésie. Ses écrits lui ont valu une réputation mondiale.

Idéaliste de cœur, il a « un sens passionné de la vertu, de la liberté, de l'ordre » ; en pratique, ses hautes aspirations morales ne sont pas toujours en harmonie avec ses actes ; elles ne semblent même pas l'avoir conduit à combattre ses

propres instincts, qu'il croyait bons. L'instinct, pour lui,
est vrai. Il parle avec amour de l'amitié, mais se montre
souvent ingrat envers ses amis; il a des paroles superbes sur
la famille et la paternité, mais n'hésite pas à abandonner ses
cinq enfants.

Le *Discours sur les sciences et les arts* est une tirade
contre l'ordre établi. Il montre que le progrès des connaissances a causé la décadence des peuples sous le clinquant
trompeur de la civilisation. Les arts et les sciences dévelop-
pent le luxe et l'oisiveté, source de toute immoralité; ils font
que la richesse s'accumule entre les mains de quelques-uns
pour donner au grand nombre la misère. Voilà l'essence du
livre; ce fut aussi l'obsession de Rousseau lui-même. L'Académie de Dijon, en décernant un prix à l'auteur du *Discours*
en 1750, lança Rousseau dans le monde des lettres.

Le succès du *Discours sur l'origine de l'inégalité parmi les
hommes* (1754) fut encore plus grand. Il voulait prouver
que le progrès a ruiné l'homme né indépendant et bon. La
vie en commun, le développement de l'agriculture et de la
métallurgie, ont causé des rivalités, des privilèges, des riches et
des pauvres; en un mot, ont créé l'inégalité consacrée par
le temps, les coutumes et l'égoïsme personnel. La propriété,
fondement de la société, est la source de tous les maux. Le
tableau de l'évolution animale et sociale de l'homme à cette
époque acquiert une importance capitale.

La *Lettre sur les spectacles* (1758) prétend que le théâtre
est immoral parce qu'il flatte les passions en montrant le
vice aimable et la vertu ridicule. Les acteurs eux-mêmes
n'ont généralement aucune moralité.

La *Nouvelle Héloïse* (1761) est une histoire d'amour dans
laquelle Rousseau expose un coin de sa vie. La valeur littéraire du livre consiste à introduire la nature dans la littérature; au point de vue moral, le roman enseigne la vertu
du devoir. Julie d'Étanges s'éprend de son précepteur,

Saint-Preux, mais le père de Julie ne saurait marier sa fille à un roturier; elle épouse donc M. de Volmar. Confiant en elle, son mari installe chez lui Saint-Preux, soumettant ainsi les deux amants à une cruelle épreuve. Tous deux sortent vainqueurs de cette lutte intérieure. Le 18e siècle aima l'intrigue et le sentiment de ce roman; les lecteurs modernes admirent surtout la poésie des descriptions de la nature, l'innocence et le sérieux de la vie rustique, vie pleine de paix et d'harmonie.

Le Contrat social (1762) est un tableau de la société telle qu'elle devrait être. « C'est un argument en faveur de la démocratie absolue dans laquelle le vote de la majorité dirige la vie publique et privée de l'individu.» [20] L'homme né libre ne peut aliéner sa liberté que « sous la suprême juridiction de la volonté générale.» Le but de la société est de substituer la souveraineté du peuple à celle du prince; la volonté de l'individu est volontairement soumise à la volonté générale bien que chaque homme conserve toujours ses droits maintenus par l'action effective de ses représentants.

L'Émile (1762). Si on admet que l'homme, bon de nature, a été corrompu par la société, la fonction de l'éducation sera de soustraire l'élève à l'influence délétère de la société. Émile sera le type et le produit d'une éducation nouvelle. Il sera élevé à la campagne, laissé à ses instincts, obéissant seulement aux lois de la nature, guidé par un précepteur versé dans toutes les sciences. Grâce à sa curiosité, l'élève « sera attentif aux phénomènes de la nature » et si les questions sont mises à sa portée, « laissez-les-lui résoudre.» Jusqu'à l'âge de douze ans, Émile ne s'occupera que de fortifier sa santé et ses sens; pas de lectures, « la lecture est le fléau de l'enfance »; l'éducation physique, accompagnée de leçons de choses, suffira. Les livres, d'ailleurs, ne sont qu'une forme de corruption d'une société avancée, une méthode

[20] F. M. Warren.

d'instruction qui vous bourre la mémoire des pensées des autres et vous laisse ignorer votre jugement. L'autorité n'a pas à intervenir dans cette forme d'éducation; la nature se chargera de réprimandes car la punition naîtra des actions mêmes. Pour parer aux revers de la fortune, on fera apprendre un métier à Émile. Au moment opportun, quand Émile ouvrira son cœur, on le formera à la pitié, à la charité; on lui montrera Dieu dans la nature et la conscience, dans l'homme. C'est ici que se trouve la fameuse *Profession de foi du vicaire savoyard,* qui affirme Dieu et l'immortalité. Enfin, Émile épouse une jeune fille, Sophie, élevée dans les mêmes principes que lui. Ce livre veut, comme Montaigne, une tête bien faite plutôt qu'une tête bien pleine; il demande une éducation théorique et pratique. Le point faible de l'*Émile* est que l'auteur part d'un principe non démontré, que l'enfant n'a que de bons instincts; il ignore la formation du caractère par l'énergie physique et morale. De plus, ce système ne pourrait avoir qu'une application très limitée.

Les *Confessions,* écrites de 1764 à 1770, furent publiées en 1781–1788. Ce livre est un chef-d'œuvre de littérature personnelle, le portrait d'un homme qui se voit, se contemple et se juge; c'est une forme littéraire toute subjective que l'école romantique fera fleurir. Rousseau idéalise son rôle mais ne cache aucune faiblesse; il est sincère, même en exagérant. Ses *Confessions,* qu'on a appelées le « poème de son existence,» furent écrites pendant une période troublée de sa vie. Elles nous révèlent l'esprit moderne de contemplation, de vie intérieure; elles nous font voir l'influence de la nature sur l'âme humaine; elles ont contribué à faire comprendre et à introduire dans la littérature française l'influence du milieu.

DOCTRINE ET INFLUENCE. Rousseau se livrait à un beau rêve poétique quand il décrivait l'homme primitif simple, honnête et bon. A cette époque, on ne connaissait pas grand'chose sur l'origine de l'homme. L'objet de Rousseau était d'inaugurer un retour à la nature, d'opposer la fraîcheur, la pureté et le calme, au bruit des conventions et restrictions imposées à la société. Il savait, aussi bien que personne, qu'un retour à la nature primitive n'était qu'un rêve, une utopie. Il prêchait néanmoins le retour aux vertus anciennes, la liberté, le bonheur simple de l'homme; il voulait empêcher la détérioration de la race et arrêter le suicide moral de son temps. Au fait, malgré les absurdités et les dangers que sa doctrine comporte, il créa un sentiment de moralité et de charité, tout en donnant l'essor à un mouvement littéraire nouveau. Après lui, l'éducation devient plus objective, plus pratique; on étudie la nature et on l'aime. La thèse révolutionnaire des « Droits de l'homme » dérive du *Contrat social*. Rousseau infusa dans cette société le sentiment religieux et moral si méprisé, en général, au 18e siècle; le lyrisme romantique lui emprunta *Dieu,* la *nature* et le *moi;* il introduisit aussi l'éloquence et l'émotion personnelle en littérature. La société moderne lui doit l'idée de la dignité individuelle, le principe des droits de l'homme, le respect de l'instinct et de l'émotion aussi bien que de la pure raison.

S'il faut admettre que l'influence de Rousseau a été immense, nous n'en devons pas conclure qu'elle a été toujours bonne; le culte de l'instinct et la glorification de l'individu portent en soi beaucoup de dangers. Certains pensent que l'influence de Rousseau a contribué à désorganiser la vie moderne en encourageant les esprits irréfléchis à un radicalisme pernicieux et à la destruction d'idées vieilles et fortes comme le monde dont elles sont la base.

3. BERNARDIN DE SAINT-PIERRE (1737–1814) fut un ingénieur dont les idées se mélangeaient de beaucoup d'utopies. Grand admirateur de Rousseau, il aimait comme lui la nature. Ses *Études de la nature* le rendirent célèbre et lui valurent

d'être nommé Intendant du Jardin des Plantes. Il voulut expliquer le monde extérieur, mais il lui manqua la science suffisante et la largeur de vues nécessaires pour mener à bien une telle entreprise. Avec sa vision géniale des formes et des couleurs il a cependant préparé un art nouveau.

Paul et Virginie (1787) est une histoire sentimentale qui renferme peu d'action, mais est pleine de descriptions de toute beauté qui la firent et la font encore admirer. Deux enfants sont élevés ensemble dans l'Ile Maurice, loin de la corruption du monde et des progrès de la civilisation. Virginie part pour la France dans le but de faire visite à une tante riche et égoïste. A son retour, Virginie périt dans un naufrage, sous les yeux de Paul. La thèse du livre est que notre « bonheur consiste à vivre suivant la Nature et la vertu ». *Les Harmonies de la nature* parurent après la mort de l'auteur.

Bernardin de Saint-Pierre va au-delà de Rousseau dans son rêve de bonté universelle ; d'après lui, l'homme est bon ; la nature est bonne et travaille au bonheur de l'homme. Il voyagea beaucoup pour chercher un aliment à ses théories utopiques. Penseur peu profond, il excelle à peindre les pays lointains. Il introduisit ainsi l'élément exotique, qui fut développé plus tard par les écrivains du 19e siècle. Chateaubriand, par exemple, sera l'héritier de sa méthode littéraire. Non seulement les descriptions exotiques donnent un cachet à la littérature et font aimer la nature, mais elles nous charment par l'harmonie de sons et la variété de couleurs. Rousseau nous donne le *sentiment* de la nature, Bernardin de Saint-Pierre nous infuse la *sensation* de la couleur et de la musique en substituant aux vagues descriptions littéraires l'épithète concrète et pittoresque.

TROISIÈME PÉRIODE (1789–1799)

(*La Révolution*)

Aperçu Historique

Force est d'admettre que l'état politique de la France du 18e siècle laissait beaucoup à désirer, mais on aurait tort de penser que la Révolution française eut lieu parce que la France avait à souffrir de plus grands maux que toute autre nation. « Au contraire, ce fut précisément parce que, tout considéré, la France était la nation la plus prospère, la plus progressive, la mieux civilisée, la plus heureuse de l'Europe continentale, qu'elle fut la première à rejeter le joug, à briser les entraves que le moyen âge avait imposées contre le développement de l'homme.» [21] Nous avons déjà décrit les abus et la misère qui déclanchèrent la révolte. Louis XVI, pressé par le besoin, réunit à Versailles les États Généraux, le 5 mai, 1789. Le peuple, rempli d'espoir, attendait le salut, et demandait le vote par « tête » au lieu du vote par « ordre.» La demande refusée, le Tiers État décida qu'il délibérerait seul, et cette nouvelle assemblée prit le nom d'ASSEMBLÉE NATIONALE. Le roi commit la faute d'interdire aux membres de l'Assemblée de se réunir dans la salle qui leur était réservée. Ils se réunirent ailleurs, formèrent l'ASSEMBLÉE CONSTITUANTE, et jurèrent de ne point se séparer avant d'avoir donné à la France une constitution. Ainsi commença la RÉVOLUTION.

Le roi tergiversait, promettait, menaçait; mais le Tiers État, par la bouche de Mirabeau, refusait de rompre ses rangs. Bien plus, un grand nombre des membres de la Noblesse et du Clergé se joignirent au Tiers État et le vote par « tête » fut décrété. Louis XVI hésitait, et finit par demander l'appui de l'armée. Le peuple, mû par un courant de rébellion, se rua

[21] W. S. Davis, *History of France.*

sur la Bastille, qui tomba entre ses mains, le 14 juillet [22] 1789. Le roi, effrayé, renvoya l'armée.   L'Assemblée Constituante continua ses réformes, supprima les privilèges des nobles, et proclama la déclaration des DROITS DE L'HOMME (liberté de conscience et de la presse, égalité des citoyens).   La même assemblée conçut une constitution qui limitait le pouvoir de la monarchie, abolissait le veto du roi, et donnait le pouvoir législatif à une seule assemblée.

Pendant ce temps la violence remplace la raison.   Le roi est gardé à vue au palais des Tuileries.   Laissée à elle-même, la noblesse s'agite, s'effraye; les plus entichés du passé, ceux qu'on appela plus tard les « émigrés,» s'enfuient en pays étrangers pour ne pas accepter le nouvel ordre de choses. Il y avait aussi dans le clergé un relent de mécontentement. Le roi, toujours vacillant, sous la poussée de conseils peu sages, veut quitter Paris, mais est arrêté sur la route de l'exil pour être ramené à la capitale.   A ce moment, l'Assemblée Constituante gouverne avec une sage prudence; le pays entier semble avoir retrouvé le calme et la paix, grâce aux réformes accomplies.   Le roi, jusque-là prisonnier aux Tuileries mais maintenant réintégré dans ses droits, jure d'observer la Constitution.   Alors l'Assemblée, croyant avoir rempli sa tâche, se sépare en déclarant qu'aucun membre ne sera éligible aux élections.

L'ASSEMBLÉE LÉGISLATIVE (1791–1792) fut une transition libérale, un compromis entre la monarchie constitutionnelle et la dictature de partis avancés.   Bientôt de nouvelles difficultés s'élevèrent, grâce aux agissements de membres récalcitrants du clergé, des émigrés et des puissances étrangères; le dieu de la guerre demandait un holocauste.   Les longues guerres que la République eut à soutenir commencèrent en 1792, après la déclaration de guerre contre l'Autriche qui soutenait les *émigrés*.   Les soldats de la jeune République,

---

[22] Aujourd'hui, jour de la fête nationale.

sans préparation et sans expérience, furent défaits au commencement de la campagne. La Prusse se joignit bientôt aux ennemis de la France, avec lesquels on soupçonnait, à bon droit, le roi d'avoir de secrètes intrigues. Louis XVI fut emprisonné en 1792 (ce qui donna lieu à des représailles), et certains royalistes payèrent de leur vie leur trop grande fidélité au roi. La première grande victoire républicaine fut celle de VALMY en 1792, remportée contre la Prusse. L'importance de ce fait d'armes est telle qu'on a coutume de dire que c'est une des batailles décisives de l'histoire.

L'ASSEMBLÉE LÉGISLATIVE fut remplacée par la CONVENTION NATIONALE (1792–1795), qui abolit la royauté et proclama la République, le 21 septembre 1792. Cette même Assemblée condamna le roi à mort en 1793. La France dut alors faire face à deux ennemis, à l'intérieur et à l'extérieur. A l'intérieur, les royalistes s'organisèrent en Bretagne et en Vendée pour se battre vaillamment dans une guerre appelée la GUERRE DE VENDÉE. A l'extérieur, les puissances européennes, craignant les suites des idées républicaines, formèrent une ligue contre la France. Au sein même de la Convention il y eut des divisions; les GIRONDINS, ou modérés, et les MONTAGNARDS, ou radicaux. La Convention tomba aux mains du club politique des JACOBINS qui, DANTON à leur tête, saisirent les rênes du gouvernement. Les provinces s'alarmèrent. Sous ce triple danger, le soulèvement de la Vendée, les invasions étrangères et le mécontentement des provinces, le Comité de Salut Public organisa, sous la conduite de ROBESPIERRE, le RÈGNE DE LA TERREUR, pendant lequel des milliers de royalistes, et même un grand nombre de Girondins, perdirent la vie. L'orage étant dissipé, les armées de la République continuèrent leur marche victorieuse et Danton demanda la cessation de tant de cruautés. Pour toute réponse, Robespierre le condamna à mort. La Convention mit fin à la Terreur en faisant exécuter Robespierre en 1794.

Le gouvernement agit alors avec moins de férocité et le calme succéda à la tempête.

La République sentant le danger étranger, s'était munie de fortes précautions; et ses armées, balayant tout sur leur passage, semblaient assurer la paix. De fait, en 1795, la Prusse et l'Espagne signèrent le traité de Bâle, qui assurait la paix extérieure; à l'intérieur, dans cette même année, un soulèvement royaliste fut étouffé par un jeune général, NAPOLÉON BONAPARTE.

La Convention, il est vrai, fut cruelle, sans merci, mais elle établit un système de lois modernes et sauva la France. Elle vota une constitution nouvelle avant de se séparer et confia le pouvoir exécutif à cinq directeurs et le pouvoir législatif à deux assemblées. Le DIRECTOIRE (1795–1799) dut continuer la guerre contre l'Angleterre et l'Autriche, mais les victoires de Napoléon en Italie éliminèrent l'Autriche et donnèrent à la France plus de territoire. L'Angleterre seule, grâce à sa puissance maritime, empêcha la victoire complète. Les royalistes d'un côté, les partisans de la Révolution de l'autre, occasionnèrent des soulèvements que la République naissante étouffa par des mesures sévères, parfois injustes.

En 1799 Bonaparte, maintenant populaire, rentra d'Égypte où il s'était battu sans succès contre les Anglais. Le 9 novembre il renversa le Directoire pour établir le CONSULAT (1799–1804). Nommé Premier Consul, Napoléon saisit les rênes du gouvernement, et grâce à son génie militaire et administratif, il donna à la France l'ordre et la paix.

La Littérature

La période révolutionnaire interrompit les relations d'ordre social, mais elle donna naissance au journalisme et à l'éloquence politique. Durant ce temps d'épreuves et de révolution, l'action prime tout; on refait les idées, on ne pense plus à l'art. De 1789 à 1814, la médiocrité générale de la littérature découle de ces causes.

I. *L'Éclipse de la Prose Littéraire*

1. RUINE DE LA SOCIÉTÉ POLIE. Pendant la Révolution, les salons se fermèrent, la vie mondaine d'autrefois disparut, et la littérature, jadis l'écho de cette société, s'émancipa des conventions élégantes dans la langue et même dans les idées. Lorsque les salons s'ouvrirent de nouveau, leur influence fut très limitée; les écrivains suivirent, en règle générale, leur propre tempérament ou se soumirent à l'école littéraire du jour. Ce fut le journalisme qui donna le ton et la couleur au goût littéraire. Le salon n'étant plus que l'ombre de lui-même, l'influence féminine en littérature s'éclipsa. La science et les études techniques dominèrent la pensée; le goût classique se perdit. La Révolution amena d'abord une décadence très marquée dans la littérature en général et dans le théâtre en particulier.

2. LE JOURNALISME. Sous l'ancien régime les journaux étaient surtout des revues scientifiques ou littéraires avec quelques nouvelles politiques ou de la cour. La puissance du journalisme date de la Révolution; c'est à ce moment que parut le journal politique. La liberté de la presse fut complète à partir de la promulgation des Droits de l'Homme jusqu'à la Terreur. CAMILLE DESMOULINS (1760–1794), secrétaire de Danton, fut un journaliste distingué qui combattit le règne de la Terreur, ce qui lui valut de mourir sur l'échafaud.

3. L'ÉLOQUENCE RÉVOLUTIONNAIRE. Cette période, représentée par une série de brillants talents qui utilisent leur liberté pour discuter les questions brûlantes du moment, dure dix ans, de 1789 à 1799. Cette éloquence n'a guère d'intérêt qu'au point de vue historique et politique; le sens artistique

lui manque complètement. De plus, elle est gâtée par un faux goût, trop d'emphase dans la déclamation et surtout par un dédain superbe des faits, défaut qui semble commun aux théoriciens du 18ᵉ siècle. Les principaux orateurs de cette époque sont: DANTON (1759–1794), ROBESPIERRE (1758–1794), VERGNIAUD (1753–1793) ; et tout spécialement MIRABEAU (1749–1791), citoyen dont la vie orageuse, le tempérament de feu et la vive intelligence jouèrent un rôle important dans les assemblées. Cet orateur doublé d'un homme d'état défendit les faibles et les humbles dans leur lutte contre les ordres privilégiés. Napoléon, après la chute du Directoire (1799), coupa court à l'éloquence politique. Quant à l'éloquence religieuse, elle n'existait pour ainsi dire plus après Massillon.

II. *La Poésie*

C'est dans cette époque de vide littéraire que fut écrit l'hymne national français, *la Marseillaise,* de ROUGET DE LISLE. C'est à ce moment aussi que paraît le grand poète lyrique ANDRÉ CHÉNIER, qui mourut victime de la Terreur.

CHÉNIER (1762–1794) naquit à Constantinople d'une mère grecque et d'un père français. Soldat et journaliste, il soutint les idées de la Révolution mais resta fidèle à la monarchie constitutionnelle et combattit la violence révolutionnaire. Dans ses premiers écrits il s'inspire surtout de l'antiquité ; aussi abonde-t-il en allusions classiques mêlées d'une légère teinte de scepticisme propre au 18ᵉ siècle. Quand éclata la Révolution, les passions du moment trouvèrent expression dans ses vers. En prison, il composa ses *Iambes* dans lesquels il révèle ses sentiments anti-jacobins ; il écrivit aussi de la poésie didactique. Son influence ne se fit sentir que vers 1819, lors de la publication de ses œuvres. Artiste dans la forme, maître d'une langue poétique très pittoresque, ses alexandrins n'ont pas la rigidité monotone de ceux de ses

prédécesseurs. Pour lui, la poésie lyrique n'est pas l'amusement des beaux esprits du 18e siècle, mais l'expression personnelle d'un sentiment profond, avec une touche légère
de mélancolie. C'est probablement pour cette raison qu'il
a été considéré le précurseur des Romantiques. S'il a l'esprit
voltairien, son art nous fait penser au style précis et impersonnel des Parnassiens.

A l'Étranger

1. EN ANGLETERRE. Trois courants se font sentir en
Angleterre au 18e siècle: pensée abstraite, scepticisme, et
théologie. Le *Robinson Crusoe* de DEFOE parut en 1719;
Gulliver's Travels de SWIFT en 1726; le *Rape of the Lock* de
POPE en 1712, son *Essay on Man* en 1732. ADDISON et
STEELE produisirent des essais dans la première partie du
siècle. Vers le milieu du siècle, GOLDSMITH, auteur du *Vicar
of Wakefield,* s'essaya aussi dans le théâtre; SHERIDAN fit
de même. Le *Dictionnaire* de JOHNSON parut en 1755 et la
fameuse *Life of Johnson* de BOSWELL en 1791. RICHARD-
SON, FIELDING, SMOLLETT et STERNE s'illustrèrent dans le
roman; HUME et GIBBON dans l'histoire. The *Wealth of
Nations* d'ADAM SMITH vit le jour en 1776. En poésie, le
sentiment de la nature reçut une impulsion nouvelle avec
GRAY, YOUNG, BURNS, COWPER, etc.

2. EN ESPAGNE. L'Espagne subit l'influence française.
La littérature est stérile. Mentionnons LUZÁN dans la critique, RAMÓN DE LA CRUZ dans la farce et MORATÍN le
jeune, imitateur de Molière.

3. EN ITALIE. Pendant la seconde moitié du siècle, GOL-
DONI imite Molière dans ses comédies mais introduit des
nouveautés et réforme le théâtre italien; il vient à Paris pour
y finir ses jours. ALFIERI écrit des tragédies de style classique, PARINI se fait connaître dans la satire poétique, BA-
RETTI et d'autres dans la critique.

4. En Allemagne. Leibnitz (1646–1716), philosophe
original, ouvre le siècle par une promesse d'éclat intellectuel
dans le domaine métaphysique et religieux. Le règne de
Frédéric le Grand (1740–1766) inaugure le pouvoir de
la Prusse et ouvre une ère de grandeur en littérature. Dans
la seconde partie du siècle se distinguent le poète Wieland,
l'historien philosophe Herder, et le poète Klopstock. Les-
sing s'illustre dans le théâtre et la critique, Schiller dans la
poésie et la tragédie, Kant dans la philosophie; Goethe
commence sa carrière. Richter, humoriste et écrivain populaire, eut une certaine influence dans la période romantique.

CHAPITRE VI

LE DIX–NEUVIÈME SIÈCLE (1799–1890)

PREMIÈRE PÉRIODE (1799–1830)

(*Préromantisme*)

Aperçu Historique

LE CONSULAT—L'EMPIRE—LA RESTAURATION—NAPO-LÉON BONAPARTE, CONSUL, EMPEREUR (1799–1815). La Révolution française, en créant la première République (1792), mit le feu à l'Europe entière. La France dut se jeter dans la mêlée générale, dans laquelle Napoléon Bonaparte se révéla un des plus grands génies militaires de l'histoire et, certes, le plus grand capitaine de l'époque. A son retour d'Égypte (1799), il trouva la France prête à accepter un chef capable d'établir l'ordre au dedans et de vaincre les ennemis du dehors. Il profita de cet esprit pour renverser le Directoire par le COUP D'ÉTAT du « 18 brumaire » (9 novembre, 1799) et établir le CONSULAT. Il fut donc nommé PREMIER CONSUL (le gouvernement étant composé de trois consuls) avec pleins pouvoirs, y compris le pouvoir législatif. Un plébiscite, à une majorité écrasante, sanctionna ce nouvel état de choses.

Napoléon, qui avait besoin de paix pour consolider son pouvoir, battit les Autrichiens à Marengo (1800), puis conclut avec eux et avec les Anglais un traité de paix (1801–1802). Avec la victoire la France pouvait croire à la paix extérieure ; à l'intérieur, le génie administratif du Premier Consul augmenta sa popularité. Il refondit le code, activa le commerce et l'industrie, réorganisa les travaux publics et, dans un élan de générosité, permit le retour de certains

141

émigrés. Enfin, grâce au Concordat, signé en 1801, entre
le Pape et la France, Napoléon rétablit le culte catholique
dans le pays. Il fut nommé, l'année suivante, Consul a
Vie; deux ans plus tard, en 1804, il fut élu Empereur à la
presque unanimité. Centre d'une cour aussi brillante que
celle des rois, Napoléon s'entoura de quelques membres de
la vieille noblesse et de celle qu'il créa lui-même en récompense des services rendus. Il devint le maître absolu du
gouvernement, des Chambres et de la presse. Tant de pouvoir mêlé à tant d'ambition ne fut pas sans éveiller les
soupçons des gouvernements étrangers; et les puissances qui,
quelques années auparavant, s'étaient liguées contre les armées
de la République, lui déclarèrent la guerre. Incapable de
débarquer son armée en Angleterre, Napoléon marcha contre
les Autrichiens et les Russes pour remporter une double
victoire à Ulm et à Austerlitz. Après un moment de répit,
il défit les Prussiens à Iéna, puis fit son entrée à Berlin; le
roi de Prusse et plus tard le czar furent amenés à signer
la paix.

Battu en 1805 par la flotte anglaise à Trafalgar, il voulait
bloquer l'Angleterre et conquérir le Portugal. Il réussit à
faire placer son frère Joseph sur le trône d'Espagne. Son
audace causa le soulèvement de toute l'Europe. La campagne
de 1808 en Espagne fut, en principe, victorieuse pour les
armées de Napoléon, mais en fait désastreuse, à cause de la
résistance patriotique, aussi bien qu'en raison des bandes
de guérillas qui menèrent une défense acharnée. Une fois
de plus, Napoléon vainquit les Autrichiens à Wagram. A la
suite de cette victoire, il imposa la paix de Vienne (1809).
L'année suivante, n'ayant pas d'héritier, il divorça d'avec
Joséphine pour épouser la fille de l'empereur d'Autriche,
Marie-Louise, qui lui donna un fils en 1811.[1]

[1] François-Charles-Joseph Bonaparte (1811–1832), appelé roi de
Rome, duc de Reichstadt, Napoléon II. Edmond Rostand a fait revivre ce jeune prince dans *l'Aiglon.*

L'empire de Napoléon s'étendait alors au-delà du Rhin et des Alpes. Directement ou indirectement, son influence dominait la politique de l'Allemagne, de l'Italie, de la Hollande et de l'Espagne. Dans ces circonstances, son orgueil et son ambition devaient causer sa perte en le faisant haïr. L'Angleterre et la Russie continuèrent à lui faire la guerre. Il voulut aussi attaquer la Russie qu'il envahit en 1812; mais la rigueur du climat, ajoutée à l'étendue du pays, le força à une retraite désastreuse. L'Europe coalisée lui infligea la défaite de Leipzig en 1813; en 1814 la France fut envahie sur trois points à la fois. Dans cette lutte inégale Paris fut pris, et Napoléon, vaincu, dut abdiquer pour être remplacé sur le trône par un frère de Louis XVI. La France dut restituer le territoire pris à l'ennemi et, par là, perdit le fruit de ses conquêtes. Napoléon fut envoyé à l'île d'Elbe où il pouvait régner encore mais d'où il ne devait pas sortir. Il s'enfuit, cependant, pour revenir en France où il débarqua, le premier mars, 1815, avec une poignée d'hommes. Son magnétisme personnel enflamma les soldats, qui accoururent à lui pour remettre entre ses mains une autorité qui ne dura que pendant les Cent-Jours. Le 20 mars Napoléon fit son entrée aux Tuileries, que le roi venait d'abandonner; mais le 18 juin suivant, 1815, la bataille de Waterloo, gagnée par les forces combinées de la Prusse et de l'Angleterre, coupa le fil de sa destinée pour toujours. Le 5 mai, 1821, il mourut en exil à Sainte-Hélène.

La Restauration. Louis XVIII [2] (1815–1824), brave homme de 60 ans, frère de Louis XVI, intelligent et modéré, monta sur le trône une seconde fois. Il gouverna selon la *Charte,* autrement dit, la Constitution de 1814, qui exigeait la nomination de ministres responsables devant les deux Chambres. La *Charte* demandait, en outre, que les membres

[2] Louis XVII, fils de Louis XVI, ne régna jamais; on croit qu'il mourut en prison à l'âge de 10 ans.

de la Chambre des Pairs, élus à vie, fussent choisis par le roi ; l'autre Chambre, par le scrutin limité ; le roi, de plus, avait le droit de dissoudre les Chambres. Les ultra-royalistes, c'est-à-dire les partisans de la monarchie absolue, combattirent la monarchie constitutionnelle en mettant toutes sortes d'entraves aux projets des libéraux qui continuaient à gagner du pouvoir ; de leur côté, plusieurs sociétés révolutionnaires se montraient actives. A la mort de Louis XVIII (1824), la couronne fut offerte à son frère Charles.

Charles X (1824–1830) était un réactionnaire entêté, très dévot mais faible et, disons-le, un peu stupide. Sous son règne, Alger tomba au pouvoir de la France (1830), à la suite de troubles occasionnés par les pirates algériens. C'est de ce moment que date l'influence française dans le nord de l'Afrique. Le clergé acquit une importance politique très grande, ce qui contribua à la chute du roi lui-même. A deux reprises Charles X résolut de dissoudre les Chambres aux tendances libérales, musela la presse, changea certaines parties du code ou interpréta à sa façon des textes de loi. Bref, de telles actions donnèrent lieu, à Paris, à des soulèvements populaires qui déterminèrent l'abdication du roi ; c'est ce qu'on appelle la Révolution de Juillet (1830). Après une lutte politique futile entre les Bonapartistes et les Républicains, les deux Chambres élurent comme roi un cousin de Charles X, Louis-Philippe, duc d'Orléans, dont le père s'était montré favorable à la cause de la Révolution.

La Littérature

I. *Trois Grands Précurseurs*

Au-dessus de la médiocrité générale de cette période brillent les noms de trois grands écrivains qui inaugurent le Romantisme : Mme de Staël, Chateaubriand, Lamartine. Le 19e siècle littéraire débute par la publication de la *Littérature*

de Mme de Staël (1800), de l'*Atala* de Chateaubriand (1801)
et de son *Génie du Christianisme* (1802). Leur influence
ne commence réellement à se faire sentir, cependant, qu'à
l'époque de la Restauration, en 1815. La poésie de Lamartine
respire l'esprit nouveau, bien que la forme reste classique.

1. MADAME DE STAEL [3] (1766–1817) naquit dans un milieu propice à la stimulation des idées; elle fut une enfant
précoce, à l'imagination vive. Lorsque Napoléon l'envoya en
exil, elle en profita pour visiter l'Allemagne et l'Italie. Dans
la suite elle révéla à la France les beautés de la littérature
allemande. Son livre *De la Littérature considérée dans ses
rapports avec les institutions sociales* (1800) contribua à
renouveler la critique littéraire. C'est une étude des rapports
de la littérature avec la société, la religion, les mœurs et les
lois, dont la thèse, chère au 18e siècle, soutient le dogme du
progrès et de la perfectibilité nécessaire de l'humanité. La
première partie est un aperçu historique; l'auteur essaie,
dans la seconde, de montrer quelle sorte de littérature s'adap-
terait mieux à la France moderne. *De l'Allemagne* (1810)
est, en partie, une apologie en faveur d'une nation opprimée
par la puissance militaire; en partie aussi, une critique littéraire excellente pour le temps. Voulant montrer la richesse

[3] Prononcez « stâl » [stɑːl̄]. Germaine Necker, fille d'un banquier
de Genève qui devint ministre des finances sous Louis XVI, naquit à
Paris. A 20 ans elle épousa l'ambassadeur suédois, le baron de Staël-
Holstein. Le mariage ne fut pas heureux. Elle fut imbue des idées
du 18e siècle, très enthousiaste de Rousseau, avec un penchant pour
les littératures du Nord. Elle accueillit d'abord la Révolution avec
joie mais bientôt condamna ses excès et, en 1792, se retira avec son
père à Coppet, près de Genève. Plus tard, elle retourna à Paris où
elle ouvrit un salon, mais son amour de l'indépendance et de la liberté
la rendirent suspecte à Napoléon qui l'exila. Cet exil fut l'occasion
de voyages à l'étranger. En Allemagne, elle rencontra Goethe, Schiller et A. W. Schlegel. Elle rentra pour publier son livre *De l'Allemagne* (1810) que Napoléon interdit et fit détruire. Une seconde
édition parut à Londres en 1813. En 1811 elle épousa M. de Rocca.
Elle rentra à Paris après la chute de Napoléon.

intellectuelle de l'Allemagne, l'auteur idéalise un peu le peuple allemand vu à travers la littérature, l'art, la philosophie et la religion. Elle a écrit aussi deux romans, *Delphine* et *Corinne;* le dernier est un souvenir de son séjour en Italie. Madame de Staël n'est pas artiste, mais elle pense et fait penser. Elle fournit à l'école romantique une critique nouvelle, des idées et des théories; elle contribua à renverser l'idéal dogmatique de Boileau en y substituant des types nouveaux relatifs au caractère national et au développement historique de chaque peuple; elle osa combattre la vénération traditionnelle des Grecs et des Romains en faveur des Modernes qu'elle croyait supérieurs. Elle prêcha d'exemple; aussi est-ce à elle que nous devons l'emploi de l'expression « littérature romantique.» En politique comme en religion elle fut constamment libérale; par là, son influence a été profonde.

2. François-René de Chateaubriand [4] (1768–1848). Cet homme, qui portait en soi et dans son œuvre les principes de Mme de Staël, eut une grande influence dans son temps. Il aida à la réhabilitation du christianisme en France, en combattant les préjugés anti-religieux dans l'art, fit connaître et aimer le moyen âge, agrandit, en le transformant, le senti-

[4] Issu d'une famille bretonne de vieille noblesse, Chateaubriand était le plus jeune de dix enfants. Il grandit dans la solitude, distrait seulement par la présence de sa sœur Lucile. Il s'embarqua pour l'Amérique avec l'intention de découvrir le passage du nord-ouest; mais il se peut qu'il ne soit pas allé plus loin que les Grands Lacs. Il est probable cependant qu'il fut reçu par Washington à Philadelphie. Pendant son séjour en Angleterre il écrivit son *Essai sur les révolutions,* dont le ton est sceptique. Favorable, au début, à Napoléon, celui-ci le nomma secrétaire de l'ambassade de Rome. Bientôt il se tourna contre Napoléon qui lui barra le chemin de l'Académie. En 1806–1807 il voyagea en Grèce, en Palestine, en Égypte et en Espagne. Après la chute de Napoléon, la Restauration lui prodigua les honneurs; il fut nommé ambassadeur à Londres, puis à Berlin, et enfin Ministre des Affaires Étrangères. Après la Révolution de 1830, blessé dans son orgueil, il démissionna. Ses restes reposent dans une petite île, le Grand Bé, près de Saint-Malo où il était né.

ment de la nature (dans un sens subjectif et poétique), et mit à la mode ce sentiment moderne, cet état d'âme auquel on a donné le nom de mélancolie. Bien que Rousseau et Mme de Staël aient, avant lui, joué un rôle important dans la littérature, on s'est plu à appeler Chateaubriand le père de la littérature moderne; car, maître de la sensation pittoresque, de l'expression grandiose, il joint à un art très grand une puissante et profonde émotion. Il y a trop de rhétorique dans son style et sa pensée; peintre qu'il est, il pense par images; il cherche la sensation et la rêverie de préférence à l'idée. Doué d'une intelligence d'artiste, il évite l'analyse critique dont la loi est le vrai et non le beau; il séduit par la magnificence de l'expression.

Son enfance se passa dans la solitude et la rêverie. Il se fit soldat pour un temps. La société l'effaroucha, mais il se plut néanmoins à fréquenter les grands écrivains du temps. En Amérique il recueillit de solides impressions; son séjour, cependant, fut trop court pour lui permettre de visiter tous les lieux décrits dans ses ouvrages. A la nouvelle de la mort de Louis XVI il retourna en France et rejoignit l'armée des émigrés. Blessé au siège de Thionville, il passa en Angleterre où il vécut dans la misère et la faim. Une crise religieuse survint, mais la mort de sa mère ralluma sa foi et il redevint chrétien. De retour en France, il jouit de grands succès politiques et littéraires; mais il finit ses jours dans la solitude.

Atala (1801) est l'histoire de l'amour malheureux de l'Indien Chactas. Celui-ci, fait prisonnier par une tribu ennemie, est condamné au feu. Une jeune chrétienne, Atala, le fait évader. Chactas voudrait épouser Atala, mais la jeune fille lui avoue qu'elle a promis à sa mère mourante de rester vierge pour toujours; elle s'empoisonne.

René (d'abord publié en 1802 comme partie détachée du *Génie du Christianisme*) est une sorte d'autobiographie. Un malaise se dégage de ce récit inutilement sinistre d'un frère et d'une sœur. René est la plus notable incarnation de la mélancolie romantique moderne; il n'est autre que Chateaubriand lui-même. Nous voyons ici la victime typique du destin, inconsolable, sans foi, sans espérance, remplie d'orgueil et de passion inassouvie.

Le Génie du Christianisme (1802). Ce livre, qui au point de vue philosophique et logique est singulièrement faible, a pour but principal de faire apprécier à sa juste valeur la beauté du christianisme. Il se divise en quatre parties: dogme et doctrines, poétique, beaux-arts et littérature, culte. Ce dernier chapitre donne lieu à une discussion sur la valeur sociale du christianisme en réponse aux idées de Voltaire et des Encyclopédistes. Ce livre eut une influence considérable sur la renaissance du sentiment religieux en France. Il tire sa valeur littéraire de ses passages pittoresques, de ses vues esthétiques, intimes et neuves pour l'époque, suscitant une inspiration nouvelle pour l'art moderne.

Les Martyrs (1809) démontrent la supériorité du merveilleux chrétien en littérature. Pour prouver sa thèse, l'auteur décrit l'histoire amoureuse de deux jeunes gens convertis au christianisme, qui subirent le martyre sous le règne de Dioclétien, au 3e siècle.

Les *Mémoires d'outre-tombe* (écrits de 1811 à 1848; publiés en 1849–1850). Chateaubriand, dans ce livre fait pour la postérité, révèle ses impressions, nous initie aux détails de sa vie, peint un portrait de son enfance et nous fait connaître l'homme tel qu'il était dans sa maturité. Nous découvrons en lui une âme hautaine, remplie d'orgueil, un homme capable d'ambition et de rêves infinis, mais, en somme, un être sans volonté réelle, une victime de l'ennui.

3. ALPHONSE DE LAMARTINE [5] (1790–1869). La littéra-

[5] Né à Mâcon dans une famille de petite noblesse, Lamartine, dans sa jeunesse, subit la forte influence d'une mère charmante, intelligente

ture et la politique sont les deux éléments importants de la carrière de Lamartine. Il aida la Révolution de 1848 qu'il voulut diriger; il fut membre du gouvernement provisoire, mais dut se retirer de la politique quand Louis Napoléon fut élu Président. Lamartine a écrit avant, pendant et après la période romantique, mais il s'est fait connaître surtout comme précurseur du Romantisme de 1820 à 1830. Apparaissant soudain comme un météore, il émerveilla la mélancolique génération de 1820, mais sa renommée s'éclipsa à l'apparition de l'étoile de Victor Hugo. Ses *Méditations poétiques* (1820) contiennent quelques-unes des pièces célèbres qui caractérisent le mieux son génie, comme l'*Isolement* et *le Lac*. Parmi les *Nouvelles Méditations* (1833) nous trouvons *le Crucifix*. *Le dernier Chant du Pèlerinage d'Harold* continue Byron. Dans les *Harmonies poétiques et religieuses* (1830) se trouvent plusieurs morceaux de haute poésie comme le *Premier Regret*. *Jocelyn* (1836) est un poème d'amour et d'abnégation où se mêlent des descriptions admirables de la nature. Ce poème, ainsi que la *Chute d'un Ange* (1838), n'est qu'un épisode d'un grand poème incomplet sur l'humanité. Lamartine a écrit aussi de nombreux ouvrages en prose, et une pièce de théâtre, *Toussaint Louverture*.

La poésie de Lamartine représente une période de transition. Il a banni le paganisme de la poésie française; grâce

et pieuse et de ses cinq sœurs. En 1811 il visita l'Italie, où il rencontra « Graziella » dont il parle dans ses écrits. Il servit pendant quelque temps dans l'armée de Louis XVIII. Vint ensuite la période de son amour pour madame Charles, « l'Elvire » de ses poésies, dont la mort, en 1817, le révéla poète. Sa réputation fut instantanée. Pour lui, la poésie ne fut qu'un accident; il se tourna bientôt du côté de la politique et fut Secrétaire d'Ambassade à Florence. Il fut élu à l'Académie en 1830, puis visita l'Orient après la Révolution de Juillet de la même année. En politique il fut libéral. Il passa ses derniers jours dans la pauvreté, forcé d'écrire, pour vivre, des pages indignes de son génie.

à sa manière personnelle de comprendre la nature, la foi et l'amour, et de s'en servir comme thèmes lyriques, on peut le considérer comme le premier grand poète romantique. Si sa poésie est romantique quant au fond, elle ne l'est pas quant à la forme; ses premiers essais de poésie, en effet, précèdent de dix ans la grande bataille romantique. Moins brillant que Chateaubriand, il est plus réservé; triste sans amertume, son style est tendre plutôt que pompeux, et demeure simple, limpide, mélodieux. D'ordinaire il peint une âme en détresse dans un cadre vague de la nature; mais, finalement, la religion et le calme de cette même nature donnent à l'âme le repos et la paix. C'est un idéaliste profondément religieux, triste sans tomber toutefois ni dans le pessimisme orgueilleux ni dans cette maladie romantique appelée « le mal du siècle.» Sa poésie est un cri de l'âme, d'émotion sincère; de là, la puissance de son inspiration. Le lecteur avisé et curieux chercherait en vain dans les œuvres de Lamartine une solution exacte ou profonde des problèmes philosophiques ou religieux.

II. *Les Précurseurs du Roman*

1. L'*Atala* (1801–1805) et le *René* (1802–1805) de CHATEAUBRIAND s'apparentent à *Paul et Virginie* par les descriptions de la nature; ils renferment, en plus, l'analyse du sentiment.

2. *Delphine* (1802) et *Corinne* (1807) de MME DE STAËL ne sont guère que des autobiographies sans grand mérite.

3. Le sentimental et mélancolique *Obermann* (1804) de SÉNANCOUR est l'analyse d'une âme malade trouvant un bonheur réel dans une vie intolérablement triste. Ce roman passa inaperçu quand il parut, mais fut tiré de l'oubli par Sainte-Beuve en 1833.

4. *Adolphe* (1816), de BENJAMIN CONSTANT, est une œuvre psychologique, une histoire d'amour malheureux.

5. CHARLES NODIER (1783–1844) écrivit des romans et des contes romantiques.   Son roman *Trilby* [6] (1822) contient une certaine dose de réalisme mêlé de sentiment poétique.

III. *Auteurs Secondaires*

En dehors de ces illustres prédécesseurs du Romantisme, il n'y a pas de grand nom à signaler.   Une ère nouvelle commence cependant; les idées traditionnelles vont s'affaiblissant et la voie s'ouvre libre à l'art littéraire.   Le théâtre donne quelques pièces politiques d'intérêt momentané; nous voyons quelques tragédies à la Voltaire, écrites pendant la Révolution.   PICARD donne quelques comédies passables. Le MÉLODRAME, qui avait un grand retentissement, était l'héritier du DRAME du 18e siècle, une espèce de tragédie populaire, souvent à sujet historique, donnant libre accès à un mélange illimité de genres, un amalgame hybride de personnages et de nuances, une suite d'aventures dans lesquelles la règle classique était complètement oubliée.   Pixerécourt est l'auteur de mélodrames le plus connu.   La critique littéraire, qui avait passé des salons à la presse, signale le nom de LA HARPE, dont les neuf volumes (1799) montrent qu'il fut le premier à étudier la littérature dans son cadre historique.

DEUXIÈME PÉRIODE (1830–1850)

(*La Révolution Romantique*)

Aperçu Historique

LA MONARCHIE ORLÉANISTE.   LOUIS-PHILIPPE (1830–1848).   Le « roi citoyen,» que la RÉVOLUTION DE JUILLET (1830) plaça sur le trône avec le titre de « roi des Français,» appartenait à la branche cadette des Bourbons.   C'était un homme aux vues libérales, aux manières simples.   A son

---

[6] Ne doit pas se confondre avec le roman anglais du même nom.

avènement, la constitution devint plus libérale, mais les
partis politiques opposés se livrèrent à une violente critique
et le gouvernement eut à combattre les Bonapartistes, les
Légitimistes (partisans de la branche aînée des Bourbons),
les Républicains et les Socialistes.   Le libéralisme du gouvernement continua sa marche progressive; il fit voter des
lois en faveur de l'enseignement primaire, concourut à
l'établissement de routes et de chemins de fer (le premier
chemin de fer fut établi sous ce règne), agrandit le domaine
colonial par la conquête de l'Algérie et aida la Belgique à
obtenir son indépendance (elle avait été unie à la Hollande
depuis 1815).   Thiers et Guizot jouèrent un rôle important
dans la politique.   Les Libéraux et les Républicains combattirent le ministère Guizot, dont la politique de résistance
amena ses ennemis à demander d'étendre le suffrage.   Une
insurrection s'éleva à l'occasion de la suppression d'un ban-
quet libéral.

La Révolution de Février (1848) en fut le résultat;
Louis-Philippe abdiqua et la République fut proclamée.   Le
gouvernement provisoire (dans lequel le poète Lamartine
joua un rôle important) fit élire l'Assemblée Nationale par
le suffrage universel.   La République ainsi établie reposait
donc sur la volonté du peuple.   A la tête de la République
siégeait un président qui gouvernait à l'aide du corps législatif.   Louis-Napoléon, neveu de Bonaparte, fut élu premier
président.   Il eut à faire face, d'une part, à un parlement
composé en grande partie de royalistes; d'autre part, il dut
apaiser les ouvriers excités par la suppression d'une insurrection de travailleurs.   Napoléon, dont le nom aidait la popularité, avait des amis dans l'armée, la bourgeoisie et le clergé;
il crut donc pouvoir demander l'abrogation de la loi qui défendait au président de se succéder à lui-même.   Sa demande
ayant été refusée, il fit arrêter les députés et dissoudre les
chambres.   L'armée eut bientôt fait de supprimer toute ré-

sistance (Coup d'État du 2 décembre, 1851). Une nouvelle constitution qui nommait Napoléon président pour dix
ans fut votée par une forte majorité populaire. L'année
suivante (1852), une majorité encore plus forte fit monter
Napoléon sur le trône comme empereur, inaugurant ainsi le
Second Empire. Il prit le nom de Napoléon III.[7]

La Littérature

I. *L'École de 1830*

L'école classique française qui atteignit son apogée au 17e
siècle était réglée par des lois littéraires conçues par un
groupe social restreint. Les qualités dominantes de cette
école étaient : la régularité, la réserve, la clarté, l'ordre,
l'élégance, la simplicité. Au 18e siècle le classicisme dégé-
néra en une sorte de mécanisme artificiel qui causa l'élimina-
tion presque complète de la spontanéité, du sentiment et de
l'individualisme pur en littérature, c'est-à-dire en dehors des
écrivains de propagande et des critiques de l'ordre social.
Même au 18e siècle, cependant, on voit çà et là les germes
d'un esprit nouveau, particulièrement chez Rousseau par son
dédain des conventions, sa glorification de l'individu et l'importance qu'il donne à l'émotion, à la religion, voire même
à l'intuition. Le nouvel esprit se révèle jusque dans son
style dont le caractère est beaucoup moins intellectuel que
celui du grand siècle. Rousseau fait passer son propre
sentiment dans la description de la nature : il crée une littérature individuelle.

La révolte des esprits contre la tyrannie classique, commencée sous Rousseau, va se continuer. Au temps de la
Révolution de 1789, le fil de la tradition classique est définitivement coupé ; la société elle-même dont l'idéal littéraire

[7] Napoléon II, fils de Napoléon Bonaparte et de Marie-Louise,
mourut en 1832 sans avoir régné. Voir page 142 note.

était le classicisme disparaît pour faire place à Mme de Staël,
à Chateaubriand et à Lamartine, qui vont inaugurer une ère
nouvelle en littérature. Ce n'est plus seulement en France
que l'on cherche l'inspiration; on la demande à l'Allemagne
aussi bien qu'à l'Angleterre. Le *Werther* de Goethe devient
le type populaire du héros romantique à l'âme mélancolique;
Schiller exprime des tendances anti-classiques. On s'inspira
aussi du roman sentimental qui existait déjà en Angleterre.
Le Romantisme en France envahit la prose d'abord, la
poésie ensuite, pour s'attaquer enfin à un genre plus rigou-
reusement conventionnel, le théâtre.

L'art classique français avait voulu imiter la nature, atteindre le vrai, par la raison, le bon sens, la régularité; en un
mot, il avait visé aux qualités sociales. Le Romantisme
cherche aussi la nature et la vérité, mais à l'aide des qualités
individuelles de l'imagination et de l'inspiration. Un tel
changement devait, par la force des choses, s'élaborer lente-
ment. C'est ainsi que les premières poésies de Lamartine, en
1820, le Romantisme philosophique des *Poèmes* de Vigny,
en 1822, même les timides rendez-vous chez Charles Nodier
en 1823,[8] ne faisaient prévoir aucune sérieuse révolte organisée, pas même la formation d'une série de théories
nouvelles. Le *Racine et Shakespeare* (1823–1825) de
Stendhal est le premier manifeste de cette période contre
l'école classique, bien que des antécédents n'aient pas manqué
en France et ailleurs. Une bataille littéraire est dans l'air.
Un jeune groupe qui devait s'illustrer plus tard oriente la
Révolte Romantique, en lui donnant une forme définie.
Victor Hugo, chef incontesté de cette phalange, écrit sa
fameuse *Préface de Cromwell* (1827), où la jeunesse puise
tout à la fois une direction et un mot d'ordre. Guidée par
ce credo littéraire, cette jeunesse ardente méprise le passé,

[8] On a donné le nom de *Cénacles* aux deux groupements romantiques.

s'enthousiasme pour l'avenir, et fait sonner le clairon de la révolte. Autour de Victor Hugo se groupent non seulement presque tous les poètes mais tous ceux qui s'intéressent au théâtre romantique—Vigny, Sainte-Beuve,[9] Dumas père, Lamartine,[10] Musset et Gautier.

Après de mordantes batailles, l'école romantique triompha. Elle garda le fond de la pensée de Chateaubriand et de Lamartine, mais elle revêtit cet esprit d'une forme nouvelle où l'on vit briller la liberté, l'individualisme, le sentiment et l'amour de la rhétorique. Les innovations que ces auteurs se permirent ne furent point radicales, sauf au théâtre, mais en montrant que l'on pouvait faire fi des règles traditionnelles, on prouva que la forme dépend non pas d'une théorie mais de la pensée qui cherche une forme d'expression. De plus, grâce à l'étude et à l'admiration des littératures étrangères, les Français en vinrent à comprendre que ni le goût classique ni le culte de l'antiquité n'étaient nécessairement le criterium suprême. Depuis lors, on a cessé d'écrire pour un groupe limité d'intellectuels; les expressions littéraires sont devenues plus originales; le goût personnel de l'auteur se substitue au goût objectif et rigide d'une classe qui fait loi; le sentiment et l'imagination remplacent la raison. Le Romantisme est donc, dans ce sens, une réaction contre une tradition toute-puissante, l'intellectualisme et la soumission aveugle aux règles; c'est une révolte de la part de l'écrivain qui veut penser et écrire à sa guise. C'est donc le libéralisme en littérature,[11] c'est-à-dire, un art individuel dans lequel chaque auteur considère un objet qu'il voit vivre, non en dehors de lui mais en lui. L'art n'est plus régi par des règles préalables, ni par la raison, au sens classique, ni

[9] Sainte-Beuve est avant tout critique, mais aussi poète et romancier.
[10] Lamartine, en général, garda son indépendance.
[11] D'après la définition de Victor Hugo dans la préface d'*Hernani*, sa première pièce à succès.

par un goût superficiel; mais, au contraire, par l'imagination et les sentiments. On cesse d'imiter les Anciens, on délaisse la mythologie païenne pour adopter des thèmes chrétiens ou simplement vaguement religieux. On choisit de nouveaux sujets pris dans la nature, dans l'histoire moderne ou dans le cœur humain; les passions du poète, sa manière de voir et de comprendre la nature remplacent le sentiment factice qui est de tout le monde; chaque auteur est libre dans l'expression de ses sentiments, libre dans son style.

Chez quelques écrivains, le Romantisme revêt une extrême subjectivité; chez d'autres, il prend la forme d'exotisme, de rêverie, etc. Mais, exception faite pour Victor Hugo, il serait difficile d'employer le mot romantique, tout court, sans le faire suivre d'un qualificatif, pour caractériser toute la carrière littéraire d'un auteur de quelque importance. Si nous considérons cet individualisme exagéré sous ses aspects les plus mauvais, nous voyons qu'il conduit au complexe, à l'obscur, à l'étrange. L'esprit de liberté a souvent manqué de distinction et a même produit une littérature que l'on pourrait qualifier d'« industrielle » et de vénale.

II. *La Poésie Romantique*

« Sur des pensers nouveaux faisons des vers antiques,» avait dit Chénier. Maintenant les poètes romantiques donnent non seulement un esprit nouveau à des sujets nouveaux, mais ils rajeunissent la langue et le vers. La langue n'est plus pour eux une sèche formule servant à exprimer l'idée seule, c'est encore un moyen de communiquer le sentiment et la sensation. L'image remplace la métaphore; le terme précis et concret se substitue au mot abstrait, général et figuré; il n'y a plus de distinction artificielle entre les mots « nobles » et « bas »; tous les mots sont égaux aux yeux de l'écrivain. Au lieu du vers intellectuel et sans vie des époques précédentes, Lamartine lui-même (classique de forme) écrivit des vers dans lesquels il reconnaissait la fonction et la valeur des mots qui, par leur harmonie, soulèvent et révèlent un sentiment. Pour les Romantiques, le rythme et la rime sont l'essentiel de la poésie; ils préfèrent l'harmonie à la symétrie; ils font subir au vieil alexandrin des changements qui eussent fait frémir les Classiques de la vieille école. La césure ne tomba plus nécessairement au milieu du vers; on pratiqua l'emjambement, c'est-à-dire que le sens d'un vers pouvait se continuer dans une partie du vers suivant.

1. ALFRED DE VIGNY [12] (1797–1863) précéda de quelques années Victor Hugo (le poète romantique par excellence), et se tint, en quelque sorte, isolé de l'école romantique. Il se fit soldat, mais l'armée n'ayant pas répondu à son attente, il se retira dans une solitude de rêve et de poésie dont le produit se résume en un seul volume, *Poèmes antiques et modernes*,[13] qu'il divisa en trois parties: *Livre mystique, Livre antique* et *Livre moderne,* auquel s'ajoute un livre posthume, les *Destinées* (1863). L'œuvre de Vigny est assez restreinte dans le roman et le théâtre. Son art est plus sobre que celui de V. Hugo; comme penseur, Vigny est plus profond; comme homme, plus sincère. Vigny ne se jeta jamais en plein dans la bataille romantique; il fut plus impersonnel, plus réservé qu'un vrai romantique. Il cisèle ses idées plutôt qu'il ne peint l'homme dans ses vers, qui sont

[12] Vigny entra dans l'armée en 1814 mais se fatigua bientôt de la vie de garnison qui ne lui donna pas l'avancement souhaité. Malgré ses succès littéraires, il n'atteignit jamais le triomphe de Lamartine ou de V. Hugo. Il fut reçu à l'Académie en 1845 par de Molé, qui lui fit une des plus injurieuses réponses qu'un récipiendaire ait jamais entendues. Dépité de la politique, il se retira pour toujours dans la solitude pour achever sa vie dans la souffrance physique et l'amertume d'une existence qu'il croyait manquée. C'est de lui que Sainte-Beuve disait qu'il habitait une « tour d'ivoire.»

[13] La première édition des *Poèmes* parut en 1822; l'édition augmentée en 1826.

lyriques en vertu même de l'émotion créée par la pensée
seule.   Son pessimisme hautain, mêlé de grandeur, ne conduit ni au désespoir ni à la foi.   L'amour, la nature, Dieu
ne pouvant remplir son cœur, il se réfugie dans le stoïcisme,
se prend d'amour pour l'humanité, et rêve de progrès.   Il a
exprimé ces pensées dans des poèmes tels que: *la Colère de
Samson, la Maison du berger, le Mont des Oliviers, la Mort
du loup, la Bouteille à la mer.   La Mort du loup* donne un
tableau dramatique de la lutte de l'homme et du destin; la
leçon qu'on en tire est une résignation orgueilleuse.   Vigny
dans son *Moïse* expose sa doctrine favorite de l'isolement
de l'homme supérieur, incompris de l'humanité qu'il doit
guider; de cette incompréhension découle un découragement
amer.   Tout ce qui vit souffre, et plus l'homme sait et comprend, plus la souffrance s'affine et s'aiguise.

2. VICTOR HUGO[14] (1802–1885).   Ce ROMANTIQUE, le
plus grand poète lyrique de France, occupe aussi une grande
place dans le théâtre et le roman.   De bonne heure, nous
voyons chez lui des signes avant-coureurs de son génie littéraire; en 1822 il publia ses premières *Odes,* puis devint de
moins en moins conservateur d'esprit et d'allure.   Il est, en
1830, le chef incontesté de la nouvelle école romantique.
Membre de l'Académie (1841) et pair de France, député en
1848, il se lança dans la politique; mais ses vues démocratiques et son opposition à Napoléon III lui valurent l'exil.
Il alla chercher refuge à Jersey et à Guernesey, où il resta
de 1851 à 1870.   De retour en France, il fut nommé sénateur
à vie.   Il mourut en 1885, et ses funérailles furent une
apothéose.   Durant sa longue carrière Victor Hugo écrivit
beaucoup, toujours fidèle au Romantisme auquel il survécut

---

[14] Il naquit à Besançon, et passa son enfance en Italie et en Espagne;
son père était général sous le Premier Empire.   Après la chute de
Bonaparte, la famille vint s'établir à Paris.   Il protesta contre la
politique de Napoléon III, et après la guerre de 1870, contre l'annexion
à l'Allemagne de l'Alsace et de la Lorraine.

quarante ans et plus.   Le poète met dans ses vers une so-
norité, une harmonie, un rythme varié qui ajoute à la pensée
la force suggestive de la musique.   Quelque grande que soit
sa puissance d'expression ou d'imagination, Victor Hugo
n'est ni profond ni original au point de vue intellectuel.   Il
manque de sobriété autant que de mesure, deux défauts qui
le conduisent même à abuser de sa merveilleuse imagination,
à confondre l'énorme et le sublime, à répéter les antithèses et
les métaphores.   Comme homme, il est vaniteux, gonflé de
son « moi » superbe, un peu vulgaire.   Il manque d'humour
et souvent de goût ; il a l'ambition d'être un penseur sans en
avoir les qualités.   Sa grande originalité consiste à s'identifier lui-même avec l'âme de la foule ou des choses ; son âme
est « un écho sonore.»   Il possède aussi le grand don d'exprimer d'une façon artistique les opinions courantes sur les
problèmes de la destinée humaine.   Il chante avec un sentiment pénétrant de douceur les émotions de la famille, de la
patrie, de la nature dans ses formes variées et multicolores.
Avec quel charme, avec quelle simplicité il parle des enfants !
Il a été le porte-voix sublime des sentiments collectifs de
l'humanité, le plus lyrique comme le plus objectif des poètes
romantiques.

Les collections les plus importantes de ses poésies sont :
Odes et Ballades (1826), *les Orientales* (1829), *Feuilles
d'automne* (1831), *Chants du crépuscule* (1835), *Voix in-
térieures* (1837), *les Rayons et les ombres* (1840), *les Con-
templations* (1856).   *Les Châtiments* (1853) sont une satire
virulente dirigée contre le Second Empire ou « Napoléon le
Petit,» satire vibrante de passion et d'éloquence.   *La Légende des siècles* (1859) est un poème épique inachevé dont
le but est de peindre l'humanité à ses différents âges, de
montrer « l'homme montant des ténèbres à l'idéal.»   Cette
œuvre, sublime en certains endroits, renferme des idées philosophiques souvent creuses.

Il serait inutile ou même impossible de donner une liste de ses poésies qui pût satisfaire tous les esprits. On peut citer les suivantes qui sont parmi les meilleures: *A l'Arc de Triomphe, Tristesse d'Olympio, l'Expiation, les Djinns, la Conscience, la Rose de l'infante, le Cimetière d'Eylau, Lorsque l'enfant paraît.*

3. BÉRANGER (1780–1857). En dehors du groupe romantique, Béranger se fit, par ses chansons (par exemple, *le Roi d'Yvetot*) publiées de 1815 à 1833, une renommée populaire. La mesure de Béranger est celle de l'esprit bourgeois, positif, jouisseur. Il ne saurait s'élever à la hauteur des grands sujets; il est terre à terre sauf quand il se lance dans les sentiments de pitié sociale.

4. ALFRED DE MUSSET [15] (1810–1857), TRANSFORMATEUR DE LA POÉSIE ROMANTIQUE. Musset dont le génie poétique est fait de liberté, de fantaisie et de passion, semble avoir été doué de trop de bon sens pour prendre au sérieux et pour longtemps l'extravagance romantique. Dans sa jeunesse il se laissa entraîner à une certaine exagération, dans le goût de la génération de 1830. Il ne tarda pas cependant à se « déhugotiser.» Bien que sa poésie eût une nuance toute personnelle qui mettait son âme à nu, il devint, plus tard, presque classique par son naturel et sa simplicité. Musset fut à la fois l'enfant gâté, l'homme du monde séduisant, intelligent, finement sensé et spirituel, dont la plus grande partie de la vie se passa sans incidents. Après les scènes douloureuses et la crise violente qui suivirent sa liaison avec

[15] Parisien de naissance, Musset fut un brillant élève, mais, poussé par V. Hugo, il abandonna ses études de droit et de médecine pour se consacrer à la poésie. Il entra au *Cénacle* à 18 ans; bientôt après, il devint indépendant. En 1833 eut lieu sa rencontre avec George Sand. Il a raconté cet épisode dans sa *Confession d'un enfant du siècle;* George Sand, à son tour, l'a raconté dans *Elle et Lui.* Musset, de désespoir, se jeta dans des excès qui usèrent sa santé et son talent. Après 1840 il n'écrivit presque plus si ce n'est un peu de prose et quelques brillantes comédies. Il fut reçu à l'Académie en 1852.

George Sand, il devint le poète sincère de l'amour, qui lui
apparut comme la seule réalité durable d'ici-bas (*les Nuits,
Souvenir*). Musset pense que la vraie poésie vient du cœur :
« Ah ! frappe-toi le cœur, c'est là qu'est le génie,» écrivait-il à
un ami. Le rôle du poète est donc d'ouvrir son cœur et de
faire vibrer celui du lecteur. L'essence de sa poésie consiste
dans la puissance éternelle de l'amour. Musset est juste à
l'opposé du stoïcisme de Vigny ; il prend plaisir à se ressou-
venir de la souffrance qui est plus douce au cœur qu'une joie
qui a disparu : « Rien ne nous rend si grands qu'une grande
douleur » (*Nuit de Mai*). Notre plus grand bonheur, dit-il,
est d'avoir aimé. *L'espoir en Dieu* fait respirer une atmosphère religieuse. Parmi d'autres poésies importantes nous
pouvons citer *Rolla, Stances à la Malibran, Soirée perdue.*

5. Théophile Gautier [16] (1811–1872). La Littérature Se Dégage du Romantisme. Gautier, dans ses débuts littéraires, se rangea sous la bannière romantique ; mais
bientôt, spécialement dans ses *Émaux et Camées* (1852), il
regimba contre le lyrisme romantique et visa définitivement
à un art plus défini, plus objectif. Comme Romantique, sa
principale qualité consiste dans son excentricité qui naît de
la haine du bourgeois, du vulgaire. Gautier est un ouvrier
consommé dont la poésie a quelque chose de plastique. Il
emploie un vocabulaire des plus riches. Il fut le premier,
au 19e siècle, à pratiquer la théorie de « l'art pour l'art » ;
l'art ne saurait avoir d'autre but que lui-même et « dès
qu'une chose devient utile, elle cesse d'être belle » ; le beau
est donc la seule réalité de l'artiste. Le peintre, chez Gautier,
a toujours influencé le poète ; voilà pourquoi ses chefs-d'œuvre

[16] Né à Tarbes, dans le Midi, il passa la plus grande partie de sa
vie à Paris. Il abandonna la peinture pour se faire écrivain. Ses
premiers vers datent de 1830. De nature excentrique, il vécut à part,
indifférent aux questions politiques et sociales même de la période de
1848.

sont des pièces descriptives. L'amour passion n'a pas de place dans ses vers, mais la frayeur de la mort le fait frissonner d'horreur. Les poésies suivantes pourront aider à caractériser le génie de l'auteur: *l'Art, les Affres de la mort, Dans la Sierra, Premier sourire du printemps, A Zurbaran.* Gautier a, de plus, écrit des contes, des romans, des articles de critique littéraire et des relations de voyage.

III. *Le Théâtre Romantique*

Le théâtre qui, au commencement du 19e siècle, n'était que l'ombre de la grandeur d'un autre âge, fut le centre de la bataille romantique. De cette querelle populaire, les Romantiques sortirent victorieux, mais la postérité n'a jamais sanctionné les rêves exagérés de ces promoteurs enthousiastes. On s'accorde à dire que le drame romantique est la plus faible partie de ce que ce mouvement a produit.

1. THÉORIES NOUVELLES. Victor Hugo exposa la théorie du drame romantique dans sa fameuse *Préface de Cromwell* (1827), brillant manifeste de la nouvelle école. *Cromwell* ne fut jamais représenté. Malgré son importance, la *Préface* ne contient rien d'absolument original; c'est un résumé des idées courantes que nous trouvons même dans les auteurs du siècle précédent, de Diderot à Beaumarchais, sans parler du mélodrame contemporain. Victor Hugo divise la poésie en trois périodes: *l'époque lyrique* telle que nous la connaissons par la *Genèse; l'époque épique* dont les poèmes d'Homère sont le type; *l'époque actuelle* qu'il appelle *l'âge dramatique,* dans lequel le christianisme a révélé à l'homme sa dualité de nature et la lutte dramatique entre la vertu et l'instinct. Attendu que le drame nouveau a pour objet la vérité, Hugo n'admet pas la séparation absolue du comique et du tragique, du beau et du laid. L'essence du drame doit être le vrai plutôt que le beau. Il conseille de respecter l'unité

d'action et d'impression, mais d'abandonner les unités traditionnelles de temps et de lieu. Il ne rejette pas l'alexandrin, mais prend des libertés avec la métrique. Il condamne les tirades qui font parler l'auteur mais n'enseignent rien sur le personnage. Victor Hugo ne fit subir à ses alexandrins que de légers changements; ils sont d'une pureté presque classique.

Les Romantiques ont prétendu apporter au théâtre: (1) *la vérité* (la couleur locale et le détail pittoresque d'une époque historique); (2) *la liberté* (en abolissant les règles classiques de construction); et (3) *les idées* (exprimées par des caractères symboliques et des dissertations). Au lieu de l'émotion psychologique de la tragédie classique, ils préféraient donner l'impression de terreur par voie de la souffrance physique ou morale. Les héros conventionnels du Romantisme étaient des personnages mystérieux, aux prises avec les injustices du sort. « La sympathie du lecteur va au couple d'amoureux souvent coupable.» Le drame romantique, à l'intrigue compliquée, aux passions brutales et déchaînées, se trouve en opposition directe avec la tragédie classique dont l'intrigue est simple et dans laquelle les passions se masquent sous la décence et la politesse des manières. Il y a donc une relation directe entre le mélodrame et le drame romantique. Les pièces de Dumas père, et celles en prose de V. Hugo, sont des mélodrames mêlés de passion avec une fin tragique; dans ses pièces en vers Hugo ajoute un ornement artistique de style.[17]

[17] Casimir Delavigne (1793–1843) se place entre les Romantiques et les Classiques. Il habille sa tragédie d'une toge pseudo-classique. *Les Vêpres siciliennes* (1819) et *Marino Faliero* (1829), à tendances byroniennes, eurent un heureux succès. Dans *Louis XI* et *les Enfants d'Édouard* (1833), pièces qui sont en faveur jusqu'à ce jour, il essaya d'imiter Shakespeare. N. Lemercier (1771–1840) aussi a écrit des tragédies avec des éléments romantiques: *Christophe Colomb*, *Pinto*.

2. ALEXANDRE DUMAS [18] (1803–1870). Ce romancier prolifique inaugura un genre dramatique nouveau. La représentation d'*Henri III et sa cour* au Théâtre Français, en 1829, le rendit fameux tout d'un coup. Ce drame représente les péripéties d'un crime de passion emprunté à l'histoire de France. Dans la suite, Dumas, pauvre d'idées et manquant de style, incline de plus en plus vers le mélodrame. Dans les 25 volumes de son théâtre, ses personnages joignent à la force de la passion l'énergie dans l'action, si bien que la pièce est entraînée vers des situations poignantes. *Antony* (1831) caractérise admirablement le drame romantique. C'est l'expression puissante de l'amour qui n'a pas de loi; Antony est le héros romantique par excellence, une sorte de héros à la Byron, sans nom, mystérieux, en marge de la société qu'il hait. Il aime Adèle qu'il ne peut épouser. Après le mariage de celle-ci à un autre, Antony la retrouve par hasard, et lui sauve la vie en arrêtant ses chevaux qui ont pris le mors aux dents. Dominée par la puissance de son amour et la persistance d'Antony, Adèle cède. Le mari les surprend ensemble. Pour sauver l'honneur d'Adèle, Antony la tue en s'écriant: « Elle me résistait, je l'ai assassinée.»

3. LES DRAMES DE VICTOR HUGO (1827–1843). *Cromwell* (1827) étant injouable, et la représentation de *Marion de Lorme* (1829) [19] ayant été interdite temporairement, il arriva que la première pièce de Victor Hugo représentée au théâtre fut *Hernani* (1830). Les théories nouvelles de dra-

[18] Alexandre Dumas père était fils d'un général de la Révolution, et petit-fils d'un créole de Saint-Domingue et d'une négresse. Il tâcha de rémédier à son manque d'instruction en lisant Shakespeare, Schiller et Walter Scott. Son succès au théâtre l'associa au groupe romantique. Après 1840, aidé de plusieurs collaborateurs, il écrivit principalement des romans. Généreux et dépensier, il fit des dettes. Harassé par ses créanciers, il s'enfuit en Belgique, puis en Italie où il prit part aux expéditions révolutionnaires de Garibaldi.

[19] Cette pièce jetait sur la royauté une lumière désavantageuse. Elle fut jouée en 1831, après la Révolution de 1830.

maturgie furent applaudies à chaque représentation par les amis de l'auteur, et sifflées par les Classiques. Le sujet se résume ainsi : Hernani, grand d'Espagne, s'est fait bandit. Il poursuit le roi Charles pour deux raisons ; d'abord parce que celui-ci a tué son père, ensuite parce qu'il est son rival pour l'amour de Doña Sol, qui est la nièce et la fiancée du vieux duc Don Gómez. Doña Sol aime Hernani. Après bien des péripéties, Hernani se réconcilie avec Charles, devenu le puissant Charles-Quint, et épouse Doña Sol. Par malheur la vie d'Hernani appartient à Ruy Gómez qui l'avait surpris un jour avec Doña Sol dans son propre château. Don Gómez aurait pu mettre à mort Hernani ; magnanime toujours, il lui laisse la vie sauve. Hernani, en retour, promet de mettre sa vie entre les mains du comte, auquel il donne son cor. Au soir des fiançailles d'Hernani et de Doña Sol, Don Gómez apparaît, et sonne du cor ; Hernani et sa fiancée s'empoisonnent ; Don Gómez lui-même se donne la mort sur le cadavre des deux amants.—Le héros de *Ruy Blas* (1838) est un laquais qui devient ministre d'Espagne, se révèle grand homme d'état, et tombe amoureux de la reine ; mais il est cyniquement trahi par son maître qui avait favorisé ce stratagème d'amour pour se venger de la reine. *Le Roi s'amuse* (1832) représente l'antithèse romantique entre le sentiment et le rang social. Le roi, dans le cas présent, est un scélérat ; Triboulet, le bouffon, est le modèle des pères. *Lucrèce Borgia* (1833), *Marie Tudor* (1833) et *Angelo* (1835) sont des mélodrames en prose. *Les Burgraves* (1843), en vers, au caractère plutôt épique que dramatique, furent un échec complet ; cette tragédie marque la fin du théâtre romantique proprement dit.

En dépit de l'enthousiasme démesuré des contemporains, l'impression produite par ces pièces sur les critiques modernes, qui jugent avec plus de sang froid, est qu'elles sont une déclamation mélodramatique. Le but principal de Vic-

tor Hugo était de représenter une antithèse de rang ou de
caractère dans ses personnages. Ses sujets, aussi bien que
ses personnages, sont lyriques ; leurs paroles ou leurs actions
ne représentent pas le cours logique d'un caractère ou le
conflit tragique d'une volonté. L'action, chez Hugo, n'est
pas naturelle, elle n'est que le caprice du poète qui crée une
situation ; de là, invraisemblance, intrigues ridicules où
toute la gamme des trucs dramatiques entre en jeu. Hernani et Ruy-Blas n'agissent que par la volonté du poète, en
vue d'un effet théâtral. Par contre, la beauté poétique de
ses meilleures pièces est très grande ; le style est superbe ;
l'harmonie et la couleur de certaines scènes enchantent ; la
puissance lyrique de la langue et de l'imagination ne saurait
être surpassée.

4. ALFRED DE VIGNY (1797–1863) a donné une traduction
assez exacte de l'*Othello* de Shakespeare (1829), traduction
qui fut suivie de *la Maréchale d'Ancre* (1831), drame historique assez compliqué, et de *Chatterton* (1835) qui eut
un grand et durable succès. Dans ce dernier, Vigny a
donné une forme dramatique à un symbole, c'est-à-dire,
« l'homme spiritualiste étouffé par une société matérialiste.»
Chatterton, poète dans la plus extrême misère, s'est épris de
Kitty Bell, femme d'un marchand avare chez lequel il prend
pension. La nécessité, qui ne connaît pas de loi, force Chatterton à demander secours au lord maire, M. Beckford,
ancien ami de son père. Celui-ci offre au poète, avec de
bons conseils, une place de valet de chambre chez lui. Chatterton, fou de honte et de désespoir, s'empoisonne, puis avoue
son amour à Kitty Bell. Elle aussi confesse qu'elle l'aime
et tombe morte en voyant le cadavre de Chatterton. La
structure et, en quelque sorte, l'esprit de cette pièce en prose,
sont classiques ; nous y trouvons les unités ; l'action est psychologique, l'intrigue réduite à sa plus simple expression, sans
exagération romantique. La pièce est romantique en ce sens

qu'elle est l'expression d'une idée philosophique et non l'étude d'un caractère. Elle présente le type d'un héros qui souffre d'une maladie appelée « le mal du siècle,» cette souffrance qui signifie haine de la vie ou soif de la mort et qui conduit au découragement et au suicide.

5. ALFRED DE MUSSET (1810–1857). Pendant 16 ans, entre l'échec de *la Nuit vénitienne* (1831) et le succès d'*Un caprice* (1847), Musset écrivit des pièces de théâtre au gré de son inspiration mais toujours pour le lecteur sans le moindre souci de la scène. Il reste néanmoins le meilleur écrivain dramatique de l'époque romantique, plein de spontanéité, d'imagination, d'esprit et de gaîté mélangée de tristesse. Ses *Comédies et proverbes,* pièces fantastiques et capricieuses, qui continuent d'avoir le succès qu'elles méritent, sont uniques dans la littérature française. Soit qu'il chante l'amour dans ses vers où qu'il l'analyse dans ses comédies (*Fantasio, On ne badine pas avec l'amour,* etc.), il le considère toujours comme le bien suprême de la vie; sa conception n'est sans doute que la traduction de ses propres sentiments et de son expérience. Musset n'a que faire des règles classiques, mais il évite les chevilles romantiques. Il étale son âme sans égard aux écoles littéraires radicales ou conservatrices. Le lieu de l'action est vague, mais les personnages ont un air de réalité; les personnages accessoires sont esquissés d'un trait sommaire, mais net et juste. Le charme de la jeune fille dans les pièces de Musset n'a jamais été surpassé dans la littérature française.

On ne badine pas avec l'amour fait le portrait de deux cousins qui s'aiment, Perdican et Camille, destinés au mariage par leur famille. Par orgueil, cependant, Camille se refuse à croire à la fidélité de l'homme et veut se faire religieuse. Perdican, qui sait par expérience ce que c'est que l'homme, s'étonne des hésitations de la jeune fille, et ne comprend pas qu'elle veuille voir clair dans son âme. Pour vaincre la

résistance de Camille, Perdican a recours à la jalousie; il se
fait aimer par Rosette.   Celle-ci meurt de désespoir en apprenant la vérité.   Cette expérience éloigne pour toujours
Camille qui était sur le point de se soumettre.   Des pièces
de société, telles que: *Il faut qu'une porte soit ouverte ou
fermée,* ont le même charme, la même pénétration psychologique avec moins de fantaisie.   Son unique pièce historique,
Lorenzaccio (1834), est une tragédie qui fait penser à
Shakespeare.   C'est l'histoire de la délivrance de Florence
du joug tyrannique d'Alessandro de' Medici par son neveu,
le jeune Lorenzo, qui pour atteindre son but se fait le compagnon des vices de son oncle, l'amène dans un guet-apens
et l'assassine.   Par malheur, le libérateur est tombé si profondément dans le vice, dans lequel il s'est jeté pour des
raisons patriotiques, qu'il y reste embourbé et ne peut plus
en sortir.

6. LA FIN DU DRAME ROMANTIQUE.   Le drame romantique ne survécut pas à la génération qui le vit naître.
En 1843 *les Burgraves* de V. Hugo eurent un échec retentissant; au contraire, la tragédie classique de Ponsard, *Lucrèce,*
obtint un grand succès.   De 1838 à 1845 on s'intéresse avide-
ment au théâtre classique du 17e siècle que la tragédienne de
génie, Rachel, sut glorieusement ressusciter.   On fit bon
accueil aussi aux drames historiques de Casimir Delavigne
et de Ponsard, en plein romantisme.   La tragédie de Ponsard
est maintenant oubliée; son drame historique, *Charlotte
Corday* (1850), ne manque pas de vérité.   *Honneur et argent*
(1853) est une médiocre comédie à la manière d'Augier.
L'époque qui suivit demanda une observation exacte des
mœurs sociales, plus de réalisme dans la peinture des caractères, et plus de liberté que les anciennes conventions ne le
permettaient.   La comédie de mœurs allait donc satisfaire
le goût nouveau.

IV. *La Comédie pendant la Période Romantique*

Eugène Scribe (1791–1861). Depuis Beaumarchais la comédie avait perdu sa vie et son entrain. Picard (1769–1828) avait écrit sous le Premier Empire; Dumas père s'était essayé dans ce genre après 1830; Musset seul écrivait des comédies vraiment romantiques. Il fut donc donné à Scribe de faire refleurir le genre. Cet auteur prolifique qui, à l'aide de collaborateurs, écrivit plus de 400 pièces, eut son heure de gloire au temps du Romantisme, bien qu'il n'appartînt pas à l'école. Sa grande vogue dura de 1815 à 1850. Il offrit à la bourgeoisie de son temps la nourriture spirituelle adaptée à ses besoins. L'idée maîtresse de son œuvre est que le succès matériel devient le prix de la vertu. Il est vrai que Scribe est superficiel dans la peinture des caractères et des mœurs, mais c'est un artiste de premier ordre dans l'intrigue et la technique, dans ce qu'on appelle « la pièce bien faite.» Son habileté à tenir en éveil l'intérêt de l'auditoire rendit les spectateurs exigeants sur l'agencement des comédies. *Un verre d'eau,* dont l'intrigue appartient à l'histoire anglaise, représente Bolingbroke et lady Marlborough aux prises au sujet de l'influence politique. Parmi ses autres comédies, on peut citer *Adrienne Lecouvreur, Une chaîne, la Camaraderie, Bertrand et Raton,* et *Bataille de dames.*

V. *Le Roman dans la Période Romantique*

Le roman psychologique avait fait son apparition aux 17e et 18e siècles. *La Nouvelle Héloïse* de Rousseau avait offert aux lecteurs les vastes champs de la nature; cet auteur étudia les problèmes sociaux et se plut à dépeindre la vie réelle. L'influence anglaise se fit sentir dans le roman par une observation détaillée, minutieuse, de la vie et des sentiments des gens de la classe moyenne.

Au 19e siècle, le roman occupe, de tous les genres, le champ le plus vaste. Nous voyons paraître, en effet, le roman psychologique, lyrique, sociologique, symbolique, et le roman de mœurs. Dans la période romantique, le goût de l'histoire, ajouté à l'influence de Walter Scott, amena une floraison vigoureuse de romans historiques. Le ferment sentimental déposé par Rousseau, Chateaubriand et Mme de Staël, continue avec plus ou moins de vigueur; mais, même pendant la période romantique, on peut discerner les commencements d'un art plus objectif.

A. LE ROMAN HISTORIQUE

1. ALFRED DE VIGNY écrivit *Cinq-Mars* [20] (1826), qui fut le premier succès du roman historique français, un genre nouveau que la jeune école se plut à adopter. Comme dans son théâtre et sa poésie, de Vigny donne ici une forme dramatique à une idée; en un mot, il symbolise. Il traite la lutte entre Richelieu et la noblesse. Poussé par l'amour, mû par l'ambition, Cinq-Mars conspire contre Richelieu. Le cardinal fait comprendre au roi Louis XIII que la sécurité de son trône est en question; il cherche les preuves, les expose et fait exécuter Cinq-Mars.—Les mêmes tendances symboliques se font remarquer dans *Stello,* dont la thèse tend à prouver que l'homme de lettres est incompris; et dans *Servitude et grandeur militaires,* qui montre que le soldat, bien qu'esclave de la discipline, est grand par le renoncement.

2. VICTOR HUGO, presque au sortir de l'adolescence, donna libre cours à un excès d'imagination en écrivant *Han d'Islande* (1823). Ses romans plus importants, de *Notre-Dame de Paris* (1831) à *Quatre-vingt-treize* (1872), sont romantiques en dépit des dates, mais sont aussi, comme ses drames, exceptionels quant au sujet et au style. L'imagina-

---

[20] Les lettres *q* et *s* ne se prononcent pas [sɛ̃ maːr].

tion épique qui les soutient aiguise notre intérêt, fait revivre le passé et donne aux choses—telle la cathédrale de Notre-Dame—une âme qui vit. *Notre-Dame de Paris* dépeint l'irrésistible passion de l'archidiacre Claude Frollo pour la bohémienne Esméralda, la condamnation à mort de celle-ci pour un crime commis par Frollo lui-même, et sa délivrance momentanée par le sonneur Quasimodo qui cache, sous une enveloppe difforme, un amour timide. Frollo, enfin, par une dernière trahison, livre Esméralda à la justice parce qu'elle a refusé, avec horreur, de céder à ses avances. Esméralda est condamnée au gibet de Mautfaucon. Frollo la regarde mourir du haut des tours de Notre-Dame; Quasimodo le précipite dans le vide et va mourir à côté du cadavre d'Esméralda.—*Les Misérables* (1850–1862) sont un roman social, symbolique et philosophique, ou plutôt, c'est une série de romans se déroulant autour d'une idée mère. C'est une défense des parias, des éternels vaincus, donnant à entendre que la société elle-même est responsable de leurs crimes. Jean Valjean, le héros un peu idéalisé, mais en même temps vrai et vivant, est le type de la rédemption par le repentir. Après avoir dérobé un morceau de pain, il est jeté en prison; puis, après avoir subi sa peine, il est remis en liberté. Le pardon de l'évêque Myriel, auquel il a volé de l'argenterie, le régénère. Jean Valjean, devenu riche industriel sous le nom de Madeleine, se livre à la justice pour ne pas laisser condamner un innocent à sa place. Jeté en prison, il s'échappe, traqué par le policier Javert. Il assure le bonheur de la petite Cosette, sa fille d'adoption, en lui permettant d'épouser Marius qu'elle aime.[21]

[21] Parmi les autres romans historiques on peut citer: *la Chronique du règne de Charles IX* (1829) de Mérimée, *le Capitaine Fracasse* de Gautier, *les Trois Mousquetaires* et *le Comte de Monte-Cristo* de Dumas père. Les romans de Dumas sont d'une invention prodigieuse et se tiennent un peu à l'écart de la littérature. On peut aussi rappeler quelques œuvres de jeunesse de Balzac.

B. LE ROMAN SENTIMENTAL

GEORGE SAND [22] (1804–1876).   La tendance naturelle de George Sand est d'enfermer des sentiments idéalisés dans un cadre réaliste.   Ses premiers romans célèbrent l'amour, et le mettent au-dessus de toutes les conventions sociales (*Indiana,* 1831).   Vient ensuite la période humanitaire de vague socialisme (*le Meunier d'Angibaut,* 1845).   Enfin, elle s'intéresse à la nature, qu'elle aime.   Elle décrit les paysans et leur donne une fraîcheur naïve, légèrement idéalisée (*la Mare au diable,* 1846).   En dernier lieu, en décrivant la vie du grand monde, elle revient à l'amour mais à l'amour vrai, dépouillé des exagérations romantiques ou des théories féministes de sa jeunesse (*le Marquis de Villemer,* 1861).   Elle apporte un discernement attentif à l'étude de la passion.   Dans *la Mare au diable,* Germain, veuf, avec trois enfants, songe à se remarier.   Il part pour le bourg voisin faire visite à la veuve Guérin qui semble être un bon parti.   Il emmène avec lui la petite Marie, qui va se placer comme domestique.   Le groupe s'égare autour de la « Mare au diable.»   Germain remarque que Marie a des soins maternels pour ses enfants; il découvre aussi les défauts de la veuve vaniteuse et coquette.   Un amour mutuel scellera bientôt l'union de Germain et de Marie.

[22] Le *d* se prononce [sã:d]. Nom de plume d'Aurore Dupin. Issue d'une famille mi-plébéienne, mi-aristocratique, elle épousa M. Dudevant, mais s'en sépara plus tard (avec ses deux enfants). Livrée à elle-même, elle vint à Paris pour essayer du journalisme. Elle se mit ensuite à écrire des romans; le premier fut écrit en collaboration avec Jules Sandeau auquel elle emprunta son pseudonyme en prenant la première syllabe du nom. Sa vie littéraire fut orageuse; l'aventure avec Alfred de Musset n'en fut qu'un épisode. Après la période humanitaire (1839–1848), elle coupa court à la vie de bohème à Paris pour s'installer à Nohant, au centre de la France, et jouir du repos et de la paix de la campagne le reste de sa vie. Dans sa retraite, elle publie plusieurs volumes, se montre excellente grand-mère, et continue d'être l'idole de bien des écrivains jeunes et vieux.

C. LE ROMAN D'ANALYSE

Le roman, dont le but doit être le champ même des réalités, avait subi un recul, grâce aux tendances déclamatoires des Romantiques. Benjamin Constant dans son *Adolphe* (1816), et un peu plus tard, Sainte-Beuve, dans *Volupté* (1834), donnèrent deux des premiers exemples du roman d'analyse, genre qui subsista en dépit du Romantisme. De forme subjective avec Sainte-Beuve, le roman d'analyse devient objectif avec Stendhal. Ce genre se métamorphosa en roman de mœurs, ensuite en roman réaliste avec Balzac, pour se continuer dans le Réalisme et le Naturalisme de Flaubert et de Zola. Les traits caractéristiques de ce genre de roman sont la simplicité, l'exactitude et le pessimisme scientifique, en opposition directe à la fausse couleur locale, au lyrisme et aux exagérations absurdes ou enfantines du roman historique.

Stendhal [23] (1783–1842) fut le premier à combiner le rêve romantique avec la peinture réelle et exacte de la vie, et à faire pénétrer dans le roman cette fine et subtile psychologie, cette passion pour les détails et les petits faits qui font la gloire du roman français. Stendhal est un psychologue réaliste. Il étudie les motifs secrets du cœur humain qui, passés par le moule matérialiste de son tempérament, n'ont d'autre raison que la recherche du bonheur. Bien qu'il n'admette pas les exagérations des Romantiques, leur influence est visible dans plusieurs épisodes de ses romans qui, dans un sens, ont un certain air de parenté avec le roman historique (*le Rouge et le Noir,* 1831; *la Chartreuse de Parme,* 1839). Homme d'action lui-même, Stendhal nous donne des héros qui se frayent un chemin

---

[23] Prononcez: « Stindal » [stĕdal]. Pseudonyme d'Henri Beyle, né à Grenoble. En désaccord avec son père, il servit dans l'armée en Italie et en Russie, où il assista à la retraite de Moscou. Il passa presque tout le reste de sa vie en Italie.

dans la vie, héros dont la volonté ne recule devant aucun obstacle, pas même le crime. Son influence s'est fait sentir dans la critique aussi bien que dans le roman vers la fin du 19e siècle.

D. EN MARGE DU RÉALISME : LE ROMAN DE MŒURS

HONORÉ DE BALZAC [24] (1799–1850) prend au Romantisme son penchant pour le mélodrame, le sentiment, les personnages exceptionnels, l'intrigue fantastique ; mais il ajoute à tout cela le sens du réel, la faculté d'évoquer, avec une force intense, la vie aux multiples facettes de la France de son temps. Son style est inférieur à celui de Victor Hugo, mais il le dépasse par son instinct du réel. Il a le don de l'observation ; il vit avec ses personnages, les fait agir et parler chacun à sa manière. Il présente un tableau d'une exactitude minutieuse dans tous les détails ; soit qu'il peigne un objet extérieur, une chambre, un costume, ou qu'il fasse parler un personnage, on a l'impression d'une réalité présente, immédiate. Balzac n'a pas su voir le beau côté de la vie ; il étudie beaucoup la passion, très peu le véritable amour ; il traite de la question d'argent et d'autres détails matériels, mais on chercherait en vain une lueur spirituelle. Il n'y a chez lui aucun amour sincère de la nature. On rencontre des caractères méprisables peints avec une puissance qui impose l'admiration ; on en trouve peu qui soient dignes de notre amour ou même de notre sympathie. Il est éminemment le peintre des relations sociales ; mais son pin-

---

[24] Né à Tours, Balzac étudia le droit, devint clerc de notaire, imprimeur, et, malgré l'opposition de sa famille, se fit écrivain. Toujours endetté, victime de spéculations malheureuses et de goûts extravagants, il fut harcelé par le besoin d'argent. C'est pour cela qu'il se tua au travail. C'est aussi pourquoi il a donné dans ses romans une place si importante à l'argent. Après quinze ans de correspondance, il épousa une riche polonaise, Madame Hanska. Il mourut quelques mois plus tard.

ceau décrit la vertu et la beauté beaucoup moins bien que le vice et la laideur.   Il a donné à l'ensemble de ses romans, dans lesquels il voulait produire un portrait fidèle de la société moderne, le nom de « la Comédie humaine.»   Cette œuvre se divise en plusieurs séries: scènes de la vie privée, scènes de la vie de province, scènes de la vie parisienne, scènes de la vie politique, scènes de la vie militaire, scènes de la vie de campagne.   Ces romans ne forment pas un tout suivi; les mêmes personnages, cependant, circulent souvent d'un roman à l'autre.

Parmi les romans les plus célèbres, on peut citer; *les Chouans* (1829), *Gobseck* (1830), *Eugénie Grandet* (1833), *le Père Goriot* (1834), *la Recherche de l'absolu* (1834), *le Curé de village* (1839), *la Cousine Bette* (1846), *le Cousin Pons* (1847).   *Eugénie Grandet* a pour thème l'avarice.   Le père Grandet a pour passion dominante l'argent. En apprenant que son frère s'est suicidé à la veille d'une faillite, il dupe les créanciers de celui-ci et s'oppose à l'amour spontané qui éclot entre Eugénie et son cousin Charles. Grandet persuade à sa fille de signer, en sa faveur, tous les droits d'héritage à venir; il meurt à la fin dans un effort pour saisir le crucifix doré qu'on lui présente.   Après la mort du père, Eugénie, devenue très riche, continue d'aimer Charles, mais celui-ci, ignorant de la fortune de sa cousine, la délaisse et l'oublie.   Eugénie paie les créanciers de son oncle, se laisse entraîner à un mariage platonique, et consacre le reste de sa vie à faire le bien.—*Le Père Goriot* représente l'amour exagéré d'un père pour ses enfants.   Goriot, qui s'est dévoué corps et âme pour ses deux filles, finit par se rendre compte de leur ingratitude.   Il leur a donné sa vie, presque son dernier sou; malgré tout, elles le laissent mourir seul dans un misérable taudis où il prend pension, pendant qu'elles mènent une vie de plaisir et de splendeur, empilant dettes sur dettes et trompant leurs maris.

E. LA NOUVELLE [25] DE MÉRIMÉE

PROSPER MÉRIMÉE [26] (1803–1870). Écrivain concis et
réaliste, Mérimée publia, dans divers journaux, en pleine
période romantique, une série de nouvelles de 1829 à 1840.
Son œuvre est moins volumineuse, mais d'un réalisme plus
impersonnel que celle de Balzac. Il vise à des effets dramatiques par la sobriété des détails racontés avec beaucoup
de précision. L'effusion lyrique se transforme en analyse
de caractère; la couleur locale fait place à l'étude des mœurs
et des milieux; l'auteur laisse les personnages à eux-mêmes.
Dans ses contes (*l'Enlèvement de la redoute, Mateo Fal-
cone, Tamango*) ainsi que dans ses nouvelles (*Colomba,*
1840; *Carmen,* 1847), il se plaît à troubler les nerfs de ses
lecteurs par les récits les plus étranges, mais il y met de
l'élégance et montre beaucoup de circonspection dans l'expression. Il dépeint des situations exceptionnelles mais
vraies, eu égard aux lieux où elles se passent et aux circonstances qui les entourent. Mérimée a tout subordonné à
l'effet artistique. Son style pittoresque, plein de vie, est
supérieur à celui de Stendhal qui manque souvent d'énergie.
—Sa fameuse nouvelle *Carmen,* qui a fourni le libretto de
l'opéra de Bizet, est l'histoire d'une jeune bohémienne pour
laquelle un soldat espagnol conçoit un amour ardent. Pour
elle, en effet, il déserte et se fait brigand. Quand il apprend
qu'elle ne l'aime plus, il la tue.

[25] Voir Glossaire.

[26] Mérimée naquit à Paris. Il remplit plusieurs postes importants
et fut un homme de distinction. Grâce à ses relations avec les
Montijo, famille à laquelle Eugénie, femme de Napoléon III, appartenait, il fut en faveur à la cour. En 1853 il devint sénateur. Il
voyagea beaucoup en Espagne et ailleurs. Il commença sa carrière
littéraire en publiant une sorte de mystification, *le Théâtre de Clara
Gazul,* qui prétendait être une série de pièces écrites par une Espagnole; il publia ensuite *la Guzla,* en prétendant que c'était l'œuvre
d'un poète de l'Illyrie.

VI. *L'Histoire à l'Époque Romantique*

L'histoire, avant le 19ᵉ siècle, à part quelques rares exceptions, n'avait pas reçu en France l'attention qu'elle méritait; elle n'avait pas été complètement organisée en science. Bossuet, Montesquieu et Voltaire sont supérieurs à leurs prédécesseurs, mais le premier s'intéresse surtout à la théologie, le second à la philosophie politique, et le dernier, bien que possédant le sens historique, se laisse entraîner trop loin par ses préjugés anti-cléricaux. L'histoire est donc une science du 19ᵉ siècle. C'est à cette époque qu'il est permis de poursuivre la verité pour l'amour de la vérité pure, tâche rendue plus facile par l'abondance de documents historiques nouveaux (par exemple, la publication des *Mémoires* de Saint-Simon). Sous l'influence de Chateaubriand et de Walter Scott, on s'intéresse au passé, mais surtout à l'histoire de France, grâce au patriotisme ardent que la ferveur révolutionnaire de 1789 et les luttes politiques qui suivirent avaient enflammé. On peut mentionner deux courants principaux d'études historiques: (1) la résurrection du passé avec Augustin Thierry; (2) la philosophie de l'histoire avec Guizot.

A. L'HISTOIRE NARRATIVE

Augustin Thierry (1795–1856) donne l'essence de sa doctrine historique dans *la Conquête de l'Angleterre par les Normands* et les *Récits des temps mérovingiens*. Il croit que l'histoire des peuples s'explique par la lutte entre la race conquérante et la conquise. Il choisit donc des faits conformes à sa théorie, ce qui affaiblit un peu la valeur de son œuvre. On lui reproche aussi de ne pas avoir apporté assez de rigueur dans la critique des sources. Il a un dévouement sincère pour la vérité telle qu'il la voit, racontant d'une façon sobre et pittoresque à la fois, de telle sorte qu'il est reconnu maître par la valeur littéraire et l'art dramatique en dépit de prétentions philosophiques.   Il fut le premier à juger par les faits le caractère particulier d'une époque.

B. L'HISTOIRE PHILOSOPHIQUE

1. GUIZOT (1787–1874) était un protestant convaincu, aux sentiments très libéraux.   Comme historien, il cherche les causes, l'enchaînement logique, et des leçons.   Il établit solidement, sur des documents originaux, les bases de son travail, mais s'intéresse aux idées plutôt qu'aux faits.   Ses ouvrages principaux sont: *Essais sur l'histoire de France* (1823), *Histoire de la Révolution d'Angleterre* (1826–1827), *Histoire générale de la civilisation en France* (1845). En plus de beaucoup d'autres écrits historiques, il a écrit une biographie de Washington.

2. DE TOCQUEVILLE (1805–1859), illustre disciple de Montesquieu, étudia la démocratie en Amérique en s'appuyant sur la configuration géographique du pays, les causes historiques, l'organisation sociale et politique.   Il publia *la Démocratie en Amérique* et aussi *l'Ancien régime et la Révolution*.   Dans ce dernier volume il démontre que la Révolution fut le résultat naturel des tendances politiques et sociales de l'ancien régime.

C. L'HISTOIRE INTÉGRALE

JULES MICHELET [27] (1798–1874) ressuscite le passé par les plus minutieux détails, unit à un vaste savoir une imagination vive, et traite les hommes comme le symbole de leur temps.   Son style nerveux et imagé est d'un poète qui fait

[27] Michelet, fils d'un imprimeur ruiné, fit de brillantes études à Paris.   Il fut nommé aux Archives Nationales, enseigna à l'École Normale, à la Sorbonne et au Collège de France.   Il accueillit avec enthousiasme la Révolution de 1848, mais l'Empire le destitua à cause de l'indépendance de ses vues démocratiques.

entrer beaucoup d'imagination dans les faits; l'historien est quelquefois aveuglé par ses préjugés démocratiques. Son *Histoire de France,* à laquelle il travailla de 1830 à 1868, est une épopée, un des chefs-d'œuvre de l'art romantique, que l'on doit, en tant qu'histoire, consulter avec circonspection. Michelet fut le premier à comprendre l'importance de la géographie en histoire.[28]

VII. *Le Mouvement Politique, Religieux, et Philosophique*

Les écrivains de la période romantique ne formèrent pas l'opinion publique comme au temps du 18e siècle. Ils furent artistes plutôt que penseurs, tandis que les penseurs furent rarement artistes.

A. LES PENSEURS POLITIQUES

Les débats politiques, interdits par l'Empire, furent repris sous la Restauration, en 1815. Les pamphlets de PAUL-LOUIS COURIER DE MÉRÉ (1772–1825), infatigable adversaire des Légitimistes, aidèrent au renversement du gouvernement de la Restauration. Sous la monarchie de Juillet (1830–48) GUIZOT, THIERS et LAMARTINE eurent une très grande importance comme orateurs politiques.

B. PRÉDICATEURS ET ÉCRIVAINS RELIGIEUX

Sous l'influence de Chateaubriand et de la monarchie, les idées catholiques firent de grands progrès durant la Restauration.

1. JOSEPH DE MAISTRE [29] (1754–1821), conservateur et dogmatique, ferme soutien du pouvoir absolu, fut un homme d'admirables qualités personnelles. Il attaqua le 18e siècle

[28] Parmi les historiens on peut mentionner aussi Thiers, Mignet, Quinet et de Barante.

[29] Dans le nom *Maistre* l'*s* se prononce.

et combattit la Révolution de 1789.   Il voulut expliquer la Providence et le principe du mal dans le monde par la chute originelle de l'homme.[30]

2. LAMENNAIS (1782–1854), prêtre libéral, essaya d'adapter l'idée catholique à la société moderne; il fut condamné par le Pape.   Son *Essai sur l'indifférence en matière de religion* et ses *Paroles d'un croyant* causèrent une sensation profonde.

3. LACORDAIRE (1802–1861) fut un brillant prédicateur d'une orthodoxie à toute épreuve.   Il essaya de réconcilier l'Église avec la vie moderne, le dogme avec la liberté.   Il aborda hardiment toutes sortes de questions, faisant tous ses efforts pour montrer le côté libéral et démocratique du christianisme.

C. LES PHILOSOPHES

1. VICTOR COUSIN (1792–1867) fut, en philosophie, le maître de toute une génération.   Il est l'auteur de « l'éclectisme.»   Son volume *Du Vrai, du Beau et du Bien* est l'œuvre d'un idéaliste, adversaire de la philosophie matérialiste du 18e siècle.   Il inclina d'abord vers le panthéisme pour revenir, plus tard, à des vues plus orthodoxes.   Après 1830 il se tourna du côté de la politique.   JOUFFROY (1796–1842) fut un de ses principaux disciples.

2. AUGUSTE COMTE (1798–1857), fondateur du « positivisme,» appartient à cette période, bien que son influence se soit fait sentir surtout dans la seconde moitié du siècle. Cette philosophie nous enseigne que l'homme ne peut connaître que les phénomènes, et cela même d'une façon relative. Comte appliqua une méthode scientifique aux phénomènes sociaux, « renonçant à chercher l'origine et la destination

---

[30] Ses ouvrages sont: *Considérations sur la France* (1796) ; *du Pape* (1819) ; *Soirées de Saint-Pétersbourg ou Entretiens sur le gouvernement temporel de la Providence* (1821).

de l'univers,» s'attachant à découvrir les lois auxquelles l'homme est soumis, espérant ainsi fonder une « physique sociale » basée sur une étude des faits, par les méthodes des sciences expérimentales. Ses principaux ouvrages sont : *Cours de philosophie positive* (1830–1842), *Système de politique positive instituant la religion de l'humanité* (1851–1854).

VIII. *La Critique*

1. VILLEMAIN (1790–1867) fut un homme d'idées, au savoir plus large que profond. Il renouvela la critique selon l'esprit de Mme de Staël, c'est-à-dire qu'il considéra la littérature comme l'expression de la société. Il inaugura une critique nouvelle qui, pour prouver un fait, groupe tout ensemble la biographie, l'histoire et les littératures comparées.

2. NISARD (1806–1888) continue la critique dogmatique de Boileau, critique qui consiste à juger toute littérature par des règles fixes de l'art et du goût. Grand admirateur des Classiques du 17e siècle, il condamne le 18e et ne cache pas son hostilité pour le Romantisme.

3. CHARLES-AUGUSTIN SAINTE-BEUVE (1804–1869), CRÉATEUR DE LA CRITIQUE MODERNE. Né à Boulogne-sur-Mer, Sainte-Beuve, après de fortes études classiques, étudia la médecine avant de se consacrer à la littérature. Nous le voyons tour à tour professeur au Collège de France et à l'École Normale, membre de l'Académie et sénateur. Tel fut l'homme qui devint le créateur de la critique moderne en France. Romantique au début, il se sépara ensuite de la nouvelle école pour passer au Réalisme et devenir le représentant le plus distingué de la méthode la moins dogmatique, la plus simple, la plus scientifique qui ait jamais été appliquée à la critique littéraire. Il s'essaya d'abord dans le roman et la poésie romantiques, avec peu de succès ; il publia ensuite son *Tableau de la poésie française au XVIe siècle* (1828),

ouvrage dans lequel il relie le Romantisme à la Pléiade.   Il
fournit à divers journaux des feuilletons hebdomadaires dont
la collection constitue *les Portraits littéraires* (à partir de
1829) et *les Causeries du Lundi* (1849–1861) ; vinrent ensuite son *Histoire de Port-Royal* (galerie de portraits
d'hommes éminents du 17e siècle, 1849–1860) et *Chateaubriand et son groupe littéraire* (1860).   Maître incontesté
de la critique de 1840 à 1865, il forme un trait-d'union entre
la période romantique et la période réaliste.   En passant
d'un groupe à l'autre, il s'efforça de réduire la part du sentiment personnel.   Il ne s'arrête devant aucun obstacle pour
aller droit au fait, libre de toute prévention artistique, morale,
politique ou religieuse.   Il cherche autant que possible à
écrire « l'histoire naturelle des esprits » en y ajoutant une
sympathie chaude et vivifiante.   Villemain trace les lignes
générales d'une vaste époque, Sainte-Beuve s'attache aux
individus ; ses jugements sur les livres sont des jugements
sur les hommes.   Bien qu'en théorie la critique pour lui ne
consiste ni à exprimer une opinion personnelle ni à conclure
par des règles fixées à l'avance, il n'a pas toujours été impartial : sa jalousie l'a rendu parfois injuste pour ses contemporains.   Parmi les *Causeries* les plus intéressantes sont
Qu'est-ce qu'un classique? et celles qui traitent de *Chateaubriand* et des *Pensées de Pascal*.

IX. *Fin de la Période Romantique*

Quand Balzac mourut, en 1850, le Romantisme était pour
ainsi dire vide.   Il avait fait faire une révolution à la prose,
donné une vie nouvelle à la poésie et accordé plus de liberté au
théâtre ; il avait vécu de l'esprit de changement et d'opposition aux règles fixes.   En enseignant que l'art vit d'expérience, il fallait, pour être logique, ajouter une expérience
à une autre, et ainsi *ad infinitum;* le Romantisme mourut
donc de sa propre main.

TROISIÈME PÉRIODE (1850–1890)

(*Époque d'Analyse Critique*)

Aperçu Historique

LE SECOND EMPIRE: NAPOLÉON III (1852–1870). A la suite du *Coup d'état,* Louis Napoléon, neveu de Napoléon Bonaparte, fonda le Second Empire et prit le nom de Napoléon III. Fidèle aux traditions de famille, aussitôt qu'il eut en main le pouvoir, il domina la Chambre et le Sénat, musela la presse et gouverna en maître absolu. Son règne, en dépit des promesses de paix, fut une guerre presque continuelle. Dans la GUERRE DE CRIMÉE (1854–1856) il s'allia à l'Angleterre contre la Russie qui voulait se rendre maîtresse de Constantinople. A la demande du roi Victor Emmanuel et de son ministre Cavour, il aida à chasser les Autrichiens de l'Italie, grâce aux victoires de Solferino et de Magenta. Après certaines négociations qui ne contentèrent pas les Italiens en tout point, la France reçut, en récompense de ses services, la Savoie et Nice qui furent occupées après un plébiscite favorable. Le gouvernement continua la conquête de l'Algérie, puis obtint une partie de la Cochinchine. L'expédition du Mexique, entreprise pour appuyer certains intérêts financiers, aussi bien que pour soutenir l'empereur de ce pays, le prince autrichien Maximilien, fut coûteuse et sans succès.

LA GUERRE FRANCO-PRUSSIENNE (1870–1871). La Prusse, sous la direction de Bismarck, était devenue maîtresse de l'Allemagne. Le trône d'Espagne fut offert à Léopold, cousin du roi de Prusse. La France protesta et Léopold retira sa candidature. Non content de ce succès diplomatique, Napoléon, poussé par l'armée, demanda que le roi de Prusse ne consentît plus jamais à l'avenir à la nomination de Léopold. Le refus (télégramme falsifié par Bismarck, pour ses propres fins) amena la guerre, au mois de juillet,

1870.　La France subit une défaite désastreuse.　Pendant que Bazaine immobilisait son armée à Metz, celle de Mac-Mahon était encerclée à Sedan où l'empereur lui-même fut fait prisonnier.

LA TROISIÈME RÉPUBLIQUE (1870[31] à nos jours).　Les Allemands étant presque aux portes de Paris, on proclama la République, le 4 septembre, 1870.　Gambetta fit des efforts surhumains pour faire revivre l'autorité militaire; ce fut en vain.　En octobre, Bazaine se rendait avec son armée; en janvier, 1871, après une résistance héroïque, Paris capitula. Thiers fut élu chef du pouvoir exécutif et la France signa le traité de Francfort par lequel elle cédait l'Alsace et une partie de la Lorraine, et consentait à payer une indemnité de cinq milliards de francs.　Ainsi finit l'histoire de Napoléon et du Second Empire.　Avant cette guerre, la France s'était enrichie par le développement des chemins de fer et des postes et télégraphes, et l'établissement de puissantes banques.　Le gouvernement s'était montré libéral à l'intérieur; mais en flattant l'égoïsme individuel il avait favorisé la recherche exclusive des intérêts matériels.　En 1869, l'Empire voulut restaurer quelques formes du libéralisme, mais trop tard; la politique inintelligente du Mexique et l'humiliation de la défaite furent fatales à l'Empire.

LA COMMUNE fut le résultat de la guerre; ce fut un soulèvement révolutionnaire à Paris qui fut vite réprimé mais qui coûta beaucoup de sang.

Après la chute de l'Empire, les Chambres qui gouvernaient la nation penchaient pour la royauté; elles ne pouvaient néanmoins réconcilier les exigences contradictoires des Légitimistes, des Orléanistes et des Bonapartistes.　On en vint donc à établir la République telle, ou à peu près, qu'elle fonctionne aujourd'hui.　Le pouvoir législatif appartient au

[31] La République ne fut proclamée définitivement qu'en 1875.　De 1870 à 1875 le pays fut gouverné par une république provisoire.

Sénat (élu par les délégués des Conseils municipaux), et à la Chambre des Députés (élue par vote populaire). Le pouvoir exécutif est exercé par le Président (élu, pour sept ans, par le Sénat et la Chambre) : mais celui qui joue le rôle le plus actif dans la direction du gouvernement c'est le président du Conseil (le premier ministre). Mac-Mahon succéda à Thiers comme Président, et démissionna en 1879; Grévy (1879–1887) et Sadi Carnot (1887–1894) lui succédèrent.

Pendant le Second Empire et au commencement de la Troisième République, on s'intéresse surtout aux questions politiques; on relègue au second plan les questions sociales. L'Empire arrêta l'essor du socialisme. La grande préoccupation de l'Empire fut de ménager les Républicains d'un côté, les Orléanistes et les Légitimistes de l'autre. La République, sous l'aiguillon de la défaite, réussit à unifier les cœurs et à joindre les partis. L'Église aussi était entrée dans l'arène politique. La jeune République voulut apaiser la lutte entre cléricaux et anti-cléricaux. Plus tard, les rancunes politiques firent place aux problèmes sociaux. GAMBETTA fut l'orateur politique le plus distingué de cette époque.

La Littérature

I. *Aperçu Général de la Littérature et des Idées de Cette Période*

La révolte romantique ayant battu son plein, une période de critique et de réalisme la remplaça. Vers le milieu du siècle l'influence de Chateaubriand et de Rousseau, dans la pensée comme dans l'art, semble avoir pris fin. Le positivisme scientifique et non la foi gouverne l'opinion; la loi morale et spirituelle cède le pas aux intérêts matériels : « les nouvelles générations croient à la science—ce sont les hauts esprits; au succès, au bien-être—c'est le plus grand nombre.» [32] Parmi les hommes qui ont exercé une influence

[32] Lanson, *Histoire de la Littérature française*.

considérable à cette époque, nous trouvons Darwin et Claude
Bernard dans les sciences; Comte, Taine et Renan en philosophie et en histoire.

Un penchant vers l'objectivité commence à se faire voir
dans les œuvres de Stendhal, de Balzac, de Mérimée et de
Gautier.   Vers 1850 on voit paraître une nouvelle école à
laquelle on donne le nom de RÉALISME, qui devient plus tard
le NATURALISME.   Cette école dure jusqu'à 1890 environ, et
obtient les plus beaux résultats dans le roman.   La transition
au Réalisme ne fut pas l'œuvre d'un jour; et une fusion im-
perceptible se fait entre le Réalisme et le Naturalisme.   Au
fait, la fusion des deux est si subtile qu'il serait dangereux de
les séparer par une définition absolue; on pourrait, tout au
plus, les éclairer en les expliquant et dire que le Naturalisme
exagère la conception du monde matériel et donne comme résultat le pessimisme et le déterminisme; il attache beaucoup
d'importance à la documentation du roman et s'efforce d'expliquer les questions de morale par la physiologie.   Le théâtre et la poésie furent soumis aux mêmes lois d'évolution,
passant du sentiment et de l'imagination à la réalité objective; seulement ce passage ne s'opéra pas tout à fait au
même moment ni de la même manière que dans le roman.

Il reste des traces de Romantisme dans le Réalisme—« rien
n'est détruit, tout se transforme »—mais, quoiqu'il soit une
réaction contre le Romantisme, le Réalisme lui-même avec
son sentiment de réalité objective est loin d'être un retour
aux idées classiques; c'est simplement un idéal nouveau
qui consiste à combiner le vaste champ des Romantiques
avec la forme étudiée et artistique de l'âge d'or.   Peu
d'écrivains atteignent ce but.

Le Réalisme du 19e siècle diffère aussi du Réalisme psychologique classique en ce sens, qu'il cherche à peindre toute la
nature (en nous et, de préférence, en dehors de nous); il a
la passion du « document »; il étudie tout et veut être indi-

viduel. Le Réalisme classique, au contraire, limite ses sujets et les choisit avec soin; il étudie l'homme moral. Le Réalisme moderne cherche encore à se donner. des airs de science; il tend de plus à être amoral et quelquefois même indifférent aux formes de l'art.

Vers 1880 les poètes SYMBOLISTES suivirent une idée qui se développa parallèlement au Naturalisme du roman et du théâtre; ils demandèrent à l'art des formes plus subtiles. De 1880 à 1890 le Naturalisme aussi bien que le dogme de la science s'affaiblissent. Vers la fin du siècle le Romantisme se réveille épuré, pour ainsi dire, au contact du Réalisme et du Symbolisme.

II. *La Science, la Philosophie et la Critique*

La philosophie et surtout la science furent les sources principales d'inspiration de cette époque. La science aida la littérature à revenir à la simplicité et à la vérité, après les exagérations des Romantiques. Il est vrai que les prétentions scientifiques de certains romanciers naturalistes sont exagérées; mais la discipline scientifique rend, quand même, l'art objectif, d'une vérité sobre; l'élan lyrique lui-même ne s'égare plus. La critique aussi exerça une influence puissante sur la littérature, car c'est par elle que l'esprit historique et scientifique est atteint par les écrivains. L'influence de Sainte-Beuve se continue.

1. CHARLES DARWIN (1809–1882) était connu en France, mais l'œuvre contemporaine qui exerça la plus grande influence est l'*Introduction à la médecine expérimentale* de CLAUDE BERNARD (1813–1878). L'œuvre de PASTEUR (1822–1895) n'a eu qu'une importance secondaire en littérature. AUGUSTE COMTE (voir p. 180) contribua aussi beaucoup à la diffusion de l'esprit scientifique, par lui-même d'abord, et par ses disciples, Littré et Taine.

2. Hippolyte Taine [33] (1828–1893), historien, critique
et philosophe, a été le théoricien du Naturalisme et de la
littérature à prétentions scientifiques.   Suivant sa doctrine
du *déterminisme,* il considère une œuvre littéraire comme le
produit nécessaire de la *Race* (qualités natives), du *Milieu*
(physique et historique), du *Moment* (l'idée culminante de
l'époque), travaillant sous l'influence de la *Faculté Maîtresse*
(la nature).   Ses théories sont exposées et appliquées dans
l'*Histoire de la littérature anglaise, La Fontaine et ses Fables,
Philosophie de l'art.*   Son volume *l'Intelligence* veut démontrer que tous les faits humains obéissent aux lois physiolo-
giques et qu'il n'y a en nous que des sensations et des
instincts.   Cette méthode expérimentale, ce « document humain,» cette sélection de « petits faits » bien choisis, signi-
ficatifs, amplement circonstanciés et minutieusement notés,
ce penchant pour les cas anormaux, saisirent l'attention des
littérateurs et eurent une influence capitale à partir de 1863.
Taine rend la critique littéraire plus exacte, mais aussi trop
dogmatique.   Au cours de la lecture de ses ouvrages, on
découvre parfois que le « fait significatif » devient tel seulement s'il favorise les théories de l'auteur; Taine choisit trop
arbitrairement dans les textes et accorde trop de confiance
à de simples anecdotes.

III. *L'Histoire*

La première partie du 19e siècle vit naître un fort intérêt
dans l'étude du passé.   Le Romantisme, cependant, et l'atmosphère politique, donnèrent aux historiens comme Thierry,
Guizot et Michelet une tendance artistique doublée d'un cer-

[33] Taine fit de solides et sérieuses études.   Sa vie fut sereine,
austère même.   Après la Révolution de 1848, tracassé pour son indépendance philosophique, il quitta l'Université pour se consacrer à ses
travaux personnels.   Il fut appelé à l'École des Beaux-Arts (1864).
C'est seulement après 1870 qu'il devint historien.   Un peu avant sa
mort, il se fit protestant.

tain vernis politique. Dans la seconde moitié du siècle, l'histoire étant devenue objective, les faits sont passés au crible de la critique. Les fondateurs de la science historique sont Renan et Taine; nous pouvons ajouter Fustel de Coulanges (1830–1889) qui n'eut pas de prétentions littéraires mais fut le représentant le plus complet de l'esprit scientifique en histoire.

1. ERNEST RENAN [34] (1823–1892). Des raisons d'ordre intellectuel éloignèrent Renan de l'Église et sa curiosité scientifique le poussa aux recherches historiques. Il fut toujours un idéaliste avec une rare souplesse d'esprit, un artiste sincère ayant l'artifice en horreur. Son principal ouvrage est une étude sur *les Origines du christianisme*. Sa *Vie de Jésus* (1863) marque une époque dans la recherche rationnelle du sujet. La science fut son culte, sa foi; il élimine *a priori* l'élément divin et miraculeux pour ne voir que le fait historique. Dans *l'Avenir de la Science* (1890), il soutient avec enthousiasme que « la science sera la vraie religion de l'avenir.» Il pense qu'il « faut qu'elle s'organise de plus en plus et elle assurera le progrès de l'humanité. Le devoir impérieux de l'heure présente est d'instruire le peuple, de lui communiquer le goût et la religion du vrai.»

2. TAINE (voir p. 188) est un historien austère, aux convictions honnêtes et fermes. Critique littéraire ou historien, Taine croit au déterminisme des phénomènes humains; il traite donc les sciences physiques et morales de la même manière, les étudie suivant les mêmes méthodes. En étudiant

[34] Renan passa sa pieuse enfance en Bretagne. De bonne heure il se destina à l'Église, mais l'étude de la critique biblique lui fit perdre la foi; dès lors, il se consacra à la philologie et à l'histoire religieuse. Il soutint sa thèse de doctorat sur l'arabe Averroës. Il fut chargé, en 1860, d'une mission archéologique en Syrie. Sa sœur, son mentor, mourut pendant ce temps. A son retour en 1861 il obtint la chaire d'hébreu au Collège de France, mais à cause de ses vues avancées, il se rendit suspect à l'Empire, qui le destitua. Il rentra au Collège de France en 1870. Il fut élu à l'Académie en 1878.

le développement de la France, il semble suivre les phases
« d'une métamorphose d'insecte » (*Origines de la France
contemporaine*).   Cette méthode de grouper tous les traits
des grandes figures de l'histoire autour d'un caractère saillant,
d'une faculté maîtresse, peut conduire à l'exagération, mais,
malgré tout, fait penser.

IV. *Le Roman; Réalisme et Naturalisme*

La poésie lyrique domine la première partie du 19e siècle;
le roman occupe la seconde; le fait remplace l'imagination.
Nous observons déjà un penchant vers la réalité, un besoin
de mettre un frein à l'imagination, dans l'œuvre de Stendhal,
dans les derniers romans de George Sand, chez Balzac et
chez Mérimée.   Avec Flaubert, cet esprit nouveau prend le
nom de **Réalisme.**   Les romanciers qui le suivirent prirent
le nom de **Naturalistes,** bien qu'il n'y ait qu'une distinction
assez vague entre les deux.   Les Naturalistes qui se récla-
maient de Flaubert ne tinrent pas toujours le juste milieu
entre l'observation et l'art; leur but fut de faire œuvre de
science, de faire reposer la psychologie sur la physiologie.
Le roman devint, dès lors, un travail de laboratoire; le groupe-
ment des faits fut le devoir du romancier.   Ils semblèrent
s'intéresser surtout aux basses classes de société, et se plaire
à montrer le côté sordide de la vie.

1. Gustave Flaubert [35] (1821–1880), Créateur du
Roman Réaliste, détruisit les rêves extravagants du roman

[35] D'un tempérament poétique, plein d'imagination, ce bourgeois
paisible vécut sans grandes secousses.   Pour plaire à son père, chi-
rurgien à Rouen, il étudia le droit.   En 1843 il eut une crise nerveuse
qui laissa des traces.   Il se retira ensuite dans sa propriété du Croisset, près de Rouen, qu'il ne quitta que pour des visites plus ou moins
fréquentes à Paris, en Corse et en Italie; en 1849 il fit un long voyage
en Orient et à Tunis, en vue de *Salammbô*.   Il partagea sa vie entre
ses travaux littéraires et ses amis, George Sand, Sainte-Beuve, les
Goncourt, Daudet, Zola, Maupassant, et d'autres.   *Madame Bovary*
et le procès retentissant qui en fut la suite le rendirent fameux.

romantique en unissant à la puissance d'observation de Balzac la conscience artistique de Mérimée. Sa méthode consiste dans l'accumulation des petits faits conduisant à un résultat scientifique par la juxtaposition des détails bien choisis. Flaubert est un artiste qui étudie patiemment ses personnages et les fait vivre; sa technique est scrupuleuse et savante; « il tourne et retourne sa phrase » jusqu'à ce qu'il ait atteint la perfection. Ce souci de la forme le rend grand écrivain, maître de la prose. Tout en cherchant à exprimer la plus complète réalité objective, il ne cache pas son mépris du bourgeois et de la commune humanité qu'il trouve vulgaire et mesquine. Dans le choix de ses sujets, il a une tendance évidente à « voir dans les objets dénués de beauté, matière à œuvre d'art.» Par ses préjugés, par son tempérament, par ses admirations littéraires non moins que par son éducation, il est romantique; il l'est encore par sa haine du bourgeois et de la morale bourgeoise. Il a soif d'étrangeté, d'énormité, d'exotisme. Il devient réaliste en domptant son imagination, en l'éliminant même de son œuvre.—*Madame Bovary* (1857), chef-d'œuvre de l'école réaliste, est une étude de la psychologie maladive d'une petite bourgeoise de province; c'est aussi l'histoire simple et touchante de la femme dont l'imagination est grisée par les lectures romantiques. Son mari, qui ne la comprend pas, est un médecin de campagne maladroit et bonace. Pénétrée du morbus lyrique, elle abandonne mari et enfant pour se jeter dans les excès de folie amoureuse; désabusée, elle se tue de désespoir.—*L'Éducation sentimentale* (1869) est encore plus déprimante; c'est l'écoulement d'une vie, l'évanouissement de chimères nées d'espérances juvéniles dans l'existence monotone d'une petite ville.—*Salammbô* (1862) est une évocation puissante, quelque peu fatigante, de Carthage au temps des guerres puniques. Ce roman historique est basé sur une étude patiente de documents archéologiques. Le sentiment en est complètement banni;

seule une inclination au pessimisme se fait jour. Le livre
parle de la révolte des soldats d'Hamilcar, de leur triomphe
momentané et de leur destruction. Salammbô, fille d'Hamilcar, meurt de désespoir après la mort du barbare Matho
qu'elle aime.—Des *Trois contes* que Flaubert donna en 1877,
Un cœur simple est le mieux réussi.

2. LES GONCOURT [36] (Edmond, 1822–1896; Jules, 1830–
1870) occupent une place prépondérante dans le développement du Naturalisme. Leurs études historiques leur donnèrent le don de la recherche patiente des détails exacts. Ils
apportèrent ainsi dans le roman la passion pour « le document humain,» prenant pour sujets des faits authentiques,
souvent enregistrés dans leur fameux *Journal*. Ils choisirent
de préférence l'anormal, et se firent les champions du principe
contestable que plus il y a de grossièreté dans la matière,
plus il y a de vérité dans l'œuvre.—*Renée Mauperin* (1864)
est l'étude psychologique de la jeune fille moderne.—*Germinie
Lacerteux* (1865), le plus réaliste de leurs romans, trace le
portrait de la servante.—*Madame Gervaisais* (1869) analyse
l'hystérie religieuse.

3. ÉMILE ZOLA [37] (1840–1902). Malgré ses prétentions à
une documentation scientifique, l'imagination de Zola, ce
théoricien des Naturalistes, dépasse de beaucoup sa science.
Il n'a jamais compris la différence qui existe entre une expérience scientifiquement conduite dans un laboratoire, et les

---

[36] Jouissant d'une fortune qui leur donna l'indépendance, les frères
Goncourt purent étudier, voyager à loisir et satisfaire leurs goûts
artistiques. Ils débutèrent en histoire mais se tournèrent plus tard
définitivement du côté de la littérature. Le *Journal des Goncourt*
fut publié en 9 volumes, 1887–1895.

[37] Zola, fils d'un ingénieur italien, eut une jeunesse pauvre et igno-
rée. Il fut employé à la librairie Hachette pendant un temps, puis se
consacra au journalisme et à la littérature. Il soutint la cause de
Dreyfus avec véhémence. Travailleur infatigable, il fut un réformateur aimant le vrai, mais intolérant. Ses principes et sa méthode ont
été très discutés. Il eut pour amis Flaubert, Daudet, les Goncourt et
Tourgueniev.

faits psychologiques du roman qui ne sont qu'arbitraires. Il transforme les faits, imagine des situations, personnifie des objets inanimés. Il ne voit dans l'homme que la vie animale agissant sous l'impulsion du système nerveux ou sous l'influence des phénomènes de la nutrition. En dépit de son penchant pour la grossièreté du fait brutal, il possède une puissance d'imagination révélatrice qui lui permet de vivre au milieu de ses personnages sans perdre la foi en un idéal de justice et de fraternité dans le monde. Dans une série de romans, Zola représente les effets de l'hérédité dans une famille du Second Empire, les Rougon-Macquart.—Dans *Germinal* (1885) il montre le tempérament des mineurs en grève.—*La Débâcle* (1892) fait un tableau saisissant de la défaite de l'armée française en 1870 et de la Commune qui suivit; Zola n'y voit que l'incompétence, la misère, la sombre tristesse qui s'étendit sur le pays.—*L'Assommoir* (1877) décrit les ravages de l'alcoolisme et la condition navrante de l'ouvrier parisien.—Nous avons aussi de Zola quelques écrits d'une atmosphère plus sereine, tels que les *Contes à Ninon, Une page d'amour, le Rêve,* ainsi que des œuvres critiques: *le Roman expérimental* (1880), et *les Romanciers naturalistes* (1881).

4. ALPHONSE DAUDET [38] (1840–1897). Daudet voit la vie avec bienveillance et sympathie; c'est peut-être pour cette raison qu'on l'a nommé le « Dickens français.» D'aucuns l'associent à l'école naturaliste, mais en vérité c'est un réaliste

---

[38] Daudet naquit à Nîmes, dans le Midi de la France. Son père ayant subi des revers de fortune, Alphonse dut s'engager comme surveillant dans un collège où les salaires étaient maigres et la nourriture encore plus (voir *le Petit Chose*). Plus tard, il alla rejoindre son frère Ernest à Paris où il vécut d'une vie libre, interrompue par quelques voyages. Pendant la guerre franco-allemande il servit dans la garde nationale. Sa vie fut un exercice littéraire continuel. Il publia un volume de poésies, quelques pièces de théâtre, des articles de journaux, romans et contes. Sa vie de famille fut très heureuse. Son fils Léon s'est distingué dans le journalisme.

doué d'émotion et de finesse avec une imagination de romantique. D'ailleurs, ses théories n'ont jamais gâté son
talent. Il se distingue des Naturalistes par sa préférence
pour la couleur, le pittoresque, sa sympathie et sa compréhension de la vie et par les descriptions attrayantes de la plupart de ses personnages. C'est un poète qui sait voir le beau
et le laid. Lui aussi a mis une dose de vie vécue dans son art
et déversé ses notes dans ses romans (*le Petit Chose, Jack,
Froment jeune et Risler aîné, Sapho*). Son *Tartarin de
Tarascon* (1872) trace d'une main de maître le portrait du
Provençal; ce portrait est débordant d'ironie bienveillante,
d'esprit pétillant, légèrement personnel, car Daudet est lui-
même un fils de Provence. Il s'attendrit sur les malheureux;
il y a des scènes d'un pathétique contenu dans *le Petit Chose;*
c'est qu'il a vécu ce qu'il a écrit. Il est surtout connu par
ses collections de contes, *Lettres de mon moulin* (1869) et
Contes du lundi. C'est dans cette dernière série que nous
trouvons *la Dernière Classe* (épisode d'après guerre, 1870–
1871; un vieil instituteur alsacien enseigne le français pour la
dernière fois avant l'occupation allemande).—*Le Siège de
Berlin* (autre épisode de la guerre franco-allemande de 1870)
raconte la marche imaginaire de l'armée française sur Berlin,
lorsqu'en réalité l'armée allemande victorieuse s'avance sur
Paris.—Une pièce de théâtre, *l'Arlésienne* (1872), a son importance dans le développement du drame moderne.

5. GUY DE MAUPASSANT [39] (1850–1893), disciple de Flaubert, est, au sens précis du mot, un Naturaliste qui possède
une vision très nette des choses et les revêt d'un art exquis.
Son style, d'une simplicité rigoureuse, est impersonnel; son
observation est amorale jusqu'à l'indifférence. Bien qu'on
prétende que son pessimisme n'est pas dans l'auteur même,

[39] Maupassant, Normand de naissance, passa son enfance en Normandie. Il servit dans l'armée pendant la guerre de 1870, et fut plus
tard employé de bureau au ministère de la marine. Il souffrait d'une
affection nerveuse et mourut fou.

mais dans les choses, il est évident que son observation s'arrête de préférence aux situations tristes et scabreuses, aux gens vulgaires exposés aux luttes de la vie; et cela donne à son récit un accent d'âpre ironie. Ses principaux romans sont: *Pierre et Jean* (1888), *Bel-Ami* (1885), *Une vie* (1883). Dans le conte, il est sans rival.—*La Ficelle* décrit un paysan normand allant au marché. On l'a vu ramasser un bout de ficelle, et l'imagination d'autrui l'accuse, bel et bien, d'avoir ramassé un porte-monnaie. L'accusation fausse le fait souffrir; il s'alite et meurt de chagrin.—*La Parure* est la simple histoire d'une femme d'employé qui se croit née pour de grandes choses. Le ministre de l'Instruction Publique donne un bal auquel elle assiste. Elle emprunte un collier de diamants, le perd, lutte et peine dix ans pour le remplacer. Elle découvre alors seulement que les diamants du collier qu'elle avait perdu étaient faux.

V. *Le Théâtre*

En 1850 le drame romantique a fait son temps; la tragédie classique du 17e siècle est une relique du passé; le champ est libre. L'étude de la vie réelle est dans l'air. Scribe avait enseigné au public à demander une intrigue intéressante qui fût développée avec un art consommé. La dualité de principe—réalisme et intérêt—se trouve dans la *Comédie de mœurs*. Les pièces à thèse de ce groupe, qui discutent des problèmes sociaux, ont un double but: amuser et instruire.

A. LA COMÉDIE DE MŒURS

1. ÉMILE AUGIER [40] (1820–1889) débuta par des pièces en vers qui obtinrent un bon succès, telles que *la Ciguë* (1844)

[40] Augier, né à Valence, d'une excellente famille, fit de bonnes études à Paris. Après avoir étudié le droit, il se consacra à la littérature. Il a le caractère d'un bourgeois paisible et heureux, à l'aspect large et libéral. Il fut élu à l'Académie en 1857.

et *l'Aventurière* (1848).   Celle-ci nous révèle déjà les tendances anti-romantiques de l'auteur.   Sa réputation repose
sur ses comédies en prose, dont les plus connues sont: *le
Gendre de M. Poirier* (1854), *le Mariage d'Olympe* (1855),
les Lionnes pauvres (1858), *le Fils de Giboyer* (1862) et
Maître Guérin (1862).—Poirier est un bourgeois enrichi et
ambitieux, dont le gendre, un noble ruiné, trompe sa femme.
A force de grâce, de séductions et de courage, celle-ci parvient
à sauver son bonheur et à gagner le respect de son mari.   La
pierre de touche de cette pièce est la lutte sociale de la
noblesse et des riches parvenus.—Le style de l'auteur est
plein de chaleur et de sincérité; son observation est juste,
ses personnages sont vivants et respirent la vie.   Le dénouement de ses pièces est toujours heureux.   Augier est le
défenseur de la morale des honnêtes gens et de la famille.
Il condamne la frénésie de la richesse; « l'argent ne fait pas
le bonheur.»   Il déplore le scepticisme de l'époque et attaque
l'action politique des Jésuites.   Un sens rigoureux des réalités soustrait son œuvre aux dangers de la thèse et l'empêche
de s'annihiler dans l'abstraction.

2. Alexandre Dumas (fils) (1824–1885), fils naturel du
romancier, semble avoir eu à souffrir, dans sa jeunesse, d'une
tare sociale, ce qui l'entraîna plus tard à discuter les questions
morales et sociales sur la scène.   Il débuta par des romans,
mais le succès de *la Dame aux camélias* (1852) le lia définitivement au théâtre.   L'interdiction de la censure fut une
sorte de réclame pour cette pièce, qui fait penser à *Marion
de Lorme* de Victor Hugo; sa thèse est la régénération de la
courtisane par l'amour.   Le cadre est réaliste, la forme simple.   Cette pièce a produit une impression profonde.   Ce
n'est pas là, cependant, la vraie vocation de Dumas; il se
dévoile et se caractérise surtout dans la pièce à thèse, à
tendance morale, comme dans *le Demi-monde* (1855), *la
Question d'argent* (1857), *le Fils naturel* (1858), *les Idées*

de Madame Aubray (1867), et *Denise* (1885).   Il voudrait,
par le «théâtre utile,» réformer la société; mais il est à
craindre que parfois son enseignement ne nuise à son art.
La construction, cependant, est toujours très solide, le dialogue éclatant d'esprit.   Il attaque l'amour de l'argent, combat l'égoïsme de l'homme, condamne la mauvaise organisation de la famille et demande des lois justes capables de fortifier le foyer, qui devrait être fondé sur l'égalité, la justice et
l'amour.   Bien que, généralement, il garde et respecte les
conventions, il introduit souvent des caractères exceptionnels et les entoure d'une auréole de sympathie, puis demande pour eux non seulement charité mais justice.—Dans
le Demi-monde une aventurière cajole un officier et l'amène-
rait au mariage si un ami ne lui désillait les yeux à temps.
Le titre de cette pièce a donné un mot nouveau à la langue.
En 1924 la pièce eut sa quatre-centième représentation à la
Comédie Française.   *La Dame aux camélias* et *Denise* atti-
rent à chaque représentation un nombreux public.

B. LE THÉATRE NATURALISTE

1. Henri Becque (1837–1899), avec sa franchise brutale et son esprit caustique, ne fut jamais populaire; il
éprouva même des difficultés à faire représenter ses œuvres.
Sa vie fut faite de labeurs.   Voulant réagir contre l'opti-
misme indulgent de Scribe et de Sardou, il exposa la vérité
toute pure, le fait brutal, «la tranche de vie,» sans préoccupation morale.   Avec un âpre pessimisme, une observation
pénétrante mais amère, il a fait le portrait d'une société composée de fripons et de dupes.   L'intrigue, chez lui, est réduite au minimum indispensable pour relier les scènes entre
elles.—Dans *les Corbeaux* (1882) nous voyons la veuve d'un
homme d'affaires, laissée avec trois filles, se débattre dans
une lutte pour la vie, au milieu de gens sans scrupule.   Une

des filles, pour épargner à sa mère et à ses sœurs de mourir
de faim, épouse le vaurien qui a réussi à s'emparer de leur
argent.—*La Parisienne* (1885) donne le portrait d'une petite
bourgeoise qui fait de son mieux pour vivre en paix entre
son mari et ses amants; elle nous induit à comprendre, indirectement du moins, qu'un amant peut devenir aussi ennu-
yeux qu'un mari légal.

2. L'effort de Becque fut de faire du Naturalisme à outrance.   Ce mouvement, qui se fit sentir au théâtre [41] plus
tard que dans le roman, fut continué par le THÉATRE LIBRE
(fondé par Antoine, en 1887).   Le but était de permettre
plus de liberté aux auteurs dramatiques, de donner plus de
vérité à la mise en scène et de couper court au commercialisme
vénal de certains auteurs.   Antoine et ses collaborateurs ont,
il est vrai, donné des pièces cyniques, brutales, grossières;
mais ils s'efforcèrent aussi de montrer la réalité toute nue
avec une perfection minutieuse dans le décor et la représentation.   De plus, ils firent connaître plusieurs auteurs
excellents; ils révélèrent également aux Français des auteurs
étrangers tels que H. Ibsen et G. Hauptmann.

C. LA COMÉDIE GAIE

1. EUGÈNE LABICHE (1815–1888), fertile en inventions
cocasses, en quiproquos provoquant des situations comiques,
possède toujours un grain de bon sens qui relève ces drôle-
ries et un brin d'observation morale qui sert de conclusion;
tel, par exemple, *le Voyage de M. Perrichon,* où un parvenu
veut se faire passer pour brave.

2. VICTORIEN SARDOU (1831–1908), dénué de profondeur
mais doué d'une excellente technique de mise en scène, est
le successeur de Scribe.   C'est un auteur fertile à la verve
divertissante et satirique, comme dans *les Pattes de mouche*

---

[41] Daudet, dans *l'Arlésienne* (1872), avait donné un des premiers
exemples du Naturalisme au théâtre.

(1860) et *Divorçons* (1880).   Il a écrit aussi des pièces plus sérieuses : *Patrie, la Haine, Fédora, La Tosca.*

3. É. PAILLERON (1834–1899) a fourni un modèle de comédie de mœurs moderne dans *le Monde où l'on s'ennuie* (1881).

4. MEILHAC et HALÉVY ont collaboré dans plusieurs agréables comédies : *Froufrou* (1869), etc.   Ils se sont distingués dans l'opérette : *La belle Hélène* (1864), etc.

D. LE DRAME EN VERS

Ce genre fut un retour à l'idéal, à la poésie, à la morale sans exagération romantique, une offensive contre le réalisme effréné.   Citons : *la Fille de Roland* (1875) d'HENRI DE BORNIER.   C'est un drame patriotique destiné à donner du cœur aux Français après la défaite de 1870.   Mentionnons aussi *le Passant* (1869) de FRANÇOIS COPPÉE.   Ce genre se continua dans une autre pièce de Coppée, *Pour la Couronne* (1895), ainsi que dans les pièces en vers de Jean Richepin et d'Edmond Rostand.

VI. *La Poésie*

A. LA FIN DU ROMANTISME

En poésie on délaisse le Romantisme pour se livrer à un art plus serein, plus approfondi, comme nous l'avons remarqué dans la période de maturité de Gautier et comme nous allons le voir dans la forme ciselée de Baudelaire. Pendant ce temps, Victor Hugo, qui continue à écrire jusqu'à sa mort en 1885, ne peut guère oublier le Romantisme. Le Romantisme cesse de vivre complètement avec l'imagination brillante mais stérile de THÉODORE DE BANVILLE (1823–1891), un disciple de Gautier dont le cri de guerre est « l'art pour l'art.»

CHARLES BAUDELAIRE [42] (1821–1867).   En dépit de sa puissante imagination, de son culte du rythme, et de son instinct de la beauté classique, Baudelaire se présente comme une figure maladive, étrange, sensitive, se faisant un malin plaisir de nous donner un tableau repoussant de la beauté périssable.   En peignant la vie moderne de Paris avec un réalisme cru, il extériorise le dégoût personnel, l'amertume et l'agonie d'une âme vidée, de laquelle toute illusion s'est enfuie. Il y a en Baudelaire une dualité de pessimisme et de passion. Il est hanté par l'idée de la mort, des misères et des hontes de l'humanité.   Ces idées se trouvent exprimées avec beaucoup d'art dans *les Fleurs du mal* (1857).

B. LA POÉSIE PARNASSIENNE [43]

Les Parnassiens condamnèrent le vague et le laisser-aller romantiques, posant en principe la nécessité d'une poésie impersonnelle, sans sentiment; ils n'eurent de goût, en un mot, que pour l'exactitude de la forme.   Ils recommandèrent la qualité de préférence à la quantité, une pensée nette dans une forme irréprochable.   Ils mêlèrent parfois dans leurs vers des sujets classiques à des scènes tropicales.   Ils poursuivirent le beau sans faire étalage de leur « moi,» mais ne s'interdirent pas complètement l'expression des sentiments personnels; à l'inspiration lyrique ils substituèrent une inspiration savante et intellectuelle.   Quelques-uns se lancèrent dans l'observation objective de la nature; d'autres se distin-

[42] Baudelaire naquit à Paris.   Il fut un admirateur zélé et traducteur habile des contes d'Edgar Allan Poe.   Sa famille, qui voulait le dissuader de suivre une carrière littéraire, l'invita à voyager.   De retour à Paris, il gaspilla sa fortune et vécut d'une vie de bohème. La Révolution de 1848 l'enthousiasma et lui fournit l'occasion d'écrire plusieurs articles violents de journaux.   La publication des *Fleurs du mal* fit scandale: il fut condamné par le tribunal pour corruption de mœurs.   Il fut candidat à l'Académie mais retira sa candidature après avoir été élu.

[43] Ce nom dérive d'une collection en vers, *le Parnasse contemporain* (1866–1876), à laquelle plusieurs auteurs de ce groupe contribuèrent.

guèrent par l'analyse subtile de l'émotion; d'autres encore
par une précision scientifique. Considéré sous le rapport
de l'impersonnalité pure, Leconte de Lisle (le chef) et Heredia (son disciple) sont de vrais Parnassiens.

1. LECONTE DE LISLE [44] (1820–1894). Comme résultat
de ses voyages en Orient, il a laissé: *Poèmes antiques* (1852),
Poèmes et poésies (1862), *Poèmes barbares* (1884). Nous
ne sentons pas battre le cœur dans sa poésie; elle manque de
charme excepté pour les initiés; l'effort est visible, mais, par
contre, la construction du vers est parfaite. Le poète repro-
duit avec une exactitude scientifique les accidents des civilisations exotiques, et dans la description détaillée des paysages
et des animaux il a la précision d'un peintre. Pour se conso-
ler d'un incurable pessimisme, il se tourne vers le passé
lointain; il conte les légendes de la Grèce et de l'Orient, et
semble les préférer aux civilisations modernes. Sa philosophie, mêlée de bouddhisme et de science moderne, respire
le pessimisme austère et aspire à l'anéantissement qui est le
bien suprême, le Nirvana final. Il exprime avec amertume
son dégoût pour la vie et la laideur du monde. Parmi ses
chefs-d'œuvre sont: *Bhagavat, Midi, les Éléphants, la Pan-
thère noire.*

2. JOSÉ-MARIA DE HEREDIA [45] (1842–1905). Son recueil

[44] Leconte de Lisle naquit à l'île de la Réunion, à l'est de l'Afrique.
Il voyagea dans l'Inde et ailleurs, mais passa la plus grande partie de
sa vie en France. De tendances démocratiques, il accueillit avec ferveur la Révolution de 1848 et aida au passage du décret pour l'émancipation des nègres. Comme résultat, sa famille fut ruinée et lui-même
perdit ses émoluments. Il mit peu d'enthousiasme à étudier le droit,
mais se dévoua tout entier à la poésie au moment où fut établi
l'Empire. Sa maison devint le centre littéraire des Parnassiens.
L'Empereur lui donna une pension et l'Académie le reçut plus tard
comme successeur de Victor Hugo.

[45] De Heredia naquit à La Fortuna, Cuba, d'une mère française et
d'un père espagnol. Il passa sa vie en France. Il étudia à l'École
des Chartes et fréquenta les savants et les philosophes. Son nom,
étant espagnol, se prononce comme si les voyelles *e* portaient l'accent
aigu (Hérédia).

de sonnets, *les Trophées* (1893), déjà bien connus avant
d'être réunis en volume, le rendit fameux.   C'est un ciseleur
habile; chacune de ses pièces est un morceau substantiel et
compact, un poème en miniature (*Soir de bataille, Antoine
et Cléopâtre,* etc.).   S'il n'a pas la même verve intellectuelle
que Leconte de Lisle, il n'en a pas non plus le pessimisme; il
exprime la joie et la force dans la beauté.

3. SULLY PRUDHOMME (1839–1907) commença par de
sérieuses études scientifiques qui lui valurent d'être nommé
ingénieur.   Il se tourna ensuite vers la philosophie et la
littérature.   Il a l'amour de la technique d'un Parnassien,
mais il croit que le poète ne doit écrire que pour exprimer
des sentiments intimes et une philosophie; le monde matériel n'a d'intérêt pour lui qu'autant qu'il stimule la pensée.
Sully Prudhomme obtint son plus grand succès dans de
courtes méditations poétiques, petites pièces d'un art consommé qui furent publiées en plusieurs collections de 1865
à 1875.   Parfois sa pensée prend une tournure didactique,
parfois son art frise la prose; mais il reste par-dessus tout
le poète du cœur par sa pitié discrète et la noblesse de son
idéal.   Il est connu surtout comme auteur du *Vase brisé.*
La Justice (1878) et *le Bonheur* (1888) sont des poèmes
métaphysiques et symboliques; le premier se résume dans
cette phrase : « la justice est l'amour guidé par la lumière.»
Élu à l'Académie en 1881, il reçut le prix Nobel en 1901.

4. FRANÇOIS COPPÉE (1842–1908).   Possédant l'art de
peindre en poésie avec exactitude, il a aussi la faculté de
faire une place aux réalités banales de la vie courante.   Il
croit que la souffrance, l'amour et l'espérance de l'homme,
même le plus humble, constituent une vraie source de poésie.
Il termina sa carrière par une évolution marquée vers la foi.
Il a écrit aussi des pièces de théâtre ainsi que plusieurs contes
en prose.

C. LES SYMBOLISTES

Le mouvement symboliste se fit remarquer vers 1885. On était las de l'intellectualisme aussi bien que de la peinture du monde extérieur des Parnassiens; on revendique maintenant le droit à la sensibilité; on croit fermement que les choses ont une âme. Notre devoir est donc de chercher à comprendre la correspondance intime qu'il y a entre le monde et nous, mais cela ne peut s'exprimer que par symboles. On était repu de science et de philosophie; ce qu'on cherchait, c'était l'inspiration au dedans. Partant de cette idée, les Symbolistes jetèrent par-dessus bord la grammaire qui les gênait et la métrique qui les embarrassait. Aux peintures et aux idées, ils préféraient la musique; « de la musique avant toute chose,» disait Verlaine.

Arthur Rimbaud (1854–1891) fut un précurseur. Stéphane Mallarmé (1842–1898) fut le théoricien de l'école, mais ses disciples rendirent le mouvement ridicule par leurs exagérations; il publia *l'Après-midi d'un Faune* (1876); *Poésies Complètes* (1887).

Paul Verlaine [46] (1844–1896), malgré la faiblesse de quelques-unes de ses théories, en dépit du duel de l'esprit et de la chair, a laissé une poésie d'une beauté harmonieuse, pleine d'une mélancolie pénétrante, dans laquelle il lamente ses fautes et verse des larmes de repentir. Il est le plus grand représentant de l'école. Ses théories se trouvent résumées dans son *Art poétique*. Il passe du cynisme ou du désespoir à la plus haute, la plus suave religiosité mystique. Mentionnons parmi ses poésies: *Nocturne parisien, Ariettes oubliées.*

---

[46] Verlaine naquit à Metz. Il voyagea beaucoup, puis s'établit à Paris. Il fut incarcéré après avoir déchargé une arme à feu (peut-être par accident) et légèrement blessé son ami le poète Rimbaud. Converti au catholicisme mais victime de ses habitudes pernicieuses, il mena jusqu'à sa mort une existence de bohème.

A l'Étranger

1. EN ANGLETERRE. Les plus grands poètes romantiques furent: WORDSWORTH, COLERIDGE, SCOTT, BYRON, SHELLEY, KEATS. A la période qui précède le Romantisme appartiennent les romans de JANE AUSTEN. WALTER SCOTT est le premier romancier romantique. BROWNING et TENNYSON appartiennent à la seconde période poétique. Les romans de DICKENS et de THACKERAY sont de la période postromantique. Après 1850, paraissent les romans des sœurs BRONTË, de GEORGE ELIOT, de MEREDITH et de HARDY. Le théâtre est insignifiant dans ce siècle. L'*Origin of Species* (1859) de DARWIN produisit une révolution dans le monde de la pensée. Le moyen âge inspira le mouvement préraphaélite et celui d'Oxford, en art, en pensée et en religion. Le développement de la critique sociale doit son expansion à CARLYLE, à RUSKIN et à MATTHEW ARNOLD.

2. EN ESPAGNE. Ce pays n'accepta que plus tard le mouvement romantique avec ESPRONCEDA, ZORRILLA et RIVAS en poésie; ZORRILLA et RIVAS dans le théâtre. Le Réalisme suivit. La seconde moitié du siècle vit éclore un groupe illustre de romanciers tels que ALARCÓN, VALERA, PEREDA, PÉREZ GALDÓS, PALACIO VALDÉS. Dans la poésie lyrique nous voyons fleurir CAMPOAMOR; ECHEGARAY montra beaucoup de talent au théâtre.

3. EN ITALIE. Nous constatons ici le même mouvement. La lutte pour l'indépendance nationale alla de front avec la querelle des Romantiques et des Classiques. MANZONI est l'auteur d'un roman historique, *I Promessi Sposi,* de poésies lyriques et de deux tragédies. Le poète pessimiste LEOPARDI est un humaniste classique. Depuis 1850 les poètes, romanciers et auteurs dramatiques pullulent; les plus célèbres sont le poète et critique CARDUCCI, l'auteur dramatique, poète et romancier païen d'ANNUNZIO, le romancier néo-catholique FOGAZZARO.

4. En Allemagne. Richter (1763–1825) fut, avec les
Schlegel, Novalis et Tieck, un des principaux chefs du
Romantisme. Parmi les philosophes de cette époque figurent
Fichte, Hegel et Schelling. En Allemagne, le Romantisme avait déjà vécu, à la mort de Goethe (1749–1832).
Le poète Heine est le trait-d'union entre la première et la
seconde moitié du siècle. Le roman est presque entièrement
social, surtout après 1848. Dans le drame sérieux, avant
1870, nous voyons Hebbel et Heyse. Schopenhauer (le
philosophe pessimiste) et les frères Grimm (savants réputés)
sont de la même époque. Dans le théâtre de la seconde moitié
du siècle, les auteurs les plus distingués sont Sudermann et
Hauptmann. Leurs tendances sont démocratiques, presque
socialistes, et leur art a toute la valeur du Naturalisme.

5. En Russie. La première vague d'influence étrangère
vint de la France, au 18e siècle, au moment où l'on écrivait
des vers à l'exemple de Boileau et des tragédies à l'imitation
de Corneille, de Racine et de Voltaire. Il y eut une brève
période d'élan romantique au commencement du 19e siècle.
La littérature russe moderne ne commence vraiment qu'avec
Pushkin (1799–1837), poète, romancier et auteur dramatique, et Gogol (1809–1852). Le roman, source de la
plus grande gloire littéraire de la Russie, apparaît comme un
météore dans la seconde moitié du 19e siècle avec Tourgueniev, Dostoyevsky et Tolstoy.

6. En Scandinavie. Il y eut dans les pays scandinaves,
dans la seconde moitié du 19e siècle, un nouveau courant
d'idées religieuses, morales et sociales qui eurent une profonde répercussion en France. Henrik Ibsen (1828–
1906), dramaturge puissant, est l'apôtre de la liberté individuelle et du développement de la personnalité. Le Théâtre
Libre (1887–1896) et surtout le Théâtre Antoine (1897–
1906) à Paris, représentèrent un grand nombre de ses

pièces. BJÖRNSTJERNE BJÖRNSON (1832–1910) fut poète, romancier et auteur de plusieurs pièces de théâtre. Son roman, les *Voies de Dieu,* le révéla penseur et mystique. Dès 1880 on commença à traduire Björnson en France. De Curel, Porto-Riche, Brieux, Donnay, etc., portent les marques de l'influence scandinave. En Angleterre, Bernard Shaw s'est montré grand admirateur d'Ibsen. Citons aussi JEAN-AUGUSTE STRINDBERG (1849–1912), romancier et auteur dramatique suédois.

CHAPITRE VII

L'ÉPOQUE ACTUELLE (DEPUIS 1890)

Aperçu Historique

La Troisième République préside encore aux destinées de la France. Sous l'égide du gouvernement, les ouvriers ont bénéficié de nouvelles lois votées en leur faveur, l'instruction publique s'est étendue, et l'armée a été organisée sur de nouvelles bases. Le Second Empire avait commencé la colonisation; la République l'a continuée jusqu'au moment de la Grande Guerre; elle a, de plus, étendu son domaine au nord de l'Afrique. En 1894 la France s'allia à la Russie; en 1895 elle acquit Madagascar.

A la fin du siècle, le scandale de l'affaire Dreyfus eut un grand retentissement. Dreyfus, jeune capitaine juif, accusé d'avoir vendu des documents secrets à une puissance étrangère, fut condamné. La revision du procès prouva que la condamnation reposait sur des données fausses et Dreyfus fut rétabli dans ses droits de citoyen. L'incident tira son importance du conflit entre les républicains, les réactionnaires, et les cléricaux anti-sémites. L'affaire se termina en 1906. L'Église, fortement engagée dans la lutte, se rendit hostile au gouvernement.

Le 20e siècle s'annonça par une controverse envenimée qui amena la séparation de l'Église et de l'État. La religion de l'État était catholique. Le Concordat de 1801 entre Napoléon et le Pape Pie VII réglait les rapports de la France avec le Saint-Siège. Le clergé recevait un traitement du gouvernement, qui nommait les archevêques et les évêques. Trois cultes étaient reconnus par l'État: catholique, protestant, juif. L'Église prospéra sous ce régime; elle acquit de vastes domaines exemptés d'impôts ; les congrégations d'hommes et de femmes se multiplièrent et les écoles religieuses devinrent très puissantes.   Mais on accusa l'Église de donner un enseignement hostile à la République, accusation qui eut pour effet, plus tard, la complète laïcisation de l'instruction publique en France.   La loi du 2 décembre 1905 brisa le Concordat. La séparation de l'Église et de l'État fut complète ; prêtres, ministres protestants et rabbins devront vivre désormais de la générosité des fidèles.

En 1904 la France ajouta à l'alliance russe, déjà vieille de dix ans, l'entente cordiale avec l'Angleterre.   En 1906 et en 1911 la France fut à deux doigts de la guerre avec l'Allemagne.   La Grande Guerre éclata en 1914.

Les Présidents de la République française qui se sont succédé depuis 1900 sont : Loubet, Fallières, Poincaré, Deschanel, Millerand, Doumergue, Doumer et Le Brun.

La Littérature

Tendances Générales.   En 1889, quand Paul Bourget publia son *Disciple,* roman à thèse, d'un caractère moral à forte tendance religieuse, Taine, critique distingué et philosophe du déterminisme, écrivait à l'auteur : « Ma génération est finie.»   Il semble avoir eu raison, si nous considérons les changements et les bouleversements qui ont eu lieu en France. Même avant 1890 la foi dans la science et la croyance au Naturalisme semblaient pencher vers leur déclin.   L'appel de la religion se fit entendre de nouveau, en même temps que les enseignements de la philosophie spiritualiste de Bergson.   On a pu remarquer dans la société un grand intérêt pour les sports et les cercles de jeunesse.   La classe moyenne s'est montrée plus bienveillante à l'égard de l'Église, la qualité morale de la vie y a gagné et une partie de la littérature elle-même en a bénéficié.

Cela ne veut pas dire, sans doute, un retour complet à la

moralité conventionnelle, bien moins à une religion de convention. Des voix discordantes se font encore entendre, les mêmes questions se posent; la littérature, considérée dans son ensemble, est loin d'être morale (du moins au sens anglosaxon) et toutes les questions religieuses ne sont pas résolues à la satisfaction générale. Il y a, cependant, des chefs nombreux et puissants dans le monde de la pensée aussi bien que dans le vaste champ de la morale, dont la voix impose le respect quand elle traite les questions du matérialisme, du pessimisme, de l'irréligion et de l'amoralité (qui ne fut souvent qu'un voile pour déguiser l'immoralité).

On pourrait résumer ces tendances nouvelles par le mot « tradition,» bien que la constance des éléments nationaux, intellectuels et moraux dans ce pays, soit une partie seulement de la tradition française. Tradition ne veut pas dire imitation aveugle du passé; c'est plutôt l'âme d'une nation qui reste la même dans son essence mais évolue en se diversifiant pour s'adapter à l'heure présente et résoudre les problèmes qui se posent. Cette conscience morale qui naît d'une longue histoire, est parfois difficile à comprendre pour les étrangers. Ils applaudissent cependant quand ils voient, en France, les vieux préjugés contre la religion et la morale s'effondrer, quand ils sont témoins d'un réveil de l'esprit national, ou quand est discutée la question de l'ultime perfection de la démocratie. Ce qu'on a peine à comprendre, c'est l'éveil de l'idée monarchique.

Nous ne saurions écrire l'histoire du présent ni donner un pronostic précis sur les tendances littéraires et intellectuelles du moment; les événements sont trop près de nous. En traitant des écrivains dont la réputation s'est établie depuis 1890, nous avons choisi ceux qui semblent avoir acquis une place définitive en littérature. Nous mentionnerons brièvement les écrivains secondaires. On verra qu'en général les auteurs principaux, venant en tête de section, ont attiré l'attention dans la première partie de cette période. Nous avons subdivisé les écrivains de second ordre en deux groupes. Le premier reçoit une mention brève; le second n'est qu'une liste de noms sans commentaires. Peut-être pourrons-nous, par là, suggérer une nouvelle classification, si vague et éphémère soit-elle.

Il n'y a pas eu de changements violents dans la vie politique, intellectuelle, matérielle et sociale de la France capables de produire une école nouvelle en littérature. La Grande Guerre a, tout au plus, suspendu pour un temps l'activité littéraire. Les grands événements de l'histoire ont toujours exercé une influence profonde, mais cette action ne se manifeste pas immédiatement. La tendance à l'individualisme est constamment tempérée par une renouvellement des forces anciennes.

I. *Le Roman*

Le Naturalisme fut de courte durée; ses excès fatiguèrent les lecteurs avisés; peut-être subirent-ils l'influence du roman anglais, russe et scandinave, qui prêchait un réalisme plus vigoureux et plus sain. Cette réaction remonte à la fin du 19e siècle. Un grand nombre d'écrivains se sont efforcés de faire du roman une œuvre utile; ils ont voulu s'en servir pour enseigner ou pour corriger. Nous nous trouvons en présence d'un effort considérable pour amener le public éclairé au respect des institutions sociales du foyer, de la famille, de la foi et du patriotisme. Mais en France, le roman à thèse n'oublie jamais l'art au profit de la propagande. D'un autre côté, les régionalistes s'efforcent de faire revivre les provinces et même les colonies. Les romans de mœurs et d'aventures abondent aussi. Les écrivains sont si nombreux, les productions si abondantes, que l'on doit se contenter d'indiquer les principaux dans un manuel de cette sorte.

1. Anatole France[1] (1844–1924) a été l'artiste littéraire
le plus marquant, peut-être, de l'Europe moderne, une sorte
de Voltaire marchant dans le sillon tracé par Taine et Renan.
Tout le monde s'accorde à reconnaître en lui un humaniste
délicat qui n'est ni romantique ni naturaliste, mais doué d'une
érudition très étendue, possédant un style lucide et charmant,
une verve caustique et salée.   Quant à son influence spirituelle
et morale, les opinions diffèrent.   Ceux qui se réjouissent de
ses sarcasmes contre la moralité conventionnelle de l'Église,
affirment que tout est bien, que tout est grand dans son œuvre.
Ceux qui refusent d'admettre la superiorité de sa pensée (ce
groupe contient beaucoup de libéraux) sont portés à croire
qu'il est simplement le porte-parole de la doctrine du 19e
siècle finissant, qu'il pousse cette doctrine à sa conclusion
logique, c'est-à-dire, vers le noir dédale d'un nihilisme moral.
Il frise la propagande dans son hostilité envers une forte
discipline morale, dans ses critiques de la théologie et dans
ses caricatures des hommes d'église.   Anatole France est un
dilettante à l'esprit pénétrant et puissant, un sceptique en
religion comme en morale, un propagateur du « que sais-je »
de Montaigne, niant tout, se riant de tout.   Il est capable,
cependant, d'un profond mépris pour toute espèce de fanatisme.   Pacifiste, il prêcha l'abolition de la guerre.

Ses romans sont à peine des romans.   Leur charme consiste dans le style plutôt que dans l'intrigue.   Les premiers
ne nous ennuient pas par des tirades contre la religion et la
morale, défaut qui gâte plusieurs des derniers.   Par un mélange singulier d'ironie et de sympathie, il passe en revue

[1] Pseudonyme de Jacques-Anatole-François Thibault, né à Paris.
Son père tenait une librairie sur le quai Voltaire, dans le local où se
trouve maintenant la librairie Champion.   Il reçut une bonne éducation religieuse ; plus tard il perdit la foi de son enfance pour croire à
la science et à l'évolution, mais il perdit également cette religion scientifique.   Il se rangea du côté des défenseurs de Dreyfus.   Il eut des
vues très avancées au point de vue social et international.   Il fut reçu
à l'Académie Française.   En 1921 le prix Nobel lui fut décerné.

toutes les nuances de la vie. *Le Crime de Sylvestre Bonnard* (1881), *le Livre de mon ami* (1885), *la Rôtisserie de la reine Pédauque* (1893), sont les plus fameux de sa première période. Il expose sa philosophie dans *le Jardin d'Épicure* (1894). *L'Ile des Pingouins* (1908) raille avec malice la foi chrétienne et la morale ordinaire. *Histoire contemporaine* se compose de quatre romans (1897–1901). On a dit de *la Révolte des Anges* (1914) que c'était un livre d'une vaine lubricité et d'irrévérence ingénieuse. Dans *Thaïs* (1890) et d'autres romans, nous trouvons aussi une atmosphère de volupté. *La Vie de Jeanne d'Arc* (1908) lui attira des critiques sévères à cause de l'explication naturelle du miracle. Il a fait une comédie d'une suggestion subtile dans *la Comédie de celui qui épousa une femme muette*. Comme critique impressionniste il a aussi son importance.

2. PIERRE LOTI [2] (1850–1923). Dans les romans de Loti l'intrigue est faible, la psychologie presque nulle. Il est à la fois peintre et poète, promenant sa mélancolie et son désenchantement sur toutes les mers du monde. Il a un goût marqué pour les civilisations exotiques, mais il ne peut se plier aux descriptions minutieuses des Naturalistes. L'amour est le seul sentiment qu'il traite à fond ; l'amitié virile et fraternelle joue aussi un grand rôle dans ses romans. Ayant perdu la foi de son enfance, l'idée de la mort le fait souffrir ; ce déchirement, ce concept du « moi » qui passe, lui enlève le désir d'agir. *Pêcheur d'Islande* (1886) décrit avec un abandon et un charme exquis la vie des pêcheurs bretons. *Madame Chrysanthème* (1887) donne une description intéressante des coutumes et paysages japonais. Les derniers romans continuent de révéler les qualités lyriques et impres-

[2] Pseudonyme de Julien Viaud, né à Rochefort-sur-mer d'une famille de huguenots pieux. Il fut un enfant de nature sensible et poétique. Il devint officier de marine et fut engagé dans le service actif jusqu'en 1912, et pendant la Grande Guerre. Il fut membre de l'Académie française.

sionnistes de l'auteur, avec un penchant pour l'exotisme qui ne manque jamais; ce sont plutôt des récits de voyages et d'observation. *Les derniers jours de Pékin* (1902) sont le récit d'un témoin oculaire du siège de la légation étrangère pendant la guerre des Boxers. *L'Inde* (*sans les Anglais*) (1903) et *la Mort de Philæ* (1909) critiquent le gouvernement anglais dans l'Inde et en Egypte. *Prime jeunesse* (1920) ressuscite les souvenirs d'enfance de l'auteur, un peu dans le style d'un roman antérieur, *le Roman d'un enfant* (1890).

3. PAUL BOURGET (1852–1935) voit la nécessité pour la société de s'attacher à la religion et à la morale. Il adapte la doctrine catholique à tous les problèmes et, adversaire du régime actuel, il prêche le retour à la tradition. Bien qu'il ait eu une grande influence dans le champ de la critique et du théâtre, c'est surtout dans le roman qu'il s'est acquis un renom. *Le Disciple* (1889), reconnu par Taine comme faisant date dans l'histoire intellectuelle et morale de la France, marque aussi la transition du psychologue détaché (*Cruelle énigme,* 1885) au moraliste sérieux et convaincu. Depuis lors il fait appel de plus en plus à l'autorité; ses opinions politiques sont franchement monarchiques et l'Église catholique est son guide. Bien que l'on puisse lui appliquer la fameuse devise d'un auteur du 16e siècle—une foi, une loi, un roi—, Bourget est loin d'être un homme à vues étroites et mesquines. Il admire ceux qui peuvent ne pas penser comme lui, forçant, par là, leur respect. Écrivain consciencieux, il veut que le roman soit un document d'histoire morale; il cherche à décrire la vie telle qu'elle est. C'est ainsi que tout en appliquant la méthode biologique de Zola, il n'oublie pas l'élément personnel. Il est, de plus, le peintre du « High-Life,» monde méconnu de l'école naturaliste. Par un travail persistant et continu, il a su conserver le rang élevé qu'il

avait atteint avant 1900. Citons parmi ses principaux ouvrages:

Romans: *l'Étape* (1902) montre les résultats malheureux d'un changement de vie trop soudain dans une famille de parvenus. *Un Divorce* (1904) est une condamnation du divorce; ce roman a été dramatisé. *L'Émigré* (1907) étudie la tradition familiale de la noblesse; mis à la scène plus tard. *Lazarine* (1917), *Némésis* (1918), *Un drame dans le monde* (1921) font remarquer les traces profondes que laisse la religion sur notre vie.

Théâtre: *La Barricade* (1910) s'occupe de la fameuse question du capitalisme et du travail. *Le Tribun* (1911) affirme que tout doit être subordonné au bonheur, à l'honneur et à la grandeur de la famille.

Contes: Plusieurs collections, comprenant *les Détours du cœur* (1908), *le Justicier* (1919).

Critique: *Pages de critique et de doctrine* (1912), *Nouvelles pages de critique* (1922).

4. J.-K. HUYSMANS [3] (1848–1907) unit le Naturalisme et le Symbolisme. L'intrigue de ses romans est bien faible, mais il peint les choses et les états d'âme avec une richesse prodigieuse de mots qui font image. Son roman le plus fameux, *A Rebours* (1884), représente un homme qui fuit le monde de la réalité pour satisfaire les sensations d'un esthète, même au risque de la folie et de la mort. D'autres romans sont: *Là-bas* (1891), *la Cathédrale* (1898), *En route* (1895), *l'Oblat* (1903), *les Foules de Lourdes* (1906).

5. MARCEL PRÉVOST (1862–   ) obtint un grand succès par la publication du *Scorpion* (1887). Attiré par le mystère des âmes féminines, il écrivit *l'Automne d'une femme* (1893). Il continue ses romans d'analyse psychologique féminine, se renfermant spécialement dans la classe moyenne: *Monsieur et madame Moloch* (1906), *les Anges gardiens*

---

[3] Les deux *s* se prononcent: [ɥismɑ̃ːs].

(1916), *Femmes et maris* (1920), *Mon petit Voisin* (1922).
Il a écrit, en outre, des essais: *Lettres à Françoise* (1902),
Lettres à Françoise mariée (1906), *Lettres à Françoise maman* (1912), *Nouvelles lettres à Françoise* (1924).

6. MAURICE BARRÈS (1862–1923). Traditionaliste au
sens politique et religieux, Barrès a exercé une grande influence comme penseur, moraliste et homme d'action. Sceptique lui-même, il déplore la corrosion morale du pays
causée par le manque de discipline religieuse. Il débuta par
la négation, exprimant ses idées dans une trilogie métaphysique ayant pour titre général *le Culte du moi* (1888–1892).
De cette philosophie de l'« ego » il évolue pour monter vers le
culte d'une tradition patriotique et nationale. Cette première
trilogie fut suivie de deux autres: *le Roman de l'énergie nationale* (1897–1902), qui traite de l'effort infructueux du
général Boulanger pour saisir les rênes du gouvernement en
1888–89 et du scandale du Panama; *les Bastions de l'Est*
(1903–1909), qui fait revivre la question de l'Alsace-Lorraine. *Colette Baudoche* (1909) est l'histoire d'une jeune
fille de Metz à l'époque où la Lorraine était encore allemande.
Barrès a écrit des contes et des essais, parmi lesquels *l'Ame
Française et la guerre* (1917–1922), comprenant plusieurs
volumes d'articles ayant pour but de soutenir le courage du
peuple pendant la guerre; ils avaient paru dans *l'Echo de
Paris*.

7. RENÉ BAZIN (1853–1932) a écrit des romans et des
contes. C'est un régionaliste (l'Anjou, la Vendée, l'Alsace-Lorraine) très dévoué à sa patrie, un catholique ayant le
culte des vieilles traditions. Il s'est intéressé à la vie morale
des individus et de la société; il a pris en pitié les humbles
et les pauvres. *La Terre qui meurt* (1899) déplore l'exode
de la jeunesse campagnarde vers les villes. *Les Oberlé*
(1901) est la peinture vivante d'une tragédie dans la vie
d'une famille d'Alsace. D'autres romans importants sont:

Donatienne (1903), *le Blé qui lève* (1907), *les Nouveaux Oberlé* (1919).

8. HENRY BORDEAUX (1870–   ) est un romancier régionaliste qui prend plaisir à décrire la Savoie, son pays. Il considère la famille comme le fondement de la nation; selon lui, chaque membre, chaque individu doit savoir se subordonner, se sacrifier même pour le bien de tous. Une forte leçon de morale pratique se dégage de ses œuvres. C'est un catholique à convictions solides, plein d'un bon sens fort et sain. Les romans qui méritent une attention particulière: *La Peur de vivre* (1902), *la Croisée des chemins* (1909), *la Maison* (1913), *Une honnête Femme* (1919), *la Résurrection de la chair* (1920), *la Maison morte* (1922).

9. ROMAIN ROLLAND (1866–   ). Cet apôtre de la paix, de la fraternité, d'une entente européenne, dut à ses idées internationales des critiques sévères. Retiré en Suisse, il dénonça la Guerre et le nationalisme avide qui la fit éclater. Depuis la Guerre il a écrit plusieurs romans pacifistes. Dans le champ de la critique, de la musique et de l'histoire, il a montré une rare compréhension et une sympathie profonde, principalement dans ses biographies de *Beethoven, Michel-Ange, Handel* et *Tolstoy*. Le chef-d'œuvre de Rolland, qui a fondé sa renommée, est *Jean-Christophe* (1904–1912). Cet ouvrage, difficile à classer, raconte en dix volumes le développement spirituel et les expériences d'un musicien, qui semble être Beethoven lui-même; il se divise en trois parties: *Jean-Christophe, Jean-Christophe à Paris, la Fin du voyage*. Dans un autre volume, *Au-dessus de la mêlée* (1914), il traite la question de la guerre et de la paix. Il a écrit aussi des pièces de théâtre.

10. MARCEL PROUST [4] (1871–1922). Comme Romain

[4] Proust naquit à Paris le 10 juillet, 1871. Son père était professeur de médecine; sa mère était juive. Tourmenté par une maladie contractée dès son enfance, il mourut le 18 mai, 1922. On prononce l's et le *t* [prust].

Rolland, Proust a fait revivre le roman de longue envergure. Maladif et confiné dans sa chambre, ne pouvant vivre de la vie du dehors, il a cherché sa consolation dans l'expression de la vie intérieure mise en action par la force du souvenir. Sa maladie nous aide à comprendre ses écrits, dont la valeur est trop vivement discutée pour être mise au point à présent.   Son œuvre est trop personnelle pour plaire à beaucoup, de proportions trop longues pour la majorité et d'une psychologie trop subtile pour la masse.   L'avenir seul décidera.   Comme Saint-Simon dans ses *Mémoires,* Proust cherche à ôter le masque qui cache la société contemporaine au milieu de laquelle il vit et la dévoiler pour nous la faire comprendre.   Il peint la vie à l'état brut, sans la déformer par l'art oratoire.   Ses études d'observation et d'analyse ont paru sous le titre général : *A la Recherche du temps perdu;* les parties de cet ouvrage sont *Du côté de chez Swann* (1913–1917) ; *A l'Ombre des jeunes filles en fleurs* (1918) ; *le Côté de Guermantes; Sodome et Gomorrhe* (1920–1924) ; *Albertine disparue* (1925).

A la Recherche du temps perdu est une introspection individuelle.   Si l'homme ne peut plus croire à la réalité d'une vérité théologique ou métaphysique, si la science elle-même, qui n'est qu'une forme empirique de la pensée, ne peut rien enseigner d'absolu sur la vie, il faut donc chercher une solution en soi, dans ses propres pensées, dans sa conscience. La vie, considérée sous cet aspect, est faite du passé associé au présent ; la vie est donc une évocation du passé, une recherche du *temps perdu,* des moments inexplorés que nous voulons connaître ; et tous les instants, toutes les expériences de la vie que la mémoire ne peut faire revivre, constituent le temps perdu.   Ce « moi » serait comme chez Socrate un principe de connaissance et de direction morale.

11. ANDRÉ GIDE (1869–   ) exprime à sa manière les tendances de notre temps ; il cherche à pénétrer le mystère

des êtres, mais ses livres offrent un dénouement indécis ; nous ne savons pas si l'homme « est ange ou bête.» Ses drames de conscience nous laissent incertains sur la réalité même de la conscience. La conscience pourrait bien n'être qu'un rêve et il n'y a pas de réalité qui puisse exprimer la plénitude du rêve. Gide ressemble à Barrès par son individualisme et son culte du moi. Il peut être comparé à Romain Rolland par ses sentiments humanitaires et internationaux. La religion a laissé en lui des traces profondes ; et s'il s'est dépouillé des « accidents » du protestantisme, il en a gardé l'essence. Ses œuvres donnent l'impression, tantôt très définie, tantôt plus indirecte mais toujours très réelle, que sa psychologie religieuse et morale est le produit de son éducation protestante, un peu puritaine. *L'Immoraliste* (1902), par exemple, est une étude psychologique qui peut se résumer en deux mots : conscience et devoir. C'est l'histoire d'une âme qui dit adieu au monde et à l'amour pour chercher le bonheur dans les livres et les idées. Le héros devient immoral, quand il se rend compte que son idéal est faux. Les idées de l'auteur se révèlent surtout dans *la Porte étroite* (1909). La scène se passe aux environs du Havre. Le héros, Jérôme, est élevé dans un milieu protestant. De temps en temps il va voir ses cousines Bucolin. Alissa Bucolin et Jérôme passent de l'amitié à l'amour, mais finalement Alissa s'offre à Dieu et sacrifie son amour terrestre à sa foi. L'auteur nous fait comprendre qu'un tel sacrifice est futile et vain, « contre nature et même contre le bon sens.» Soit ! mais ses romans sont des drames de conscience, et alors, nous ne savons plus ce qu'est la conscience : un guide, une lumière, un labyrinthe ou tout simplement un rêve ?

L'œuvre de Gide est fort complexe, très discutée, et probablement discutable. On admire Gide, on l'aime ou on le hait, il n'y a pas de milieu ; tel est, du moins, le sentiment de la critique moderne française et étrangère. Parmi ses principaux romans, on peut citer: *les Nourritures terrestres* (1897), *le Retour de l'enfant prodigue* (1901), *l'Immoraliste* (1902), *la Porte étroite* (1909), *les Caves du Vatican* (1914), *la Symphonie pastorale* (1920), *les Faux Monnayeurs* (1925).

12. ÉDOUARD ESTAUNIÉ [5] a hérité d'une âme religieuse. Mathématicien par profession, il a employé ses loisirs à écrire des romans qui portent le sceau de son esprit sérieux, méthodique, et de sa haute vertu morale. Il étudie, comme beaucoup de ses contemporains, le subconscient. Il cherche les ressorts de « la vie secrète.» La vie publique que tout le monde voit n'est qu'une apparence. Ce sont les élans du cœur humain qui produisent les fatalités tragiques de la vie. Les luttes de l'homme s'étalent entre l'être de convention et l'être caché. Quant à la forme, Estaunié est classique non seulement grâce à la clarté de son analyse mais à son vocabulaire choisi. Ses premiers romans, *Un simple* (1890) et *Bonne Dame* (1891), révèlent l'influence de Flaubert, de Maupassant et de Zola. Dans *l'Empreinte* (1895) il se rapproche de Bourget et dans *la Vie secrète* (1908) il semble s'être retrouvé lui-même, car c'est une nouvelle conception de la vie et de l'art. C'est qu'il a médité et comme il le dit lui-même dans ce même livre, « la vie secrète, en silence, travaille le sol sacré des âmes.» D'autres romans d'importance sont: *les Choses voient* (1913), *l'Appel de la route* (1922), *le Labyrinthe* (1924), *Tels qu'ils furent* (1927).

13. GEORGES DUHAMEL a écrit, entre autres choses, une série de romans dans lesquels le héros est Salavin, et *Scènes de la vie future* (1930) qui contient une critique assez sévère, et peut-être exagérée, des États-Unis.

[5] Estaunié naquit à Dijon en 1862. Après la mort de son père, ancien élève de l'École Polytechnique, le jeune Estaunié fit ses études au Collège des Jésuites de sa ville natale. En 1880, il entra à l'École Polytechnique et à sa sortie fut nommé Ingénieur des Postes et Télégraphes. Membre de l'Académie depuis 1923.

14. Parmi les romanciers dont la réputation ne s'est pas encore établie d'une façon définitive, mais dont le talent mérite une mention honorable, citons : Paul Adam (*l'Enfant d'Austerlitz*), René Boylesve (*la Jeune fille bien élevée*), Pierre Hamp (*les Chercheurs d'or*), Pierre Mille (*Barnavaux et quelques femmes*), les frères Rosny (*la Guerre du feu*), Édouard Rod (*les Unis, l'Eau courante*). A cette liste, ajoutons : Aicard, Barbusse, Baumann, Benjamin, Fabre, Giraudoux, les frères Margueritte, Philippe, Psichari, Régnier.

II. *Femmes Écrivains*

Après une éclipse momentanée, les femmes, en grand nombre, ont acquis une distinction méritée dans le roman. Les plus connues sont :

1. GYP (la comtesse de Martel; 1850–1932), dont les romans, sous forme de dialogue, font le portrait des enfants du siècle, indépendants, très gâtés; mais, somme toute, ses jeunes filles sont sérieuses et intelligentes : *Petit bleu* (1888), *le Mariage de Chiffon* (1894).

2. LA COMTESSE DE NOAILLES (1876–1933) a mis beaucoup de lyrisme dans *la Nouvelle Espérance, Domination, la Meilleure Part.* Sa réputation repose surtout sur ses poésies.

3. MARCELLE TINAYRE (1872–   ) est une des femmes les plus distinguées dans le roman contemporain. Elle retrace la vie sentimentale de ses personnages, peint avec complaisance des figures de femmes modernes, à la fois sensibles et affranchies. Elle rappelle, par là, George Sand. Citons : *Avant l'amour, la Rebelle, le Bouclier d'Alexandre, la Maison du péché.*

3. D'autres femmes écrivains dignes de mention sont : Pierre de Coulevain, André Corthis, Daniel Lesueur, Colette Willy et Colette Yver.

III. *Le Conte*

Comme nous l'avons déjà fait remarquer, beaucoup d'écrivains se sont distingués dans ce genre. Sans prétendre donner une place définitive à cette phalange de conteurs, nous pouvons cependant mentionner : Bazin, Bourget, Anatole France, Frapié, Le Braz, Mille, Morand.

IV. *Le Théâtre*

A partir de 1890, le théâtre a continué dans les grandes lignes le sillon tracé depuis 1830, c'est-à-dire qu'il s'est débarrassé des distinctions qui le divisaient en diverses catégories. Dans certains théâtres on représente encore des tragédies classiques et romantiques, mais on n'en écrit plus guère de nouvelles. Le théâtre sérieux s'occupe de problèmes moraux ou sociaux (le plus souvent sans solution), ou bien étudie un caractère. Au bas de l'échelle nous avons la comédie légère ou la farce pure et simple. Les vers sont maintenant un mode d'expression assez rare au théâtre, bien que de temps en temps nous en voyions quelques exemples. La Guerre n'a apporté aucun changement au théâtre ; quelquefois, cependant, elle inspire les auteurs dramatiques.

Le Théâtre Libre (voir p. 198) marque un point important dans l'évolution du genre dramatique et a eu des imitateurs (un peu dans le genre du « Little Theater »), tels que : le Théâtre de l'Œuvre, le Théâtre des Arts, le Vieux Colombier, le Théâtre des Champs-Élysées et la Compagnie de l'Atelier. Ces initiatives privées ont eu pour but d'affranchir le théâtre, de susciter de nouveaux sujets, de donner aux acteurs et à un grand nombre de spectateurs le sens de la vérité dans l'imitation artistique.

1. EDMOND ROSTAND (1868–1918) occupe une place de distinction dans le théâtre. Toutes ses pièces sont en vers d'une facture distinguée. La première de *Cyrano de Ber-*

gerac (28 décembre, 1897), le plus grand succès du théâtre contemporain, marque une date dans les annales du théâtre français et peut être comparé aux premières du *Cid* (1637) et d'*Hernani* (1830). L'auteur avait débuté par *les Romanesques* (1894), comédie poétique. *La Princesse lointaine* (1895) est l'histoire du troubadour Rudel qui aime une dame dont il a entendu vanter les charmes mais qu'il n'a jamais vue; il va à sa rencontre et meurt dans ses bras. *La Samaritaine* (1897) est un récit biblique dramatisé. Le drame romantique, ressuscité par Rostand et par d'autres qui se servirent de poésie au théâtre, fut une réaction bienfaisante contre le Naturalisme outré.

Le héros de *Cyrano de Bergerac* (personnage historique, 1619–1655) est un gentilhomme brave, plein d'esprit, un soldat doublé d'un poète; il possède toutes les qualités pour captiver une femme, sauf la beauté. Il aime Roxane, sa cousine, qui ne l'aime pas. Cyrano consent alors à se faire le porte-parole éloquent d'un autre jeune homme, beau de corps mais à l'âme simple et timide que Roxane doit épouser plus tard. Roxane, après la mort de son mari à la guerre, entre au couvent où le fidèle Cyrano lui prodigue ses visites pendant plusieurs années. Elle apprend enfin l'amour constant de Cyrano, son dévouement et sa grandeur d'âme, mais trop tard, le jour même où il meurt.—*L'Aiglon* (1900) est un écho de la légende du fils de Napoléon, l'infortuné duc de Reichstadt, qui a grandi prisonnier à la cour d'Autriche.—*Chantecler* (1910) est un idéal en même temps qu'un symbole. C'est le coq gaulois qui croit que son « cocorico » amène le lever du soleil. La pièce est une allégorie dans laquelle les animaux remplacent les hommes et les femmes; elle renferme de belles tirades, au milieu d'un décor magnifique; mais, malgré tout, elle n'a qu'une valeur secondaire.

2. EUGÈNE BRIEUX (1858–1932) quitta de bonne heure le journalisme pour se jeter dans le théâtre. Le petit théâtre

de Cluny représenta sa première pièce; mais ce fut Antoine, directeur du Théâtre Libre, qui le lança définitivement. Il est l'auteur d'une longue série d'études sociales, dans lesquelles il montre plus de zèle pour la réforme que de talent dramatique. Ce sont les vertus bourgeoises qu'il défend.— *Blanchette* (1892) étudie le problème de la jeune fille dont l'instruction dépasse celle de ses parents et qui ne réussit pas à se trouver une position.—*Les trois filles de M. Dupont* (1897) montre la difficulté pour une jeune fille sans dot de faire un bon mariage.—*La Robe rouge* (1900), une étude de la magistrature, développe le sujet d'un abus de justice dû à l'ambition d'un avocat qui veut, à tout prix, obtenir la condamnation de l'accusé. Beaucoup de critiques trouvent que cette pièce est le chef-d'œuvre de Brieux.—*Les Avariés* (1902) ont été présentés en Amérique sous le titre : *Damaged Goods*.—*La Française* (1907) montre la solidité essentielle de la famille française.—*La Femme seule* (1913) expose la difficulté pour une femme qui n'a d'autres ressources que son courage, de vivre indépendante et digne.—*Les Américains chez nous* (1919) font voir combien il est difficile de transplanter une vie humaine d'un pays à l'autre.—*L'Avocat* fait pendant à *la Robe rouge*.

3. MAURICE MAETERLINCK [6] (1862–   ) est né à Gand d'une vieille famille belge, mais il a passé la plus grande partie de sa vie en France. Subissant l'influence des symbolistes, il essaya, dans ses débuts, le « théâtre statique » ou « théâtre d'inaction,» ce qui lui attira des applaudissements chaleureux. Il cherche, en général, à créer une atmosphère de mystère. Il a écrit aussi de la poésie et quelques essais. Parmi ses nombreuses pièces, mentionnons; *la Princesse Maleine* (1889), l'*Intruse* (1890), *Pelléas et Mélisande*

---

[6] Le *ae* représente le son de *a* ouvert en français. En dehors de la Belgique, cependant, on entend souvent la prononciation : [me-tɛrlɛ̃:k].

(1892), *la Mort de Tintagiles* (1894).—*Monna Vanna* (1902), pièce historique, raconte l'histoire d'un amoureux qui devient idéaliste et gagne le cœur d'une femme dont le mari est jaloux.—*L'Oiseau bleu* (1908) est une féerie qui symbolise la recherche du bonheur.—*Le Bourgmestre de Stilemonde* (1918) est un épisode de guerre.

4. MAURICE DONNAY (1859–   ) présente, sous une forme légère, des études sérieuses et profondes des passions et des émotions humaines.   Citons: *Amants* (1895); *l'Autre Danger* (1903); *le Retour de Jérusalem* (1903); *Paraître* (1905); *le Ménage de Molière* (1912); *la Chasse à l'homme* (1919).

5. FRANÇOIS DE CUREL (1854–1928) a écrit des pièces à idées s'adressant spécialement à l'intelligence du spectateur ou du lecteur qui reste libre de tirer la conclusion qui lui plaît.   Le style et le dialogue sont admirables, la technique très personnelle: *L'Envers d'une Sainte* (1892); *les Fossiles* (1892); *la Nouvelle Idole* (publiée en 1895, représentée en 1899); *le Repas du lion* (représenté en 1897, édition nouvelle en 1920); *la Fille sauvage* (1902); *la Danse devant le miroir* (1914); *Terre inhumaine* (1922); *l'Ivresse du sage* (1921).

6. HENRI LAVEDAN (1859–   ) dépeint les mœurs et les manières contemporaines, s'attachant tout spécialement à montrer la fusion de la vieille noblesse dans la bourgeoisie de la République: *le Prince d'Aurec* (1894); *les deux Noblesses* (1897); *le Duel* (1905); *Sire* (1909); *Servir* (1912). Pendant la guerre il écrivit des articles hebdomadaires pour soutenir le moral de la nation.

7. GEORGES DE PORTO-RICHE (1849–1930) excelle dans le style et la technique.   Ses pièces traitent de l'amour passion; c'est pourquoi il a intitulé son théâtre « Théâtre d'amour.»   Ses femmes sont loyales et sincères mais cruellement éprouvées par l'égoïsme d'hommes sans cœur et sans

foi. *Amoureuse* (1891) ; *le Passé* (1897) ; *le Vieil Homme* (1911).

8. Paul Hervieu (1857–1915) se sert du théâtre comme d'une tribune. Il tâche d'approfondir les questions sociales comme, par exemple, les sacrifices des parents pour leurs enfants, l'injustice des lois à l'égard de la femme, etc. *La Loi de l'homme* (1897), *la Course du flambeau* (1901), *Connais-toi* (1909), *Bagatelle* (1912), *le Destin est maître* (1914).

9. Jules Lemaitre (1853–1914), critique et homme de lettres, a écrit des pièces d'une finesse délicate et pénétrante. *Le Député Leveau* (1891), *l'Aînée* (1898), *la Massière* (1911).

10. Jean Richepin (1849–1926) a mis à profit une forte imagination pour donner des drames ou mélodrames en vers. *Le Chemineau* (1897) idéalise les sans-foyer ; *la Belle au bois dormant* (1908) est un conte de fée.

11. Henri Bataille (1872–1922), auteur de pièces légères. On trouve chez lui des qualités de dialogue et de composition, mais la vérité de mœurs manque complètement. *Ton sang* (1894), *la Marche nuptiale* (1905), *la Femme nue* (1908), *la Phalène* (1914), *Sœurs d'amour* (1919), *la Tendresse* (1921).

12. Georges Courteline (1861–1929) a une verve joyeuse et saine. Il cherche le comique dans la réalité, voilà pourquoi on l'a comparé à Molière dans la comédie légère. Il a donné une suite au *Misanthrope* dans *la Conversion d'Alceste* (1905). Parmi ses autres pièces, mentionnons : *la Peur des coups* (1895), *Boubouroche* (1900), *l'Ami des lois* (1905).

13. Émile Fabre (1870–   ) nous rappelle Augier dans sa peinture des hommes politiques et des financiers : *le Bien d'autrui* (1897), *les Ventres dorés* (1905), *la Maison d'argile*

(1907), *les Sauterelles* (1911), *Un grand bourgeois* (1914),
la Maison sous l'orage (1920).

14. Parmi les autres auteurs dramatiques dont la réputation
semble moins bien établie, citons : Bernstein (*Samson, le
Voleur, Israël*) ; de Caillavet et de Flers, en collaboration
(*Primerose*) ; Alfred Capus (*la Veine*) ; Octave Mirbeau (*les
Affaires sont les affaires*) ; Jules Romains (*Knock ou le tri-
omphe de la médecine*). Ajoutons à cette liste : Tristan
Bernard, Romain Coolus, Francis de Croisset, Sacha Guitry,
Paul Claudel, H.-R. Lenormand, Romain Rolland, Jules
Renard et Paul Bourget.

V. *La Poésie*

Le Symbolisme régna en maître dans les dix dernières années du 19e siècle et sa forte empreinte se fait encore sentir ;
depuis 1900, cependant, on n'est point élève d'une école ou
prisonnier d'une formule ; on essaie de tout. Les vieilles
écoles ont fait leur temps et toutes les coteries anciennes et
nouvelles ont eu leur gloire et leur déclin. Les Symbolistes
nous ont laissé un goût pour le vague dans la pensée, pour
la « musique avant toute chose » ; ils ont voulu surtout se
débarrasser de la contrainte des règles qui enseignaient la
technique du vers. Une forte tendance à l'individualisme se
manifeste ; nous n'en voulons pour preuve que les partisans
du « vers libre, » qui semblent avoir des vues divergentes sur
les détails de leur art mais s'accordent sur la loi mystérieuse
du rythme. Pour eux la rime est vieux jeu. Le vers est
composé d'un nombre quelconque de syllabes, car l'unité du
vers n'est plus la syllabe mais l'harmonie. On écrit des vers
de dimensions inusitées qui, à première vue, ressemblent à
la prose. Voici les noms de quelques coteries ou écoles contemporaines : naturisme, humanisme, futurisme, dadaïsme,
unanimisme, romanisme, primitivisme, subjectivisme, simul-
tanéisme et, pour finir, paroxysme. Il serait futile d'expli-

quer ces changements vagues et mobiles; d'ailleurs quelques-
uns de ces manifestes semblent inintelligibles, sauf peut-être
aux initiés.   On continue d'admirer les vieux maîtres de la
génération précédente tels que Baudelaire; en 1917, le 50e
anniversaire de sa mort, on publia une édition nouvelle de
ses œuvres qui fut suivie d'une série d'articles élogieux.   Le
400e anniversaire de la mort de Ronsard, célébré en France
et à l'étranger, a fait revivre l'intérêt de ses poèmes et de
sa méthode.   Verlaine, Rimbaud et Mallarmé ont encore
leurs adulateurs.   Le fait important qui se dégage de tout
cela est que, dans un âge de matérialisme à outrance, il y a
encore place pour l'idéal et que la poésie continue de faire
battre le cœur de l'homme.

1. PAUL FORT (1872–   ).   Le talent de Paul Fort
s'exerce moins dans les vers que dans une prose poétique.
Une collection de ses œuvres a pour titre: *Ballades françaises* (1897–1924).

2. FRANCIS JAMMES (1868–   ) emploie le vers libre.
Il aime la nature et se plaît à dépeindre les menus détails de
la vie des humbles.   Les convictions religieuses de son âge
mûr forment un contraste singulier avec la liberté d'allure et
la passion qui se dégagent de ses premières poésies.   *De
l'Angélus de l'aube à l'angélus du soir* (1898), *les Georgiques
chrétiennes* (1912), *Ma France poétique* (1926).   Il a écrit
aussi des romans et des contes.

3. JEAN MORÉAS (1856–1910), d'origine grecque, passa
une grande partie de sa vie en France.   Symboliste au début,
mais ne trouvant pas de satisfaction réelle dans l'anarchie du
vers libre, il abandonna bientôt le vague et l'imprécis pour la
clarté et la précision classiques.   *Le Pélerin passionné*
(1891), *Sylves* (1893), *les Stances* (8 volumes; 1905–1922).

4. HENRI DE RÉGNIER (1864–1936), auteur prolifique,
écrivit des romans et des contes; il se livra même à la critique,
mais la poésie semble être son élément naturel.   Il représente

la fine fleur du Symbolisme, bien qu'il ait passé de là, par le vers libre, à l'objectivité classique et à un grand amour de l'antiquité. On remarque en lui un sentiment de légère tristesse qui semble naître de la mobilité des choses. *Jeux rustiques et divins* (1897), *la Sandale ailée* (1905), *Esquisses et sonnets* (1912–1917). Reçu à l'Académie française en 1911.

5. ALBERT SAMAIN (1858–1900) combine l'influence des écoles parnassienne et symboliste, mêlant la clarté de l'une aux qualités musicales de l'autre. *Au Jardin de l'Infante* (1893–1897), *Aux Flancs du vase* (1898–1901).

6. ÉMILE VERHAEREN [7] (1855–1916), né à Saint-Amand en Belgique, passa une grande partie de sa vie en France. Ses débuts sont d'une poésie vigoureuse et subjective, mais dans les dernières années de sa vie son art devint plus défini et plus objectif. Cet homme, aux intérêts divers, a exercé une influence profonde sur beaucoup de poètes modernes. *Les Flambeaux noirs* (1890), *les Heures d'après-midi* (1905), *la Multiple Splendeur* (1906), *les Ailes rouges de la guerre* (1917).

7. PAUL CLAUDEL (1868–   ) est à la fois poète et diplomate aux postes variés. Comme poète, il marque un retour au catholicisme mystique, résultat indirect du symbolisme. *La Messe là-bas* (1919), *Poèmes de guerre* (1915–1922), *Feuilles de Saints* (1925). Il a écrit aussi plusieurs pièces de théâtre (*l'Annonce faite à Marie*).

8. PAUL VALÉRY (1871–   ) a succédé à Anatole France à l'Académie Française. Il y a en lui une fusion de l'influence classique, parnassienne et symboliste. Il se dit l'élève de Mallarmé en poésie, de Bergson en philosophie. *Album de vers anciens* (1890–1900), *la Jeune Parque* (1917), *Charmes* (1922).

[7] Prononcez *ae* comme *a* ouvert: la syllabe finale *ren* n'est pas nasale: [rɛn].

9. La Comtesse de Noailles (1876–1933), d'origine
étrangère, naquit à Paris. Ses poésies sont pleines d'une
émotion toujours pure et sereine. Elle incline vers le Romantisme, mais le but de sa poésie est de révéler la réalité
transcendante de l'idéal. Elle cherche l'immortalité dans la
beauté et, en dépit des brutalités du sort, des ennuis de la
vie, de la pensée de la mort, elle a continué jusqu'à la fin de
chanter son cantique d'amour. La Comtesse de Noailles
tient une place importante dans la poésie contemporaine.
Douée d'une imagination merveilleuse, d'un grand enthousiasme et d'une profonde sincérité, elle veut que son œuvre

> Porte à la foule future
> Comme j'aimais la vie et l'heureuse nature.

Sa poésie est un mélange d'exaltation romantique et de
réalisme pittoresque: *Le Cœur innombrable* (1901), *les
Éblouissements* (1907), *les Vivants et les morts* (1913), *les
Forces éternelles* (1920).

10. Beaucoup d'autres poètes continuent la tradition.
Parmi ceux qui méritent une mention honorable, citons:
Péguy (tué à la bataille de la Marne), *Ève;* Lucie Delarue-
Mardrus, *Horizons;* Magre, *la Montée aux enfers;* F. Gregh;
F. Viélé-Griffin (Américain de naissance); S. Merrill (Amé-
ricain de naissance); G. Kahn (1859–1936, qui inventa,
dit-on, le vers libre).

VI. *Critiques, Philosophes et Autres Écrivains*

En plaçant les auteurs qui suivent à la fin de ce groupe
d'écrivains modernes, on pourrait croire qu'on a diminué
leur importance. Ils ont eu leur influence, cependant, et ils
ont contribué des éléments importants à la formation du
courant intellectuel moderne. Comte, Claude Bernard, Taine
et Renan dominent la pensée de 1850 à 1890, surtout après
1870; de même, à l'époque actuelle, la philosophie spiritualiste

de Bergson et d'autres penseurs exerce une influence profonde.

1. FRANCISQUE SARCEY (1828–1899) écrivit régulièrement pour *le Temps* des articles pleins de belle humeur mêlée de bon sens, sur la technique du théâtre. *Quarante ans de théâtre* (8 volumes, 1900).

2. FERDINAND BRUNETIÈRE (1849–1907), critique littéraire, défenseur ardent de la tradition et de l'Église. Chronologiquement il appartient à la période du Naturalisme auquel il donna de si grands coups. Il admira le Classicisme du 17e siècle. Dogmatique dans sa critique, il développa la théorie de l'évolution des genres en littérature, et ne sépara jamais l'art de ses effets moraux. *Le Roman naturaliste* (1883), *les Époques du théâtre français* (1892), *l'Évolution de la poésie lyrique* (1894), *la Science et la Religion* (1907).

3. CHARLES MAURRAS [8] (1868–   ) applique sa remarquable vigueur d'esprit à la critique des institutions républicaines. Monarchiste et conservateur, il est classique, et comme tel il prêche la doctrine de réaction contre l'influence délétère du Romantisme et des théories subversives de Rousseau. Pour lui, le levain de toute grandeur se trouve dans les éléments éternels de vérité exposés dans les grands classiques. Malgré ses vues politiques, il souscrit à des idées sociales très avancées. Il croit à la vertu de la religion comme force morale, bien qu'il soit lui-même incroyant. *Trois idées politiques, Chateaubriand, Michelet, Sainte-Beuve* (1898) ; *l'Avenir de l'intelligence* (1905).

4. ÉMILE BOUTROUX (1845–1921), philosophe dont la réputation a fait le tour de l'Europe, subit d'abord l'influence de Kant et, plus tard, de William James. Ses travaux forment une transition importante de la philosophie déterministe et matérialiste à une philosophie spiritualiste et idéaliste. Il n'admet ni une conception mécanique de l'univers, ni l'expli-

[8] La consonne finale *s* se prononce.

cation physiologique de la vie de l'esprit; « la science ne peut donner qu'une certitude scientifique, pratique, conventionnelle et non pas la certitude.» Dans son essai sur la *Contingence des lois de la nature* (1875) il montre que les lois scientifiques ne sont précises que parce que nos mesures sont imprécises. Il condamne donc le rationalisme scientifique au nom de la raison. *L'Idée de la loi naturelle* (1895), *Pascal* (1900), *Science et Religion dans la philosophie contemporaine* (1908).

5. HENRI BERGSON (1859–   ) a poussé plus loin la même doctrine et a exercé une grande influence depuis 1889 et tout spécialement depuis 1900. Partisan, dans sa jeunesse, de la théorie du mécanisme, presque matérialiste, il étudia les données de la conscience, découvrant, par là, certaines difficultés dans la conception matérialiste de l'univers, principalement si l'on essaie de mesurer la liberté humaine. La mesure du temps n'est qu'une « hypothèse.» La conclusion est que l'esprit agit sur la matière, affectant, dès lors, les lois du déterminisme universel. Ses idées découlent d'une étude de la réalité sans préconceptions. *Essai sur les données immédiates de la conscience* (1889); *Matière et mémoire, essai sur la relation du corps à l'esprit* (1896); *le Rire* (1900); *l'Évolution créatrice* (1907); *l'Énergie spirituelle* (1919). En littérature il conseille de donner une large part à la spontanéité, à l'intuition, à la sympathie artistique, qui est une faculté esthétique différente de la perception morale; il donne, par là, une plus haute conception de l'artiste en l'élevant au-dessus d'une tâche purement mécanique.

6. ÉMILE FAGUET (1847–1916), critique, moraliste et psychologue, s'est fait remarquer par sa tendance à analyser les esprits. Il refuse de se borner à l'étude des formes artistiques. Esprit perspicace et souple, d'information érudite et variée, il est impartial et sans doctrine générale préconçue.

Ses études sur la littérature française furent publiées de 1883 à 1902. Sa critique de théâtre parut dans *le Journal des Débats* (1889–1907). Le champ de ses observations et de ses écrits est très varié.

7. Jules Lemaitre (1853–1914), critique impressionniste très pénétrant, plein de bon sens, ne s'embarrasse pas de théories et n'a d'autres prétentions que de nous donner, avec esprit, ses impressions de lettré délicat. *Les Contemporains* (8 volumes, 1885–1889), *Impressions de théâtre* (10 volumes, 1888–1898).

8. Autres Critiques. Il y en a pour tous les goûts, depuis le savant professeur jusqu'au journaliste à la mode. Nous avons déjà parlé des artistes créateurs qui ont été en même temps des critiques distingués. Mentionnons aussi les auteurs suivants qui se sont fait connaître : Joseph Bédier, René Doumic, Rémy de Gourmont, Gustave Lanson, Abel Lefranc.

9. Écrivains Divers. Sous ce titre on peut citer certains noms en dehors de la littérature proprement dite.

(a) Ernest Lavisse (1842–1923), historien qui, à la tête d'un groupe de spécialistes, a fait publier : *Histoire de France depuis les origines jusqu'à la Révolution* (18 vols., 1910–11) ; *Histoire de la France contemporaine depuis la Révolution jusqu'à la paix de 1919* (à partir de 1920, 10 volumes).

(b) Gabriel Hanotaux (1853–   ) a publié récemment son *Histoire illustrée de la guerre de 1914* (1919), et en qualité d'éditeur en chef, *Histoire de la nation française* (à partir de 1920, 15 volumes).

(c) Charles-Victor Langlois (1863–1929), connu par *la Vie en France au moyen âge* (1908), *la Connaissance de la nature du monde au moyen âge* (1911), et *Manuel de bibliographie historique* (1896–1904).

L'histoire aujourd'hui est moins un art qu'une science, dont l'idéal est le vrai plutôt que le beau.

(d) CAMILLE FLAMMARION (1842–1925), vulgarisateur de questions scientifiques, a mêlé l'imagination à la science. *La Planète Mars et ses conditions d'habitabilité* (1909) ; *la Mort et son mystère* (1920).

(e) GEORGES CLEMENCEAU (1841–1929) a trouvé, malgré sa vie remplie et variée, le temps d'écrire sur des questions d'histoire et des problèmes brûlants de politique ; il a même écrit des contes. *L'Église, la République et la liberté* (1903) ; *la France devant l'Allemagne* (1916).

DEUXIÈME PARTIE

SOMMAIRE DU DÉVELOPPEMENT DES GENRES PRINCIPAUX EN LITTÉRATURE

SOMMAIRE DU DÉVELOPPEMENT DES GENRES PRINCIPAUX EN LITTÉRATURE

Nous avons adopté, dans ce manuel, la méthode chronologique habituelle, c'est-à-dire que les périodes se suivent par années successives. D'aucuns, cependant, trouvent un certain avantage à diviser la littérature en genres, comme, par exemple, le théâtre, ou le roman, et à en tracer le développement depuis le commencement jusqu'à la fin. C'est précisément ce que nous avons voulu faire, en bref, dans cette section, excluant à dessein les genres secondaires pour faire ressortir les genres principaux. L'étudiant pourra ainsi profiter de ce résumé pour suivre pas à pas les points essentiels du développement de chaque genre.

La Poésie

I. *L'Épopée*

La plus ancienne poésie française digne de ce nom est l'épopée. Elle se compose de longs poèmes narratifs reposant sur une tradition nationale à fond historique. Ces poèmes furent, au moyen âge, l'expression littéraire la plus importante. Les auteurs se servirent du vers en assonances de dix syllabes; plus tard, ils utilisèrent le vers rimé de douze syllabes.

Le sujet de l'épopée peut se diviser en quatre cycles: 1. NATIONAL; 2. BRETON; 3. CLASSIQUE; 4. CROISADES. *La Chanson de Roland* (vers 1100) fournit le plus bel exemple de l'épopée nationale. Certains poèmes parlent des exploits de Charlemagne; d'autres décrivent la lutte des seigneurs féodaux contre les Sarrasins; ils sont, pour la plupart, anonymes.

Les principaux poèmes bretons, connus aussi sous le nom
de romans, ont pour sujet le roi Arthur, les chevaliers de la
Table ronde, Tristan et Iseult et le Saint-Graal. Chrétien
de Troyes (12e siècle) est l'auteur le plus important. Ces
poèmes sont écrits en vers de huit syllabes rimant deux à
deux.

L'épopée classique ou cycle de l'Antiquité, consiste à re-
dire les exploits des héros de la Grèce et de Rome, ou à choisir de nouveaux thèmes basés sur leurs grandes figures
historiques. Le *Roman d'Alexandre* (12e siècle), écrit en
vers de douze syllabes, à rime alternée, est l'œuvre la plus
importante de ce cycle. Le vers alexandrin dont le 17e
siècle fera usage dans la tragédie, souvent dans la comédie
et autres genres de poésie, tire son nom de ce fameux roman.

Le cycle des Croisades s'inspire des faits d'armes de ces
expéditions.

Avant l'épuisement de la verve épique, une autre sorte
d'épopée avait pris naissance, épopée familière et bourgeoise
où les animaux étaient représentés vivant en société comme
les hommes. Cette littérature de caractère satirique eut
pour modèle le *Roman de Renart*.

Dans les siècles suivants on a voulu faire revivre l'épopée ;
on n'a réussi qu'à produire une chose artificielle, pseudo-
épique. Les poèmes les plus importants sont : (1) *la Franciade* de Ronsard, au 16e siècle ; (2) *la Henriade* de Voltaire, au 18e siècle ; (3) *Jocelyn* et *la Chute d'un ange* de
Lamartine, et (4) *La Légende des siècles* de V. Hugo, au
19e siècle. Ces deux derniers ont cependant une grande
valeur poétique.

II. *La Poésie Didactique*

Le Roman de la Rose dont le but est non seulement
d'instruire mais de critiquer, fut le plus important exemple
de poésie didactique au moyen âge. C'est une allégorie sur

l'art d'aimer; de plus, un résumé de la science du temps. Commencé vers le milieu du 13ᵉ siècle par Guillaume de Lorris, il fut terminé par Jean de Meung.

Les *Bestiaires* sont un mélange de questions morales et religieuses et d'histoire naturelle à caractère légendaire. Les *Lapidaires* enseignent la minéralogie et le pouvoir des pierres précieuses. Ces pièces, en vers et en prose, datent, pour la plupart, du 12ᵉ et du 13ᵉ siècles.

Au 16ᵉ siècle, Marot écrit le *Temple de Cupidon* dans le goût du *Roman de la Rose*. La *Satire Ménippée,* œuvre de plusieurs auteurs, est une violente satire politique dirigée contre la Ligue (catholique) qui s'opposait aux visées d'Henri IV.

Au 17ᵉ siècle l'*Art poétique* de Boileau et les *Fables* de La Fontaine offrent le plus bel exemple de critique littéraire et de morale pratique.

Au 18ᵉ siècle, la satire en vers, ainsi que la critique politique et religieuse, abondent, mais ne laissent aucune œuvre de génie.

Le 19ᵉ siècle ne fournit point d'exemple important de poésie didactique.

III. *La Poésie Lyrique*

Aux 12ᵉ et 13ᵉ siècles, les *troubadours,* poètes du Midi, donnèrent à la poésie lyrique un éclat jusque-là inconnu. Ils parlent d'amour dans un style conventionnel et décrivent une nature artificielle en langue provençale. Les poètes lyriques du Nord, appelés *trouvères,* imitent la poésie des troubadours. La nature dont ils parlent est plus réelle, plus simple; elle fournit un cadre qui sied mieux à leurs fêtes et à leurs danses.

Rutebeuf, poète errant du 13ᵉ siècle, écrivit des fabliaux et d'autres poésies de toute sorte. Il annonce déjà une transition.

Environ deux siècles plus tard, Christine de Pisan écrivit des *dits* moraux, et le *Poème de la Pucelle* en l'honneur de Jeanne d'Arc.

Eustache Deschamps et Alain Chartier sont des poètes lyriques du 14e et du 15e siècles. Le sentiment lyrique de Charles d'Orléans et de François Villon, au 15e siècle, est plus vrai et plus sincère. Villon est une exception, il se tient à part; après lui, les traditions poétiques s'affaiblissent avec un groupe de poètes sans valeur, appelés les *Grands Rhétoriqueurs*. Leur poésie trop cultivée manque d'originalité.

Au 16e siècle, Marot et les poètes de la Pléiade, Ronsard, du Bellay, etc., écrivent des vers lyriques en abondance—sonnets, odes, poésies chantant l'amour et la nature. Cette poésie, excellente en soi, offusque le goût moderne par un trop grand effort pour imiter les classiques.

La période classique du 17e siècle, suivie du pseudo-classicisme du 18e, coupa les ailes à la poésie lyrique. Malherbe manque d'inspiration; d'autres poètes secondaires s'élèvent parfois jusqu'au lyrisme. On trouve des passages vraiment lyriques dans Racine et La Fontaine. A la fin du 18e siècle, André Chénier fait revivre le souffle lyrique en s'inspirant de la Grèce.

Les poètes *Romantiques* de la première moitié du 19e siècle ont laissé beaucoup de poésie lyrique qui est le plus beau fleuron de la couronne du Romantisme. Lamartine, Vigny, Hugo, Musset, Gautier sont les plus célèbres. Leur verve, leur subjectivité et leurs exagérations de toute sorte donnèrent lieu, vers le milieu du siècle, à la formation d'un groupe de poètes lyriques aux tendances plus sobres qui formèrent l'*École du Parnasse*. Leconte de Lisle et Sully Prudhomme sont les principaux représentants de cette école. Vint ensuite le *Symbolisme* dont Verlaine fut le chef; il demanda une poésie libre de toute entrave, même débarrassée du réalisme. Baudelaire, le traducteur de Poe et le fondateur du culte de l'horrible, avait préparé les voies au Symbolisme. Le résultat logique de cette théorie fut le vers libre, la prose rythmique et le vers blanc. Des poètes comme Verhaeren, sous l'influence du Symbolisme, se sont partagé les faveurs du public avec les partisans de mouvements éphémères tels que le *dadaïsme,* l'*intégralisme,* le *druidisme,* l'*unanimisme.* Tous ces « ismes » ont un trait commun, le dédain des règles de la syntaxe et de la tradition. On trouve aussi un groupe de réactionnaires qui s'intitulent *Néo-Classiques.*

Le Théâtre

I. *Le Théâtre Religieux ou Liturgique*

Au moyen âge le théâtre naquit du culte religieux ; ce fut un moyen d'enseignement pour le peuple ignorant. La messe elle-même est une sorte de drame liturgique. A Noël et à Pâques, vers le milieu du 11e siècle, les prêtres exposèrent, sous les yeux des fidèles, dans l'église même, les principaux événements de la solennité du jour. La langue fut d'abord le latin ; plus tard on se servit du français. Après ces débuts on représenta d'autres scènes du Nouveau Testament, puis de l'Ancien Testament. Le lieu de la scène passa de l'intérieur au parvis de l'église, et les laïcs, peu à peu, remplacèrent les clercs. Des associations d'acteurs s'organisèrent ; la plus fameuse, la *Confrérie de la Passion,* reçut des lettres patentes de Charles VI en 1402, avec privilège de représenter à Paris les drames sacrés. Nos spectacles historiques modernes nous donnent une idée de ce qu'étaient ces représentations. La scène figurait à la fois le Ciel, la Terre et l'Enfer. La foule des spectateurs se tenait debout. L'âge d'or de ce genre s'étend de 1450 à 1550.

Les sujets peuvent se diviser comme il suit : (1) Vieux Testament ; (2) Nouveau Testament ; (3) Les Vies des Saints.

Les deux premiers types sont connus sous le nom de *mystè-res* (bien que le nom ne soit pas employé avant la fin de 14e siècle) ; le dernier s'appelle *miracle*.   Ces poèmes étaient parfois d'une longueur interminable, de 20,000 à 60,000 vers. Peu à peu l'élément comique vint s'ajouter au sérieux et des scènes licencieuses firent perdre aux mystères leur caractère moral et sacré.   Un édit en 1548 défendait aux *Confrères de la Passion* de représenter les mystères à Paris.

II. *La Comédie*

A. LE MOYEN AGE

Les origines du théâtre comique restent obscures.   Peut-être vient-il des jongleurs ou des bacchanales bouffonnes comme la fête des fous.   Il y avait à Paris une association appelée *la Basoche,* composée d'acteurs choisis par les clercs, procureurs du Parlement de Paris.   Les « sots » de Paris s'appelaient les *Enfants sans souci,* association composée de Polichinelles qui figuraient dans les parades pour attirer la foule et l'inviter à assister à la représentation principale. Les acteurs donnaient des *sotties,* pièces satiriques, dialoguées avec plus ou moins d'action.   La *farce* n'était à l'origine qu'un intermède comique cherchant seulement à amuser : *Maître Pathelin* est le chef-d'œuvre du genre.   Les *moralités* avaient pour but d'enseigner l'amour du bien et la haine du vice par l'exemple des personnages allégoriques.   La *sottie* et la *moralité* ne survécurent pas au 16e siècle.   La *farce* dure encore.

B. LA RENAISSANCE

Le développement de la comédie est dû à plusieurs causes : à l'imitation servile du latin, aux sujets et procédés empruntés aux Italiens (spécialement le dialogue improvisé appelé *com-media dell'arte*), à la farce qui fut très en honneur avec ses moqueries à l'égard du clergé et de la justice, à la Pléiade qui eut l'ambition de doter la France d'un théâtre nouveau. Jodelle, dans *Eugène* (1552), essaya de faire une comédie à l'antique en cinq actes.

Pierre Larivey (1535–1611) fut le meilleur auteur de comédies de cette époque. Ses comédies en prose, dont neuf ont survécu, étaient imitées du genre italien.

C. LE DIX-SEPTIÈME SIÈCLE

Au 17e siècle, avant Molière, la comédie d'intrigue, la comédie de mœurs, et en particulier la farce, sont très en honneur. On imite l'Espagne aussi bien que l'Italie. Scarron, Rotrou et Corneille sont les plus grands noms de la première moitié du siècle. On remarque déjà dans ces comédies les types des caractères classiques : le valet, le mari stupide, le père faible, la servante et les amants.

Molière (1622–1673), le grand maître de la comédie, étudie, observe et fait appel à l'intelligence. Ses 33 pièces nous montrent une grande variété : semi-tragédie, haute comédie, farce, satire, pastorale, ballet. Les principaux poètes tragiques du 17e siècle s'exercent aussi dans la comédie.

Regnard (1655–1709) fut le plus célèbre successeur de Molière, surtout pour *le Légataire universel* et *le Joueur*.

D. LE DIX-HUITIÈME SIÈCLE

Le *Turcaret* de Lesage est une des meilleures comédies du siècle. Elle traite de la question d'argent ; elle montre aussi l'évolution du valet.

Marivaux, dans *le Jeu de l'amour et du hasard* (1730) et d'autres comédies charmantes, étudie l'amour heureux comme Racine l'amour tragique. Son style léger, précieux, a reçu le nom de « marivaudage.»

La *Comédie larmoyante* eut pour fondateur Nivelle de la

Chaussée.   Il décrit le côté triste et pathétique de la vie de chaque jour : *le Préjugé à la mode* (1735).

Beaumarchais, dans *le Barbier de Séville* (1775) et *le Mariage de Figaro* (1784), marque l'apogée du théâtre de la révolte sociale ; il attise le feu de la Révolution.   Ses personnages sont réels, pris sur le vif, ses comédies bien faites et gaies.

E. LE DIX-NEUVIÈME SIÈCLE

Le « Drame Romantique » éclipse, pour un temps, la comédie proprement dite, exception faite pour les comédies de Musset, dans lesquelles l'amour est le pivot de tout : *On ne badine pas avec l'amour* (1834).   La comédie reparaît sous la forme de la « pièce bien faite,» dont *la Bataille de Dames* de Scribe est un exemple.   Sardou, plus brillant que profond, écrivit des farces et des comédies : *les Pattes de mouche* (1860), *Divorçons* (1880).   Pailleron se distingua, dans *le Monde où l'on s'ennuie* (1881), qui traite, au sens moderne, le vieux thème des *Femmes savantes* de Molière.   Labiche (souvent en collaboration) a écrit d'excellentes comédies, dont la plus connue est *le Voyage de M. Perrichon* (1860).

III. *La Tragédie*

A. LES THÉORICIENS

La Pléiade se proposa de doter la France d'une tragédie fondée sur le modèle des Anciens.   Buchanan, humaniste écossais (1508–1582), longtemps professeur en France, avait écrit des pièces latines qui servirent de modèle.   Buchanan traduisit des pièces grecques en latin et Baïf des pièces grecques en français.

Les grammairiens d'Italie fondèrent leur théorie de la tragédie sur l'étude de Sénèque, bien que cette théorie fût attribuée à Aristote.   Quand on en vint à mieux connaître

Aristote, les enseignements de Sénèque furent combinés avec la *Poétique* d'Aristote et appelés *règles*. La *Poétique* consiste principalement en une série d'observations écrites après la mort des grands tragiques grecs.

Scaliger (d'origine italienne), dans sa *Poétique* (1561), formule ainsi l'essence de la tragédie : « imitatio per actionem illustris fortunae [rois et princes] exitu infelici oratione gravi, metrica.» Il insiste aussi sur la vraisemblance. Les Italiens Trissino et Castelvetro furent les premiers à formuler et à discuter les règles des unités. En France, Jean de la Taille, dans la préface de sa tragédie *Saül* (1572), écrit : « il faut toujours représenter l'histoire ou le jeu en un même jour, en un même temps et en un même lieu.» Cette doctrine, sous le coup des attaques qu'elle eut à subir, tomba dans l'oubli jusqu'au moment où Mairet et Chapelain la firent revivre au siècle suivant. Mairet, dans *Sophonisbe* (1634), fit des unités un point essentiel du théâtre classique. Elles devinrent article de foi, sans contestation sérieuse, jusqu'au moment où V. Hugo les attaqua, en théorie, dans sa *Préface de Cromwell* (1827), pour les négliger, en pratique, dans *Hernani* (1830).

B. LE SEIZIÈME ET LE DIX-SEPTIÈME SIÈCLES

Jodelle, membre de la Pléiade, écrivit la première tragédie classique en français, *Cléopâtre* (1552).

Garnier continua l'imitation de l'antiquité. Sa tragédie *les Juives* (1583) fut la meilleure du siècle.

Montchrétien fut le disciple de Garnier. Son chef-d'œuvre est *l'Écossaise* (1605).

Hardy (m. 1632) créa le vrai théâtre populaire. Sa tragédie la plus importante, *la Mort d'Alexandre*, n'observe pas les unités, se débarrasse des chœurs et réduit l'action à une crise. Hardy manque d'art mais possède l'instinct dramatique.

Rotrou (1609–1650) le cède en valeur seulement à Corneille et à Racine.   Il semble être né romantique, car il n'offre aucune des qualités si chères aux classiques.   Parmi les 35 pièces qui nous restent de lui, la meilleure est *Saint-Genest* (1646).

Corneille (1606–1684) est, avec Racine, le créateur de la tragédie classique.   *Le Cid* (1637) fait époque dans le théâtre français.   Corneille emprunte généralement ses sujets à l'histoire romaine et se plaît à révéler les conflits entre la volonté et les passions.   Sa tragédie est comme l'homme même, virile et héroïque.   Les unités embarrassent Corneille; son génie a un fort penchant romantique.   Il s'efforce de représenter la vérité historique, mais il pense qu'on peut plaire en poussant l'action « au-delà du vraisemblable.»

Racine (1639–1699) éclipsa Corneille dans la seconde moitié du siècle.   *Andromaque* (1667), son premier chef-d'œuvre, comme la plupart de ses tragédies, est tiré du grec. Le théâtre de Racine est essentiellement féminin par son analyse de l'amour sous ses aspects tragiques. Cela fait comprendre pourquoi, chez Racine, la passion surpasse la raison.   Il s'accommode très bien de la règle des unités, et soutient que la probabilité et la vraisemblance contribuent au succès du théâtre.

C.   LE DIX-HUITIÈME ET LE DIX-NEUVIÈME SIÈCLES

Au 18e siècle, Racine et Corneille trouvent de nombreux imitateurs; la théorie classique de la tragédie avec ses règles et ses conventions se maintient.

Crébillon (1674–1762) écrivit des tragédies de second ordre, mais qui frappent l'imagination par l'horreur et la frayeur qu'elles inspirent; l'action psychologique disparaît pour faire place à des situations toutes extérieures.   Son chef-d'œuvre est *Rhadamiste et Zénobie* (1711).   Voltaire écrivit aussi une vingtaine de tragédies.   En théorie, il admet

les unités; en pratique, il n'en tient pas toujours compte.   Ses
pièces manquent de charme poétique, mais sont pleines d'action.   Ses sujets viennent d'un peu partout, même de la Chine
et du Pérou.   Voltaire pense que la femme et l'amour ne sont
pas des éléments essentiels de la tragédie.   Pour le prouver il
écrivit *la Mort de César* (1731) où il n'y a pas de femme,
et *Mérope* (1743), sans amour romantique.   *Zaïre* (1732),
qui rappelle *Othello,* a pour scène Jérusalem et pour sujet un
épisode des croisades.   Ducis (1733–1816) donna des adaptations de Shakespeare : *Hamlet, Othello, Roméo* et *Lear.*

La tragédie classique ou pseudo-classique fit place au mélodrame et au drame romantique.   Dans le cours du 19ᵉ siècle
on a tenté, à certains intervalles, de faire revivre la tragédie
classique.   Delavigne, par exemple, essaya de la ressusciter
dans *Louis XI* (1832) et *les Enfants d'Édouard* (1833).
Ponsard fit de même avec *Lucrèce* (1843).   A. Poizat, en
1913, fit représenter la tragédie *Sophonisbe,* classique de nom
et d'intention.

IV. *Le Drame*

A. LA COMÉDIE LARMOYANTE ET LE DRAME BOURGEOIS

Au 18ᵉ siècle, Diderot mit à la mode un genre nouveau,
le *Drame* ou *Drame bourgeois.*   Dans *le Père de famille*
(1758) il montre une situation sérieuse et touchante mais
sans éléments tragiques, comiques ou ridicules.   Son but est
d'instruire en moralisant.   La Chaussée en avait donné d'autres exemples.   Ce genre, par le mélange du comique et du
sérieux, a évolué plus tard en deux voies distinctes.

B. LE DRAME ROMANTIQUE

Dans la *Préface de Cromwell* (1827), Hugo prétend que
le *drame* est la nouvelle littérature destinée à remplacer
l'épopée et la tragédie comme peinture de la vie réelle, en

mêlant le bon et le mauvais, le comique et le sérieux, le beau et le laid.   Le drame a pour but de représenter toutes les classes de la société, en tout temps comme en tout lieu.   Pour prouver sa doctrine, il écrivit *Hernani* (1830) qui causa presque une émeute et dont le triomphe fit époque dans l'histoire du théâtre.   Le dernier drame de Hugo, *les Burgraves* (1843), eut un échec retentissant.   De Bornier, dans *la Fille de Roland* (1875), Coppée, avec *Pour la Couronne* (1895) et Richepin, avec *le Chemineau* (1897), firent revivre la tragédie romantique en vers.   *Cyrano de Bergerac* (1897) de Rostand représente le drame idéaliste en vers.

Le drame historique et le drame à thèse, tous deux à tendances mélodramatiques, furent traités par Dumas père dans *Henri III et sa cour* (1829) et *Antony* (1831).   Sardou renoua les traditions du drame historique de Dumas père par une série de pièces écrites pour Sarah Bernhardt et d'autres; *Théodora* (1884), *la Tosca, la Sorcière,* etc.

C. LA COMÉDIE DE MŒURS

Après *la Dame aux Camélias* (1852), Dumas fils, dans une douzaine de comédies, inaugura la pièce à thèse avec sa signification moderne, étudiant les problèmes sociaux des temps modernes et tâchant de leur donner une solution.

Augier, avec *le Gendre de M. Poirier* (1854), *le Mariage d'Olympe* (1855) et d'autres comédies, se montre le défenseur de l'ordre social établi, le conservateur de la tradition et de la morale bourgeoises.

Becque (1837–1899) poussa le réalisme jusqu'au naturalisme dans des pièces comme *les Corbeaux* (1882) et *la Parisienne* (1885).   Antoine contribua aussi, grâce au Théâtre Libre (1887–1896), non seulement à donner aux spectateurs une intrigue ou un problème, mais encore à leur fournir un épisode réel, une « tranche de vie.»

Hervieu (1857–1915) continue la pièce à thèse. Il étudie surtout les questions sociales du jour : *la Course du flambeau* (1901).

Brieux (1858–1933) aussi a donné des pièces à thèse : *Blanchette* (1892), *la Robe rouge* (1900).

De Curel (1854–1929) est un écrivain puissant, dont les études de psychologie individuelle et sociale sont fortes et neuves. D'autres écrivains peignent des phases diverses de la vie moderne. Un certain nombre cherche la fortune en amusant le public ou en flattant ses instincts.

Conte et Nouvelle

Ce genre est très ancien. Il faut remonter aux *lais* de Marie de France (12e siècle) pour en trouver les premiers exemples. Les *Fabliaux*, en vers, ont dû coexister avec les *lais*, mais ils ne reçurent leur forme écrite que plus tard. Ils traitent de la vie ordinaire, banale et brutale à la fois ; les *lais*, au contraire, sont remplis de légendes, de poésie et de sentiment.

Au milieu du 15e siècle, nous trouvons *les Cent Nouvelles nouvelles* attribuées à Antoine de la Salle. Ces contes licencieux, imités du *Décameron* de Boccace, doivent leur succès à l'esprit de franche gaieté qui les anime.

Au 16e siècle Marguerite de Navarre, sœur de François Ier, écrivit l'*Heptaméron,* une série de contes réalistes, imités de Boccace aussi.

Le 17e siècle s'enrichit des contes en vers de La Fontaine.

Au 18e siècle nous avons les contes en prose de Voltaire. Ce sont, en réalité, des pamphlets philosophiques, une critique de la société, de la religion et des institutions politiques.

C'est au 19e siècle qu'a lieu l'efflorescence du conte. Parmi les conteurs romantiques figurent Musset, Nodier et Gautier. Dans la période de transition, entre le Romantisme et le Réalisme, nous trouvons Balzac et Mérimée. Dans la période réaliste et après, les principaux auteurs sont: Flaubert, Maupassant, Daudet, Zola, Coppée, Bourget, Bazin.

Le Roman

L'épopée fut autrefois pour la société féodale ce qu'est le roman pour la société moderne. L'ancêtre du roman serait donc la poésie épique, les *chansons de geste*. On peut suivre l'évolution de l'épopée, écrite d'abord en vers, puis en prose. Ces récits en prose furent la base des romans de chevalerie et des romans d'aventures de la fin du moyen âge.

1. Le roman pastoral vint d'Italie par voie de l'Espagne. L'exemple le plus connu en France est *l'Astrée* (1607–1627) d'Honoré d'Urfé.

2. Le roman picaresque, bâti d'un réalisme grossier, semble avoir pris naissance en Espagne avec *Lazarillo de Tormes* (1554), dont l'auteur est incertain. C'est le type d'une histoire comique en prose décrivant les randonnées d'un pauvre diable qui vit, grâce à son intelligence et à son esprit, aux dépens d'autrui. Charles Sorel donna un exemple de ce type nouveau dans son *Histoire comique de Francion* (1622). Scarron, en 1651, en fournit un autre exemple dans son *Roman comique,* et Furetière dans son *Roman bourgeois* en 1666. Au 18e siècle, le *Gil Blas* (1715–1735) de Lesage donne le spécimen le plus célèbre en France.

3. Le roman sentimental du 18e siècle. Marivaux, dans sa *Vie de Marianne* (1731–1734), fait le portrait réaliste de la classe moyenne. Dans *Manon Lescaut* (1731) de l'abbé Prévost, l'amour devient la passion dominante. L'influence des romanciers anglais se fait remarquer.

4. Le roman historique avec une légère teinte d'amour romantique trouve des représentants dans *Cassandre* (1642–1645) de La Calprenède et dans *Artamène ou le Grand Cyrus* (1649–1653) de Madeleine de Scudéry; *Clélie* (1654–1661)

du même auteur fait une analyse sentimentale de l'amour dans le style précieux.

5. Le roman psychologique, au sens moderne du mot, a pour chef-d'œuvre *la Princesse de Clèves* (1678) de Madame de Lafayette.

6. Le roman satirique offre *le Diable boîteux* (1707) de Lesage.

7. Le roman philosophique a pour type *la Nouvelle Hé-loïse* (1761) de Rousseau. Ce roman, d'essence très subjective, se place au milieu de la nature qu'il fait vivre et aimer.

8. Le roman exotique a plusieurs représentants. Bernardin de St. Pierre dans *Paul et Virginie* (1787), Chateaubriand dans *Atala, René* et *les Natchez,* et vers la fin du 19e siècle, Pierre Loti dans *Aziyadé, le Roman d'un Spahi, l'Exilée.*

9. Le roman historique de l'école Romantique, dans le genre de Walter Scott, doit sa renommée à *Cinq-Mars* (1826) d'Alfred de Vigny, à *la Chronique du règne de Charles IX* (1829) de Mérimée, et à *Notre-Dame de Paris* (1831) de Victor Hugo. Dumas père, un peu moins sérieux mais plus inventif, plein d'action et d'aventure, écrivit *les Trois Mousquetaires, le Comte de Monte-Cristo* (1844), et beaucoup d'autres romans. Dans *Salammbô* (1862) de Flaubert la scène est Carthage pendant les guerres puniques.

10. Le roman idéaliste, mélangé de lyrisme, est cultivé par George Sand dans *Indiana* (1831), *le Marquis de Villemer* (1860).

11. Le roman à thèse, dont le but est souvent d'étudier et de propager une idée morale, religieuse ou autre, est représenté par Voltaire dans *Zadig* (1748) et *Candide* (1759); et par Madame de Staël dans *Delphine* (1802) et *Corinne* (1807), où le sentiment domine. Chateaubriand donne *les Martyrs* (1809). Les romans à thèse sociale de George

Sand, *Consuelo* (1842) et le *Meunier d'Angibault* (1845),
aussi bien que *les Misérables* (1862) de Victor Hugo, se
rangent dans cette catégorie.   Les romans de Zola, souvent
considérés indécents à cause de leur intense naturalisme,
sont en réalité des thèses sociales dont le but est d'instruire et
de guérir : *l'Assommoir* (alcoolisme, 1877), *Nana* (prosti-
tution, 1880), *Germinal* (grève des mineurs, 1885).   Bordeaux, dans le roman contemporain, peut figurer dans la
même catégorie ; il prend la défense de la famille contre
l'individualisme, *la Maison* (1913).   Bourget aussi discute
des questions sociales et religieuses.

12.   Le roman réaliste tel que nous l'entendons à present,
commence avec Balzac.   Il étudie toutes les classes de la
société depuis la Révolution, et donne le nom de *Comédie
humaine* (1830–1850) à la série de ses études, *Eugénie
Grandet, le Père Goriot, le Curé de Tours, la Recherche de
l'absolu,* etc.   Stendhal est important par l'influence de ses
écrits sur Balzac et d'autres Réalistes, et à cause de ses théories et de ses romans, *le Rouge et le Noir* (1831) et *la
Chartreuse de Parme* (1839).

Au point de vue purement artistique Flaubert est le maître
du Réalisme ; *Madame Bovary* (1857) restera probablement
le modèle du genre à cause de la vérité des caractères et de
sa perfection littéraire.

Maupassant fut l'élève de Flaubert.   Par son insistance à
traiter le côté morbide de la vie, à la considérer sous ses
aspects de tristesse et d'immoralité, il convertit le Réalisme
en Naturalisme, école d'ecrivains qui cherchent toujours à
représenter une « tranche de vie » réelle, fidèlement repro-
duite, même dans ses détails les plus repoussants.   On considère Zola comme le maître du Naturalisme parce qu'il poussa
les théories de l'école à leurs dernières limites.   Il fit pour
la société du Second Empire ce que Balzac avait fait pour
la société de la première moitié du siècle.   Dans une série

d'une vingtaine de volumes, *les Rougon-Macquart,* il essaya
de faire la biographie réelle d'une famille de 1850 à 1870.
Déprimants et obscènes, ses romans font penser, malgré tout,
et nous mettent en garde contre le vice; *la Fortune des Rou-
gon* (1871), *la Terre* (1887), *le Docteur Pascal* (1893), *la
Débâcle* (1897).

Les Goncourt (Edmond et Jules) continuèrent les mêmes
théories: *Renée Mauperin* (1864), *Germinie Lacerteux*
(1865).

Alphonse Daudet est réaliste aussi, mais son art et sa
pensée sont mitigés par une certaine sympathie romantique
qui rappelle Charles Dickens; *le Petit Chose* (1868), *Tartarin de Tarascon* (1872), *le Nabab* (1877), *Sapho* (1884).

Le réalisme de Pierre Loti est aussi très atténué.   Ses romans révèlent un goût très prononcé pour les paysages et les
civilisations exotiques.   Il y a toujours un voile de mélancolie
dans ses livres où l'intrigue n'est rien et la description est
tout.   *Pêcheur d'Islande* (1886) est son chef-d'œuvre.

13. Autres écoles contemporaines:

(a) Le roman régional, dont le but est de faire revivre
l'intérêt des vieilles provinces françaises et aussi de
faire respirer une autre atmosphère que celle de
Paris.   Parmi les meilleurs écrivains régionalistes on
peut mentionner: Bazin, Bordeaux, Fabre.

(b) Le roman philosophique, représenté par Anatole
France.

(c) Le roman psychologique, représenté par Bourget et
par Édouard Rod.

(d) Aujourd'hui un grand nombre d'écrivains, jeunes et
vieux, s'illustrent dans le roman.   Quelle place auront-
ils dans l'avenir?   D'autres générations en décideront.
Par leur fine et subtile analyse du cœur humain, des
motifs secrets de l'homme, par l'importance qu'ils

donnent à la vie cachée, aux réactions religieuses de
de l'âme, Proust, Gide et d'autres donnent au roman
psychologique contemporain une sève nouvelle et une
profondeur particulière.   On peut citer: Proust, *Du
côté de chez Swann* (1913–1917) ; Gide, *la Porte
étroite* (1909) ; Estaunié, *la Vie secrète* (1908),
l'Appel de la route (1922) ; Romain Rolland, *Jean
Christophe* (10 volumes, 1904–1912) ; Marcelle
Tinayre, *la Veillée des armes* (1916) ; Henri Barbusse, *le Feu* (1916).

La Critique Littéraire

Les théories de la Pléiade, au 16e siècle, sont les premiers
modèles de critique littéraire sérieuse telle que nous l'entendons aujourd'hui.   *La Défense et Illustration de la langue
française* (1549) fut le manisfeste de l'école.   Durant la
période classique, la critique se développe sous l'influence
de Malherbe, des rendez-vous de l'Hôtel de Rambouillet, des
discussions de l'Académie (à partir de 1634) et des « exa-
mens » de Corneille.   La critique littéraire atteignit son
apogée dans l'*Art poétique* (1674) de Boileau.   *Le Siècle
de Louis le Grand* (1687) et les *Parallèles des anciens et
des modernes* (1688–1697) de Perrault, la *Digression* de
Fontenelle, et *la Lettre à l'Académie* de Fénelon eurent
aussi leur importance.

Au 18e siècle, Diderot et Voltaire furent les chefs de la
critique littéraire.   Les livres de critique abondent au 19e
siècle, à commencer par *De la Littérature* (1800) de Mme de
Staël, *Racine et Shakespeare* (1823–1825) de Stendhal, sans
oublier la *Préface de Cromwell* (1827) de Victor Hugo.

Sainte-Beuve (1804–1869), auteur des *Causeries du
lundi,* est le plus grand critique français.   Il se refuse à
juger une œuvre en la comparant à un idéal fixe (la méthode

classique de Boileau). Il nous dit lui-même: « il y a une infinité de formes de talents; critique, pourquoi n'avoir qu'un seul patron ?» Sainte-Beuve explique un livre par l'analyse du caractère de l'auteur.

Taine (1828–1893), critique scientifique, enseigne que trois sources d'énergie et de fécondité agissent en littérature, —la race, le milieu, le moment. Son *Histoire de la littérature anglaise* est le résultat de cette théorie.

Francisque Sarcey (1828–1899), homme de grande autorité et influence, se consacra uniquement à la critique de l'art dramatique. Ses articles, parus d'abord dans *le Temps,* furent recueillis après sa mort en 8 volumes sous le titre: *Quarante ans de théâtre.*

Ferdinand Brunetière (1849–1907), défenseur de la tradition, à tendances dogmatiques, étudia l'évolution des genres. Pour lui, les genres se constituent, meurent ou se transforment comme les êtres. *L'Évolution de la poésie lyrique, les Époques du théâtre français.*

Jules Lemaître (1853–1914) subit fortement l'empreinte de Renan. *Les Contemporains* (1886–1896) et *Impressions de théâtre* contiennent l'essence de sa critique.

Anatole France (1844–1924) est un critique impressionniste: *La Vie littéraire.*

Émile Faguet (1847–1916) se défie des systèmes, mais excelle à analyser clairement les idées et à juger sainement. Il se révèle dans ses *Études littéraires.*

Gustave Lanson (1857–1934) a inauguré une méthode scientifique dans la critique littéraire, et a publié des livres de grande autorité: *Histoire de la littérature française; Manuel bibliographique,* etc. Gaston Paris (1839–1903) et son disciple Joseph Bédier ont étudié surtout la littérature du moyen âge. Fernand Baldensperger, Paul Hazard et Paul Van Tieghem cultivent la littérature comparée.

TROISIÈME PARTIE
GLOSSAIRE

GLOSSAIRE

Académie Française.—Société savante ayant pour but de préserver la langue de toute corruption. Elle prit naissance vers 1629 au milieu d'un groupe d'hommes de lettres qui avaient coutume de s'assembler pour discuter des questions d'intérêt commun. La première réunion officielle sous la protection de Richelieu se tint en 1634. Les lettres patentes furent délivrées par le roi en 1635, et confirmées par le Parlement en 1637. L'Académie se compose de 40 membres élus à vie par l'Académie elle-même. Sept éditions du *Dictionnaire* de l'Académie ont paru; la première en 1694; la dernière en 1932. Une édition récente de la *Grammaire* fut publiée en 1932.

Alexandrin.—Vers de 12 syllabes coupé par un arrêt ou *césure*. Deux vers à rime masculine sont suivis, dans la poésie classique, par deux vers à rime féminine. L'*e* muet de la rime féminine ajoute, en réalité, une treizième syllabe. Ce vers sert à exprimer une pensée profonde, un sentiment élevé, surtout dans la tragédie. Le nom dérive du *Roman d'Alexandre*, poème du 12e siècle.

Bourbons.—(17e–19e siècles.) Nom donné à la dynastie des rois de France depuis Henri IV (1589–1610). Les Bourbons sont une branche des Capétiens descendant en ligne directe du fils cadet de Louis IX. Après Charles X, Louis-Philippe d'Orléans, représentant la branche cadette de la famille, régna de 1830 à 1848. Philippe V (1700–1746), petit-fils de Louis XIV, fonda la branche des Bourbons en Espagne, branche qui se continue dans la personne d'Alphonse XIII, actuellement en exil.

Calvinisme.—(16e siècle.) Secte protestante fondée par Jean Calvin (1509–1564). A l'intolérance catholique, il opposa l'intolérance protestante; à l'Église infaillible, une Bible infaillible. Par la faute d'Adam, l'homme est naturellement mauvais. Sa doctrine se résume dans la prédestination.

Capétiens.—(10e au 19e siècles.) Troisième branche royale française qui doit son nom à Hugues Capet. Cette branche a

régné sous différents noms (voir **Bourbons, Valois**), de Hugues
Capet (987) à Louis-Philippe (1848).

Carolingiens.—(8e au 10e siècles.)   Famille royale qui régna de
Pépin le Bref (751) à Louis V (987); elle tire son nom de
Charlemagne (771–814), qui fut sacré à Rome empereur
d'Occident en l'an 800.

Carte de Tendre.—(17e siècle.)   C'est un guide pour l'amant
parfait aspirant à la main de sa dame.   Cette carte allégorique se trouve dans un roman d'aventures, *Clélie*, de Mlle
de Scudéry; les émotions, les obstacles et les degrés dans l'art
d'aimer sont des noms de lieu.

Cent-Jours, Les.—(19e siècle.)   Période entre le retour de Napoléon de l'île d'Elbe et sa défaite à Waterloo (1er mars au 18
juin 1815).

Chansons de Geste.—(Moyen âge.)   Poèmes épiques, généralement en vers de dix syllabes, avec l'assonance à la place de la
rime.   Ces poèmes racontent les faits héroïques de l'histoire
et de la légende.   Le plus souvent il est question des luttes
de Charlemagne contre les Sarrasins et les Saxons.   Le mot
geste vient du latin *gesta*, «exploit.»

Classicisme.—(17e siècle.)   Ce terme s'applique à la littérature,
à l'art et à la culture générale qui atteignit son apogée au
17e siècle, sous Louis XIV.   Le Classicisme prit naissance au
16e siècle durant la Renaissance, grâce à la découverte de
l'antiquité gréco-romaine; il révèle aussi la tendance de l'esprit
français vers la raison et la généralisation.   De plus, c'est
un effort vers la perfection de la forme, la vérité et la simplicité de la pensée et de l'expression; c'est le bon goût, la
contrainte exercée sur les émotions et l'imagination; c'est enfin
un penchant à l'objectivité, un désir d'imiter des modèles
plutôt que de chercher l'originalité.

Code Napoléon.—(19e siècle.)   La codification des lois civiles
et criminelles à l'usage des Français, sous la direction de Napoléon Bonaparte.   Le code, encore en vigueur aujourd'hui, fut
complété en 1804; il est basé sur la loi romaine.

Comédie Humaine.—(19e siècle.)   Titre donné à une série de
romans (une quarantaine) d'Honoré de Balzac (1799–1850).
Le but de l'auteur est de donner une peinture réaliste, exacte,
de toutes les classes de la société, à partir de la Révolution—
scènes de la vie privée, militaire, parisienne, provinciale, politique et, enfin, scènes de la vie de campagne.

Comédie Larmoyante.—(18ᵉ siècle.)   Sorte de drame, tenant le milieu entre la tragédie et la comédie.   Le comique est remplacé par les larmes (de là, le titre «larmoyant») et la fin tragique par un dénouement heureux.   Les personnages appartiennent à la classe moyenne; leurs déboires gagnent notre sympathie et leur triomphe encourage au bien et à la vertu. On attribue généralement cette sorte de théâtre à Nivelle de la Chaussée; ses pièces *Mélanide* et *le Préjugé à la mode* eurent un vif succès.

Consulat.—Nom donné au gouvernement français depuis la fin du Directoire (1799) jusqu'à l'Empire (1804).   D'abord Napoléon Bonaparte fut un des trois consuls qui gouvernaient la France; en 1802 il fut nommé consul à vie.   En 1804 le Consulat fut remplacé par l'Empire, et Napoléon devint empereur.

Croisades.—(Moyen âge.)   Expéditions organisées par les pays occidentaux dans le but de chasser les Musulmans de Jérusalem et de la Palestine.   Il y eut 8 croisades (1096–1270); l'empire chrétien de Jérusalem dura de 1099 à 1187.   Les croisades unirent la Chrétienté tout en donnant une occupation à l'esprit turbulent des nobles; elles mirent aussi en contact les cultures européenne et orientale et encouragèrent le commerce.

Directoire.—(18ᵉ siècle.)   La forme du gouvernement français de 1795 à 1799.   Les Chambres choisirent pour cinq ans cinq «directeurs,» dont l'un devait se retirer chaque année.

Drame.—Terme employé d'abord au 18ᵉ siècle pour désigner un genre de pièces de théâtre où le comique et le tragique se côtoient et dont les personnages appartiennent à la classe moyenne.   Victor Hugo employa ce mot pour désigner les tragédies romantiques.

Drame Bourgeois.—(18ᵉ siècle.)   Une modification de la comédie larmoyante, introduite par Diderot (1713–1784) avec *le Fils naturel* et *le Père de famille*.   Ce genre, en prose, a un caractère sérieux qui ne prête pas aux larmes; les personnages sont de la classe moyenne et l'action remplace le monologue. Le but n'est pas celui de la comédie, qui est d'amuser en montrant le côté ridicule des choses.   La théorie de ce drame vaut mieux que les exemples.

Empire.—(19e siècle.) (a) *Premier Empire*. Cette période s'étend de 1804 (Napoléon, de premier consul, devint empereur) à la première abdication de Napoléon en 1814, ou bien jusqu'à sa seconde abdication en 1815, après les Cent Jours.

(b) *Second Empire*. Période qui s'étend du 2 décembre 1851 au 2 septembre 1870. Louis Napoléon, neveu de Napoléon Bonaparte, changea à son profit, avec le Coup d'État, la Deuxième République en Second Empire. Il prit le nom de Napoléon III. La bataille de Sedan, 2 septembre 1870, mit fin à son pouvoir. Le fils de Napoléon Ier mourut en Autriche, et bien qu'il n'ait jamais régné, l'histoire le désigne sous le nom de Napoléon II.

Encyclopédie.—(18e siècle.) C'est une sorte de dictionnaire en 28 volumes et 4 suppléments (1751–1772), dont le but était de propager la science. C'est aussi un livre de propagande des doctrines avancées en politique et en religion. Son prototype fut l'*Encyclopédie* de Chambers, en Angleterre. Diderot fut l'éditeur en chef de *l'Encyclopédie* française; beaucoup d'hommes éminents dans les sciences et les lettres y contribuèrent.

Esprit Gaulois.—Expression qui désigne un certain penchant satirique, effronté, franc, d'humeur salée, un peu grossière, qui se trouve dans la littérature du moyen âge. La satire et la littérature bourgeoise de l'époque en sont remplies. Le terme s'applique aussi aux mêmes éléments à d'autres époques.

États Généraux.—Les assemblées où siégeaient les représentants de la nation toute entière, divisés en trois classes ou états: les nobles, le clergé, le peuple.

Fabliau ou Fableau.—(Moyen âge.) Conte en vers, d'origine populaire, décrivant généralement des scènes de la vie ordinaire, pétillant de gaieté au ton un peu risqué, dans lequel on critique l'immoralité du clergé, le caprice et la légèreté des femmes, et les querelles de ménage; source intarissable où puisèrent Boccace, Chaucer, La Fontaine et Molière.

Féodalité.—(Moyen âge.) Système de lois et de coutumes réglant les questions politiques et sociales en France et en d'autres pays d'Europe à partir du 9e siècle jusqu'à la fin du moyen âge. C'est, de plus, un code complet d'aide et de protection mutuelles allant de l'homme le plus humble au roi.

Le vassal devait à son seigneur le service militaire avec d'autres services matériels. En retour, le seigneur lui devait protection. La loi féodale reconnaissait en principe que toute propriété appartenait au roi, qui la léguait ou la louait aux particuliers en récompense des services rendus.

Fronde.—(17e siècle.) Soulèvement infructueux (1648–1653) de quelques nobles contre Mazarin et la régence pendant la minorité de Louis XIV. Ce mouvement fut appelé «Fronde» par analogie avec la résistance des enfants de ce temps, qui désobéissaient à l'ordre interdisant le jeu de la fronde dans les fossés de Paris et accueillaient la garde à coups de fronde.

Huguenots.—Nom donné aux protestants français; peut-être une corruption de l'allemand *Eidgenossen* (confédérés). Il est possible que le nom soit tiré d'un rendez-vous secret à Tours, près de la Porte Hugon.

Humanisme.—(16e siècle.) Un certain aspect de la Renaissance provenant de l'étude intelligente et de l'amour de l'antiquité. C'est aussi une protestation au nom de Dieu et de la raison contre l'ascétisme catholique. L'humaniste s'intéressait à la culture générale de l'esprit, ayant un penchant pour les lettres plutôt que pour les sciences. L'humanisme se distingue de la pensée du moyen âge en ce qu'il cultive la vie sous tous ses aspects, au lieu de mépriser cette vie en vue d'une récompense future.

Jacobins.—(18e siècle.) Fameux club politique de la Révolution de 1789. Parti le plus avancé et, pendant un certain temps, le plus puissant des révolutionnaires. Le nom dérive du vieux monastère dominicain de St. Jacques (Jacobus), où les membres avaient coutume de se réunir.

Jansénisme.—(17e siècle.) Doctrine donnant un sens sévère au dogme et à la morale catholiques et qui ressemble beaucoup à celle de Calvin en ce qui concerne la prédestination, la grâce et le salut. La cause principale du développement de cette doctrine fut la casuistique commode des Jésuites, et leur théologie, d'après laquelle Dieu veut le salut de tous, et chacun peut, s'il le veut, gagner le salut, même s'il le demande au moment de la mort. Port-Royal fut le centre janséniste. Jansen, évêque d'Ypres, dans son livre l'*Augustinus* (1640), donna une forme définitive à la doctrine qui porte son nom. Ce livre fut condamné par le Pape; malgré la brillante défense de Pascal dans ses *Provinciales*, le jansénisme fut étouffé comme hérésie.

Lai.—(Moyen âge.)   Conte en vers d'origine celte qui fait pendant aux romans de chevalerie. Il traite d'amour et de surnaturel; le but est d'amuser la société polie. L'auteur le plus célèbre dans ce genre est Marie de France, qui vécut en Angleterre sous le règne d'Henri II (1154–1189).

La Ligue.—(16ᵉ siècle.)   Parti d'ultra-catholiques ayant pour chef le duc de Guise, aidés de Philippe II d'Espagne. Le but principal et avoué de la Ligue était la défaite des huguenots, mais le but secondaire était de placer un des Guise sur le trône de France. Après l'abjuration d'Henri IV, la Ligue cessa d'exister.

Mal du Siècle.—(19ᵉ siècle.)   C'est un malaise, une mélancolie déprimante, une vague tristesse faite de désirs infinis et d'ennui. Cet état d'âme affecta le jeune génération du commencement du 19ᵉ siècle et fut un des traits distinctifs de l'école romantique.

Marivaudage.—Mot inventé pour désigner un style de grâce facile, légère et raffinée, un peu artificielle. Ce mot dérive du nom de Marivaux (1688–1763), auteur dramatique dont les pièces révèlent une fine analyse de l'amour.

Mérovingiens.—(du 6ᵉ au 8ᵉ siècle.)   Lignée royale des premiers rois français, ou plutôt francs, de Clovis (466–511) à Childéric (752). Le nom vient de Mérovée, ancêtre de Clovis.

Miracle.—(Moyen âge.)   Pièce de théâtre à caractère religieux basée sur l'intervention de la Vierge ou des Saints dans les affaires humaines.

Moralité.—(Moyen âge.)   Pièce dont le but est d'édifier. Les personnages allégoriques représentent des qualités abstraites.

Mystère.—(Moyen âge.)   Représentation théâtrale tirée de l'Ancien ou du Nouveau Testament ou basée sur la vie des Saints.

Naturalisme.—(19ᵉ siècle.)   Forme extrême du Réalisme dont la tendance est de voir et de peindre seulement le côté sordide de la vie. Zola qui, dans la série des Rougon-Macquart, fait le portrait de la société du Second Empire, fut le chef de l'école. Il s'efforça de suivre en littérature les méthodes du naturaliste dans son laboratoire.

Nouvelle.—(19ᵉ siècle.) Ce mot, d'origine italienne (*novella*), signifie *conte* mais d'une longueur plus considérable que le conte ordinaire. Les contes de Mérimée—tel *Colomba*—sont un exemple du genre.

Parnassiens.—(19ᵉ siècle.) Poètes qui s'opposent au laisser-aller et aux exagérations romantiques. Ce nom tire son origine du journal hebdomadaire de poésie, *le Parnasse contemporain*. Les Parnassiens voulaient l'objectivité, la forme parfaite, l'art pour l'art. Leconte de Lisle (1820–1894), Heredia (1842–1905) et Sully Prudhomme (1839–1908) furent les principaux membres de ce groupe.

Philosophes.—(18ᵉ siècle.) Ce nom s'applique aux libres penseurs du 18ᵉ siècle, en particulier aux Encyclopédistes, dont l'idéal peut se résumer dans les mots Raison et Humanité. Opposé à la tradition, à l'autorité, et dans bien des cas à la foi, le Philosophe admet les données de la science; il croit au progrès, à la liberté intellectuelle et politique. Les enseignements de l'école des Philosophes aidèrent à répandre la science, hâtèrent les réformes sociales et diminuèrent les injustices; mais par leur hostilité envers l'orthodoxie religieuse ils aidèrent à former un clan, un esprit de partisan étroit et fermé.

Picaresque.—(17ᵉ et 18ᵉ siècles.) Dans le roman picaresque, le héros est un vagabond intelligent mais peu scrupuleux (*pícaro* en espagnol), vivant de son esprit aux dépens de gens moins entreprenants. Nous trouvons le premier exemple de ce genre au 16ᵉ siècle, en Espagne, avec *Lazarillo de Tormes*, dont l'auteur est inconnu. En France, Lesage en fournit un exemple dans son *Gil Blas* (1715). Les ouvrages de Fielding, en Angleterre, se rangent dans cette catégorie; en Amérique, *Tom Sawyer* de Mark Twain.

Pièce bien faite.—(19ᵉ siècle.) Comédie d'une composition artistique, d'intrigue adroite évoluant avec une dextérité intelligente; pièce de théâtre d'une construction parfaitement logique. Les comédies d'Eugène Scribe (1791–1861) et quelques-unes de Dumas fils (1824–1895) méritent cette appellation.

Pièce à thèse.—(19ᵉ siècle.)   Terme appliqué aux pièces de
théâtre qui posent un problème à résoudre.   L'auteur se sert
du théâtre comme d'une tribune ou d'une chaire pour instruire
et guérir.   Les pièces de Dumas fils en sont les premiers
exemples importants.

Pléiade.—(16ᵉ siècle.)   Nom donné à un groupe de jeunes gens
qui entreprirent de réformer et d'embellir la langue française,
d'en faire un moyen d'expression égal au latin.   Ils méconnu-
rent ou ignorèrent la littérature et l'esprit du moyen âge et,
cherchèrent leur inspiration dans l'antiquité.   En 1549 parut
leur fameux manifeste par du Bellay, *Défense et Illustration de
la langue française.*   Les membres de la Pléiade furent:
Ronsard, du Bellay, Jodelle, Baïf, Belleau, Daurat, Thyard.

Port-Royal.—(17ᵉ siècle.)   Ancien couvent cistercien situé près
de Paris, qui devint vers 1600 le centre du jansénisme sous la
direction de la famille Arnauld.   Le couvent fut transféré à
Paris en 1626, et la vieille abbaye devint un lieu de retraite
pour quelques hommes pieux.   De Port-Royal, Antoine
Arnauld et Blaise Pascal dirigèrent leurs attaques contre les
Jésuites.   Après la condamnation du jansénisme comme
doctrine hérétique, les Solitaires de Port-Royal se dispersèrent
et la retraite fut fermée.

Préciosité.—(17ᵉ siècle.)   Forme de style qui correspond à
l'*euphuisme* anglais, au *gongorisme* espagnol et au *marinisme*
italien.   Le mot *précieux* signifia d'abord exquis, raffiné; puis
affecté, exagéré.   Au début, l'influence de l'Hôtel de Rambouillet fut excellente mais peu à peu les tendances de ce
groupe causèrent une certaine exagération de langage, de ton
et de manières.   Ceux qui se jetèrent dans ces excès furent
appelés *Précieux* et *Précieuses.*

Querelle des Anciens et des Modernes.—(17ᵉ siècle.)   Controverse au sujet du mérite relatif des Romains du temps
d'Auguste ou des Grecs du temps de Périclès et des Français du
temps de Louis XIV.   Boileau soutint la cause des Anciens;
Perrault celle des Modernes.   Finalement il fut convenu que
les Modernes pourraient égaler les Anciens.

Quiétisme.—(17ᵉ siècle.)   Croyance religieuse à tendances
mystiques, plaçant la perfection chrétienne dans l'amour et
l'union directe avec Dieu, l'abolition de la volonté et le calme
absolu.   Madame Guyon la représente en France dans la

seconde moitié du 17ᵉ siècle. Fénelon, dans ses *Maximes des Saints*, paraissait approuver les principes essentiels de cette doctrine; attaqué par Bossuet et condamné par le Pape, il se soumit, et la doctrine mourut d'inanition.

Rambouillet, L'Hôtel de.—(17ᵉ siècle.) Résidence de Madame de Rambouillet. De 1610 à 1660, son salon fut le rendez-vous des gens de goût et de distinction, qui se réunissaient pour discuter littérature, manières et art. Ils raffinèrent le goût et exercèrent une heureuse influence sur la littérature et la langue. Dans ce salon bien des chefs-d'œuvre de l'époque furent étudiés et critiqués; ce fut aussi là que la préciosité prit naissance.

Réalisme.—(19ᵉ siècle.) École littéraire dont le but fut de réagir contre les excès d'imagination des Romantiques. Le Réalisme, de fait, a pour but de donner une peinture réelle de la vie, sans imagination. Bien que le mot «Réalisme» s'applique principalement à un mouvement littéraire du 19ᵉ siècle, il s'étend à d'autres époques également. Les Fabliaux, par exemple, sont remplis de réalisme; de même, la psychologie de Racine est réaliste.

Réforme.—(16ᵉ siècle.) Révolte contre l'Église catholique commencée en Allemagne par Luther (1483–1546). Ce soulèvement religieux doit son origine à la soi-disant corruption et ambition de l'Église. Il s'étendit bientôt en Angleterre, aux pays scandinaves, dans les Pays-Bas et en France, où les membres de la Réforme prirent le nom de huguenots.

Renaissance.—(16ᵉ siècle.) Orientation nouvelle de la vie, régénération spirituelle et morale. La réaction contre les idées du moyen âge en ce qui concerne le monde en général, l'art, l'éducation et la science, se fit sentir en Italie aux 14ᵉ et 15ᵉ siècles. Les guerres d'Italie sous Charles VIII, Louis XII et François Iᵉʳ mirent en contact les Français avec la culture italienne, qui ouvrit leurs yeux à des beautés nouvelles. Les causes qui favorisèrent ce mouvement mondial furent: (1) la découverte de l'Amérique; (2) l'invention de l'imprimerie; (3) les données nouvelles en astronomie; (4) la prise de Constantinople par les Turcs (1453), événement qui força les savants grecs à venir dans les autres pays d'Europe; (5) le bien-être matériel et le loisir pour étudier les classiques.

République.—(18e et 19e siècles.) (a) *Première République* proclamée après l'arrestation de Louis XVI, le 21 septembre 1792. Elle fut suivie du Directoire, le 26 octobre 1795.

(b) *Deuxième République* établie à la suite de la Révolution de Février 1848. Elle dura jusqu'en 1852, époque à laquelle Louis Napoléon devint empereur.

(c) *Troisième République* proclamée, d'une façon provisoire, le 4 septembre 1870, après la défaite de Napoléon III à Sedan; établie définitivement en 1875.

Restauration.—(19e siècle.) Retour des Bourbons au trône de France. Les Alliés qui avaient contribué à la défaite de Napoléon Ier aidèrent au rétablissement de la monarchie. Cette période s'étend de 1814 à 1830, et comprend deux rois, Louis XVIII et Charles X, frères de Louis XVI (décapité en 1793).

Révolution.—(18e et 19e siècles.) (a) Ce mot s'applique tout spécialement à la *Révolution française de 1789* qui renversa la monarchie, décapita Louis XVI, et prépara les voies pour la République, le Consulat et l'Empire.

(b) *Révolution de Juillet* (1830). La politique réactionnaire de Charles X, qui consistait à restreindre le suffrage et à diminuer la liberté de la presse, amena la révolte qui plaça sur le trône de France Louis-Philippe, duc d'Orléans, le roi citoyen, le monarque constitutionel. Cette Monarchie de Juillet dura jusqu'en 1848.

(c) *Révolution de Février* (1848). Les députés étaient opposés au ministère Guizot et à la politique de laisser-faire du roi. Ils ameutèrent la population industrielle de Paris et demandèrent la République. Abandonné par l'armée, le roi abdiqua.

(d) *Révolution de Septembre* (1870). Le renversement du Second Empire amena l'établissement de la Troisième République.

Romantisme.—(19e siècle.) École littéraire qui préconise le développement individuel, l'expression personnelle et la liberté dans l'art. Ce fut, en principe, une réaction contre le rationalisme froid et sévère, les règles rigides du Classicisme. Cette doctrine prit naissance au 18e siècle, sous l'influence de Rousseau et de plusieurs écrivains français et étrangers, pour fleurir vers 1830, avec Victor Hugo et d'autres écrivains et artistes. Les Romantiques, par leurs études, firent connaître et aimer la littérature du moyen âge; ils imitèrent aussi les littératures de l'Allemagne, de l'Angleterre, de l'Italie et de l'Espagne.

Salon.—(17ᵉ et 18ᵉ siècles.) Réunion de personnes de qualité et de distinction dans le salon d'une femme du monde; son but était de cultiver l'esprit. On y discutait l'art, la littérature, les mœurs et la philosophie. L'Hôtel de Rambouillet fut le plus célèbre au 17ᵉ siècle. Diderot (1713–1784) appliqua le terme de *Salons* à la critique d'art. Le Salon, aujourd'hui, est une exposition d'art qui se tient chaque année à Paris.

Sorbonne.—École fondée par Robert de Sorbon, aumônier de Louis IX, pour la préparation théologique des clercs; l'enseignement théologique fut longtemps le but principal de cette école. De nos jours, la Sorbonne est le siège des cours publics et fermés de l'Université de Paris.

Symbolisme.—(19ᵉ siècle.) École de poésie née de l'opposition aux Parnassiens. Les partisans de cette école prétendent que la vraie poésie enseigne ou suggère par les symboles et la musique plutôt que par une notion nette et précise du réel. Ils s'affranchissent de la syntaxe traditionnelle. Au réalisme des Parnassiens ils opposent l'idéalisme. Les principaux écrivains sont: Verlaine, Mallarmé, Rimbaud, Henri de Régnier, Jean Moréas, Albert Samain.

Théâtre de la Foire.—(18ᵉ siècle.) Théâtre populaire, ayant pour but de présenter aux foires et sur les boulevards de Paris des spectacles à bon marché. Ces représentations foraines, les délices du peuple, comprenaient des marionnettes, des danses, des couplets chantés et de petites comédies. Lesage écrivit une centaine de pièces pour le théâtre de la foire.

Tiers État.—Cette partie du peuple de France qui n'appartient ni à la Noblesse ni au Clergé.

Tragi-comédie.—(16ᵉ et 17ᵉ siècles.) Tragédie à dénouement heureux. Le nom est vieillot mais la chose et l'idée vivent encore dans le mélodrame, par exemple. Les personnages appartiennent généralement à la haute société et les sujets se puisent à des sources multiples. Le premier exemple important est *Bradamante* (1592) de Garnier. Alexandre Hardy réussit à merveille dans ce genre. Quelques pièces de Corneille, comme *le Cid*, *Cinna*, *Nicomède*, se rapprochent davantage de la tragi-comédie que de la tragédie pure.

Troubadours.—(Moyen âge.)   Nom donné aux poètes du Midi de la France où florissait la poésie lyrique en provençal, au 12e et 13e siècles.   L'amour est le sujet principal de leurs œuvres. Après la Croisade contre les Albigeois, au 13e siècle, ces poètes se dispersèrent.   Leur influence se fit sentir sur les poètes d'autres nations.

Trouvères.—(12e et 13e siècles.)   Poètes lyriques du nord de la France.

Unités.—Les unités se rapportent au théâtre; elles sont au nombre de trois: unité de temps, unité de lieu, unité d'action. La *Poétique* d'Aristote dit que l'intrigue de la tragédie doit être une, et que le temps de la représentation dure généralement «une révolution de soleil.»   Il ne parle pas de l'unité de lieu.   Le débat s'échauffa de 1550 à 1650, surtout en Italie et en France à l'époque de la querelle du *Cid* (1637).   La chaleur de la dispute fit oublier le vrai sens d'Aristote.   Boileau, en 1674, exige dans son *Art Poétique*,

> «Qu'en un lieu, qu'en un jour, un seul fait accompli
> Tienne jusqu'à la fin le théâtre rempli.»

Valois.—Branche royale des Capétiens, qui régna de Philippe VI à Henri III (1328–1589).

Vaudeville.—Au 15e siècle, un certain Olivier Basselin, de Vire en Normandie, composa des chants satiriques qui firent le tour de la vallée, c'est-à-dire du val ou vau-de-Vire.   Bientôt après, on en fit le mot *vaudeville* pour désigner ces chants satiriques, bachiques, mordants et grossiers.   Au 18e siècle on introduisit ces chants dans la comédie légère.   Alors le nom de vaudeville fut donné aux comédies avec chants, et plus tard le terme servit à désigner toute comédie à l'allure légère.   Le mot *vaudeville* a une signification plus restreinte en français qu'en anglais, et ne désigne jamais un spectacle de variétés.

Vendée.—Ancienne province de l'ouest de la France, au sud de la Loire.   Les Vendéens se soulevèrent en masse aux premiers jours de la Révolution de 1789; aux cris de «pour Dieu et le Roi,» ils organisèrent «une lutte de géants.»   Le mot *vendéen*, au sens figuré, veut dire «conservateur.»

QUATRIÈME PARTIE
QUESTIONS ET SUJETS D'ANALYSE

QUESTIONS ET SUJETS D'ANALYSE
(POUR GUIDER L'ÉTUDIANT DANS SES ÉTUDES ET SES LECTURES)

Ce chapitre n'est ni un nouveau précis d'histoire littéraire ni un résumé quelconque. Il consiste tout simplement en une série de questions que l'étudiant devra avoir présentes à la mémoire en lisant soit les œuvres mêmes des grands écrivains français, soit la critique et les commentaires écrits à leur sujet. Ces points de repère, qu'il sera naturellement du devoir d'un lecteur intelligent de chercher dans la vie et les œuvres d'un auteur, sont indispensables si l'on tient à lire la littérature dans les textes avant de commencer l'étude systématique des opinions des critiques.

Les sujets eux-mêmes ne sont pas complets. Nous n'avons pas cru à propos de faire mention de chaque grand écrivain français non plus que de présenter chaque mouvement; nous n'avons même pas cherché à faire une analyse complète de tel ou tel auteur. Le but de ces questions est de suggérer des idées en évitant d'être dogmatique, d'ouvrir l'esprit, d'aider à comprendre une idée générale et d'encourager à approfondir un fait positif comme tel. Qu'on veuille bien observer qu'on ne trouvera pas de réponse toute faite pour chaque question posée; pour répondre à certaines questions une connaissance plus étendue de la littérature française sera nécessaire. Puisse ce chapitre encourager la lecture d'ouvrages plus étendus et inciter les élèves à consulter les nombreux auteurs qui ont traité les divers sujets. Pour ne pas décourager les premiers efforts des étudiants en leur posant des questions trop difficiles, le maître expérimenté les saura choisir conformes au niveau intellectuel des classes auxquelles il s'adresse.

Le Moyen Age

I. *L'Histoire*

1. Quelle fut la durée du moyen âge?
2. En combien de parties peut-on diviser le moyen âge?
    Quelles sont les dates de ces divisions?
3. Quelle est l'origine des Celtes?
4. Quels étaient les caractères généraux des Celtes? leur
    religion? leurs lois? leurs coutumes?
5. Quand et par qui les Celtes furent-ils vaincus?
6. Quelles furent les causes principales de la défaite des Celtes?
7. Combien de siècles la Gaule resta-t-elle sous la domination
    étrangère?
8. a) Qui était Clovis?
    b) Comment contribua-t-il au développement du chris-
       tianisme en France?
9. a) Qui fonda la dynastie carolingienne?
    b) Quels furent les traits généraux de son règne?
10. a) Qu'est-ce que c'est que le «Traité de Verdun»?
    b) Quelle a été l'influence de ce Traité dans l'histoire?
11. Quels peuples ont contribué à la formation de la nation
    française?
12. Quelle est l'origine de la dynastie des Capétiens?   Combien
    de siècles les Capétiens ont-ils régné?
13. Comment les rois anglais acquirent-ils des droits en France?
14. Les droits anglais à la couronne de France avaient-ils un
    fondement légal ou reposaient-ils sur une présomption?
15. a) Qu'est-ce que le système féodal?
    b) Par qui fut-il institué?
    c) Quand a-t-il pris fin?
16. Quels ont été les effets du système féodal sur la civilisation
    française?
17. Quelle fut l'origine des croisades?
18. Quels furent les principaux effets des croisades?

II. *Langue et Monuments*

1. Quelle langue les Celtes parlaient-ils avant l'invasion
    romaine?
2. Quelle sorte de latin les légions de César parlaient-elles?
3. Quelle est l'importance du latin comme base du français?

4. Comment l'invasion des Francs modifia-t-elle la langue de la Gaule romaine?

5. Que veut-on dire par *langue d'oïl* et *langue d'oc?*

6. Quel dialecte de France a servi de base au français moderne?

7. a) Que signifient les termes: *formation populaire* et *formation savante?*

   b) Sous laquelle de ces deux influences le français moderne évolua-t-il principalement?

8. Comment le latin parlé se transforma-t-il en français?

9. a) Qu'entend-on par *monuments* au point de vue littéraire?

   b) Quels sont les principaux monuments de la langue française?

10. Quelle est l'origine des *Serments de Strasbourg?*

III.   *La Littérature avant 1328*

1. Qu'entendez-vous par *jongleurs?*   Quelle était leur fonction?

2. Qu'est-ce qu'une chanson de geste?   Quelle en est l'origine?

3. Que veut dire *assonance?*   Donnez quelques exemples.

4. Quelle est la base historique de la *Chanson de Roland?*

5. Quel est le fond légendaire de la *Chanson de Roland?*

6. Qui serait l'auteur de la *Chanson de Roland?*

7. Qui trahit Roland?   Quel fut le motif de cette trahison?

8. Peut-on se faire une idée de la société française du 11e siècle en lisant la *Chanson de Roland?*

9. En combien de groupes se divisent les chansons de geste?

10. Quelle est la source des romans bretons?

11. Par qui et comment les thèmes bretons sont-ils parvenus aux auteurs anglais?

12. L'histoire du Saint-Graal a-t-elle un fond historique ou est-elle entièrement légendaire?   A-t-elle une origine celtique ou chrétienne?

13. Qui était Chrétien de Troyes?   Où vécut-il? à quelle date?

14. Quels sont les principaux écrits de Chrétien de Troyes?

15. Quelle est leur valeur historique et littéraire?

16. Quel est le rôle de l'amour dans les romans de Chrétien de Troyes?

17. Comparez l'état social de la femme dans les chansons de geste et les romans de la Table ronde; montrez si cet état révèle un mouvement civilisateur, progressif ou rétrograde.

18. Qui était Marie de France?   Pourquoi est-elle appelée ainsi?

19. En quoi les *Lais* de Marie de France diffèrent-ils des romans bretons?
20. Quelle sorte d'œuvre est *Aucassin et Nicolette?*
21. A quel genre de littérature appartiennent les ouvrages suivants: *Robert le Diable, Châtelaine de Vergy, Floire et Blanchefleur?*
22. En quoi consiste l'allégorie? Donnez des exemples de l'allégorie dans la littérature moderne.
23. Quel est le fond des romans du *Cycle Antique?*
24. Quelle est l'origine du vers alexandrin?
25. Qui a écrit le *Roman de la Rose?* En combien de parties se divise-t-il? Y a-t-il des différences notables entre ces parties?
26. Quelles idées politiques, sociales et religieuses se dégagent du *Roman de la Rose?*
27. Quelle est l'origine des *Ysopets?*
28. Quel auteur s'est spécialement distingué dans les fables du moyen âge?
29. Quelle est la principale épopée animale?
30. Donnez une définition de *fabliau*.
31. Quelle est l'importance des fabliaux au point de vue littéraire, social et moral?
32. Quelle est la différence entre trouvères et troubadours?
33. Comment s'appelle le mouvement dont le but a été, dans les temps modernes, de faire revivre le Provençal?
34. Pourquoi l'Église s'intéressa-t-elle au théâtre?
35. Comment le drame liturgique se transforma-t-il?
36. De quelle manière Adam de la Halle contribua-t-il au développement du théâtre?
37. Qui écrivit l'histoire de Saint-Louis? Quelle est la valeur historique et littéraire de ce livre?

Période de Transition

1. Quelles furent les causes de la Guerre de Cent Ans? Quels furent les effets bons et mauvais de cette guerre?
2. Qui était Jeanne d'Arc? Comment sauva-t-elle la France?
3. Quels furent les moyens employés par Louis XI pour agrandir et fortifier le royaume? Furent-ils honnêtes? Expliquez.
4. Qui prit la défense des femmes contre la satire du *Roman de la Rose?* Quelle fut la nature de cette défense?

5. Quelles furent les causes du déclin des lettres et des sciences au 15e siècle?

6. En quel sens peut-on dire que Villon est un poète moderne?

7. Nommez quelques-uns des Grands Rhétoriqueurs. Pourquoi furent-ils appelés ainsi?

8. Définissez et expliquez la Scolastique: son origine, sa fonction, son influence.

9. Quelles furent les causes de la décadence du théâtre religieux?

10. Que signifient les mots suivants: *miracle, mystère, moralité, farce, sottie?*

11. Comment la farce a-t-elle survécu?

12. Quels sont les plus grands historiens du 14e et du 15e siècle?

13. Quel est le plus grand titre de gloire d'Antoine de la Salle?

La Renaissance

I. *Première Partie du 16e Siècle*

1. Quelles furent les causes des guerres d'Italie? Quel en fut le résultat?

2. A quel titre important François Ier visait-il? Quelles étaient les obligations attachées à ce titre?

3. En quoi François Ier contribua-t-il au développement de la Renaissance?

4. Quelles furent les causes principales de la Réforme?

5. Quels furent les résultats de la doctrine protestante en littérature?

6. Nommez les principaux auteurs protestants français du 16e siècle. Quelle est la valeur essentielle de leurs œuvres?

7. Quel est le nom générique des protestants français?

8. Que se passa-t-il d'important en 1572? Pourquoi ce fait est-il important?

9. En quoi Henri IV mérita-t-il l'approbation de ses contemporains et la nôtre?

10. Qu'est-ce que l'Édit de Nantes?

11. Qu'est-ce qui contribua à donner une plus large idée du monde au 16e siècle?

12. Comment le point de vue scientifique du 16e siècle fut-il changé?

13. Qu'entend-on par tradition au point de vue religieux?

14. Quelles furent les conséquences religieuses, politiques et

sociales du mouvement qui aida à briser l'influence de la tradition?

15. Qu'est-ce que l'humanisme?

16. Comment s'appelait le poète de cour de François Iᵉʳ? En quoi consiste son importance? Quelles étaient ses idées religieuses?

17. En quel sens Rabelais représente-t-il l'esprit de la Renaissance?

18. Quelle idée Rabelais se fait-il de la nature?

19. Quels sont les points de ressemblance, au point de vue philosophique, entre Rabelais, le catholique, et Calvin, le protestant?

20. Quel est le sujet de *Gargantua et Pantagruel?*

21. S'il est admis que l'œuvre de Rabelais est une satire, quel est le fond de cette satire?

22. En quoi Calvin contribua-t-il au développement de la prose française?

23. En quoi se résume la doctrine de Calvin? Où puisa-t-il cette doctrine?

II. *Seconde Partie du 16ᵉ Siècle*

1. Qu'est-ce que la Pléiade? D'où lui vient ce nom?

2. Quel fut le but de la Pléiade? Atteignit-elle ce but?

3. Comment s'appelle le manifeste de la doctrine littéraire de la Pléiade? En quelle année parut-il? Quelle est la valeur de ce document au point de vue littéraire?

4. La réputation de Ronsard fut-elle méritée? Quels sont ses qualités et ses défauts?

5. Quel est le sujet de la *Franciade?* Quelle est la valeur littéraire de ce poème?

6. Quelle fut la part de Jodelle dans l'œuvre de la Pléiade?

7. Qu'entend-on par «règles» dans la tragédie de cette époque? Quelles étaient les sources des ces «règles»?

8. En quoi et jusqu'à quel point l'influence italienne se fit-elle sentir au théâtre?

9. Sur quel principe la philosophie de Montaigne repose-t-elle?

10. Quelle sorte de scepticisme trouve-t-on dans les *Essais* de Montaigne?

11. Le scepticisme de Montaigne a-t-il une certaine valeur sociale?

12. En quoi consiste le système d'éducation de Montaigne? Comment diffère-t-il de celui de Rabelais?
13. Quelle a été l'influence des *Essais* en France et à l'étranger?
14. Qu'est-ce qui a fait la renommée de Brantôme et de Montluc?
15. Qui était St. François de Sales? Quels livres a-t-il écrits? Montrez quelle est leur essence et démontrez leur valeur.

Le Dix-septième Siècle

I. *L'Histoire*

1. Qui fut le plus grand roi français du 17e siècle? Combien d'années régna-t-il?
2. A quel moment le pouvoir politique et la grandeur littéraire atteignirent-ils leur apogée en France au 17e siècle?
3. Quelle était la condition du peuple français au 17e siècle?
4. Quels furent les plus grands ministres au 17e siècle?
5. Quels furent les causes et les effets de la Fronde?
6. Quels étaient les traits saillants du caractère d'Henri IV?
7. Quelle fut la portée religieuse et politique de l'Édit de Nantes? Combien d'années eut-il force de loi?
8. A quelles causes pouvons-nous attribuer la Guerre de Trente Ans? Quel fut le résultat de ce conflit?
9. Quelles sont les reines qui exercèrent la régence au 17e siècle?
10. Comment l'Alsace fut-elle rattachée à la France?
11. Quelle fut la politique de Louis XIV à l'égard de l'Angleterre, de l'Espagne et de l'Allemagne? Quels furent les effets de cette politique?
12. Qu'est-ce que la Ligue d'Augsbourg? Sous quelles influences fut-elle formée?
13. Qui devint roi d'Espagne en 1700? Quelles furent les répercussions politiques de cet événement?
14. Quel était l'état général de la France en 1715?
15. Quels furent, dans les grandes lignes, la vie, le caractère et l'influence de Louis XIV?

II. *Malherbe*

1. En quoi Malherbe fut-il un réformateur?
2. Quels furent les effets de sa réforme?
3. Sa poésie se distingue-t-elle par l'inspiration ou par la forme?

4. Quel est le caractère principal de la doctrine de Malherbe? Est-elle originale?
5. Dans quel sens Malherbe appartient-il à la Renaissance?
6. Faites une analyse critique de l'œuvre de Malherbe en général. A-t-elle donné à la littérature française une direction nouvelle?

III. *Corneille*

1. Qu'est-ce qu'un classique? Corneille est-il classique? En quel sens?
2. Quel était le caractère de la tragédie française au temps des débuts de Corneille?
3. Décrivez et expliquez les étapes d'évolution du théâtre de Corneille.
4. L'impulsion de la volonté dans Corneille vient-elle du dedans ou du dehors?
5. Quel est l'intérêt dominant du théâtre de Corneille, la couleur historique, la volonté ou l'émotion?
6. Quelles sont les sources principales des pièces de Corneille?
7. L'action, dans Corneille, est-elle d'ordre physique ou psychologique?
8. Les personnages de Corneille représentent-ils le peuple ou l'aristocratie? Pourquoi?
9. Corneille a-t-il toujours observé les règles des unités?
10. Les unités ont-elles favorisé le génie de Corneille? Développez votre opinion.
11. En quel sens pourrait-on dire que le théâtre de Corneille est une école de moralité? Quelle serait l'essence de cette moralité?

IV. *Descartes*

1. Quelle est l'idée principale du *Discours de la Méthode?*
2. Que veut dire Descartes par méthode?
3. Quelle est la valeur scientifique de cette méthode?
4. Quelle est la valeur du *Discours* au point de vue littéraire?
5. Quel est, d'après Descartes, le principe de la connaissance?
6. Quelle est la différence entre le principe de Descartes et celui de Socrate?
7. Descartes est-il sceptique? En quel sens?
8. Quelle a été l'influence de la philosophie de Descartes sur la religion et sur l'autorité de l'Église et la littérature?

V. *Pascal*

A. LES *PROVINCIALES:*

1. Quel est le sujet des *Provinciales?*   A quelle occasion furent-elles écrites?
2. Qu'est-ce que la casuistique?
3. Quelle est l'essence de la polémique de Pascal?
4. Quelles sont les idées contingentes et les idées universelles que l'on trouve dans les *Provinciales?*
5. Serait-il vrai de dire que Pascal a frayé la voie à Voltaire? Comment?
6. Les *Provinciales* produisirent-elles l'effet désiré?

B. LES *PENSÉES:*

1. Quel était le but de Pascal en écrivant les *Pensées?*
2. S'il y a unité dans ce livre, en quoi consiste-t-elle?
3. Ses considérations sur l'homme révèlent-elles un optimiste ou un pessimiste?
4. La foi, d'après Pascal, est-elle un corollaire de la raison ou existe-t-elle en dehors de la raison?
5. Les *Pensées* prouvent-elles la vérité absolue, intrinsèque de la religion ou la démontrent-elles d'une façon relative?
6. Peut-on, sans partager sa croyance, admirer la ferveur de sa foi, la profondeur de sa pensée et la logique de ses arguments?

VI. *La Rochefoucauld*

1. Dans quel genre littéraire peut-on classer les *Maximes* de La Rochefoucauld?
2. Ce livre représente-t-il seulement l'esprit de l'auteur ou l'état d'âme d'une époque?
3. Pourquoi l'auteur se montre-t-il pessimiste?
4. En quel sens La Rochefoucauld est-il moraliste?   Sa morale est-elle convaincante?
5. Quelles sont les qualités principales du style de La Rochefoucauld?

VII. *Le Cardinal de Retz*

1. De Retz fut-il honnête et sincère comme homme public et comme homme privé?

2. Se montre-t-il penseur original et profond dans ses écrits?
3. Quelle est la valeur de ses *Mémoires* au point de vue historique?
4. Que faut-il penser du style de l'auteur?

VIII.   *Madame de Lafayette*

1. Quel genre de roman est *la Princesse de Clèves?*
2. Quels sont, dans les grandes lignes, les mœurs du siècle et les goûts littéraires de l'époque représentés dans ce livre?
3. Quelle place ce livre tient-il dans le développement historique du roman?
4. Quelles sont les qualités que cette œuvre possède en commun avec la littérature du 17e siècle?

IX.   *Madame de Sévigné*

1. Quel est le titre de gloire de Madame de Sévigné?
2. A qui Madame de Sévigné adressa-t-elle la plus grande partie de ses lettres?
3. Quelles sont les qualités de son style?
4. Les lettres de Madame de Sévigné ont-elles une valeur historique?
5. Que nous révèlent-elles de la société du 17e siècle?

X.   *Boileau*

1. Dans quel genre littéraire Boileau se distingua-t-il?
2. Quel fut le but de ses écrits?
3. A-t-il inventé un genre nouveau, trouvé une formule spéciale en littérature?
4. Boileau conseille-t-il de suivre la raison ou le sentiment?
5. Ses contemporains suivirent-ils ses conseils? Nommez quelques auteurs qui subirent son influence et démontrez en quel sens.
6. Que signifie «nature» dans la pensée de Boileau? Comparez l'idée de nature chez Rabelais et chez Boileau.
7. A quelles sources littéraires Boileau puisa-t-il principalement?
8. En quel sens les théories littéraires de Boileau furent-elles utiles? En quel sens furent-elles nuisibles?

XI. *La Fontaine*

1. Quel livre a établi la réputation de La Fontaine?
2. La Fontaine est-il vraiment poète?
3. La technique des vers de La Fontaine est-elle négligée?
4. Où La Fontaine a-t-il pris les sujets de ses *Fables?*
5. En quoi consiste l'originalité poétique de La Fontaine?
6. Quel jugement La Fontaine porte-t-il sur l'homme en général?
7. La morale des *Fables* est-elle chrétienne ou simplement humaine?   Expliquez.
8. Qu'est-ce que l'«esprit gaulois»?   Se trouve-t-il dans les œuvres de La Fontaine?
9. En quel sens pourrait-on comparer Villon à La Fontaine?

XII. *Molière*

1. Molière se propose-t-il d'amuser ou d'instruire?
2. En quoi consiste la vérité de ses caractères?
3. Qu'est-ce que le rire, en général?   Peut-on dire que le rire de Molière est un jugement?   Expliquez.
4. Comparez le rire de Molière et l'«humour» de Shakespeare.
5. Quelle idée Molière se fait-il de la famille?
6. Quels sont les points de contact entre Rabelais, Montaigne et Molière au point de vue religieux et philosophique?
7. En quoi consiste le réalisme de Molière?
8. Quels sont les vices principaux que Molière a critiqués?
9. Molière s'attache-t-il de préférence à peindre un caractère ou à bien conduire l'intrigue?
10. Quelles sont les pièces de Molière que l'on pourrait appeler farces, comédies de mœurs et comédies de caractère?
11. Comment Molière traite-t-il l'unité de temps et de lieu?
12. Molière représente-t-il l'esprit français?   Expliquez.

XIII. *Racine*

1. Quelles influences aidèrent à la formation littéraire et morale de Racine?
2. Comparez l'état de la société française au temps de Corneille et de Racine.
3. Expliquez pourquoi les pièces de Corneille ne trouvaient plus la même faveur devant le public de 1660.

4. Quelle influence les idées religieuses de Racine eurent-elles sur son théâtre?
5. Quelle sorte d'action trouve-t-on dans le théâtre de Racine?
6. Quelle est la fonction de la volonté dans le théâtre de Racine?
7. Pourrait-on dire qu'*Athalie* est non seulement une pièce religieuse mais une pièce politique?   Quelle est votre opinion à ce sujet?
8. Quelle différence y aurait-il entre le «fatalisme» de Racine et le «déterminisme» de Taine?

XIV.   *Bossuet*

1. Quelle est la valeur doctrinale et la valeur littéraire des *Sermons* de Bossuet?
2. Quelles étaient les idées de Bossuet sur l'éducation?
3. Comment Bossuet considère-t-il l'histoire?   Quels sont les ouvrages historiques qu'il a écrits?
4. Quelles sont les qualités du style de Bossuet?
5. La théologie de Bossuet est-elle orthodoxe au point de vue catholique?   Expliquez.
6. Qu'entend-on par *Église gallicane?*
7. a) Quelle fut la conduite de Bossuet dans la condamnation du quiétisme?
   b) Comment cette querelle pourrait-elle nous aider à comprendre le caractère de Bossuet?

XV.   *La Bruyère*

1. La Bruyère connaissait-il bien la société de son temps?
2. De quoi La Bruyère parle-t-il dans ses *Caractères?*
3. Quels sont les points de différence et de ressemblance qui peuvent se remarquer entre les *Caractères* de la Bruyère et les *Maximes* de La Rochefoucauld?
4. Quelles sont les qualités du style de La Bruyère?
5. Quelles furent ses opinions littéraires, politiques et sociales?

XVI.   *Fénelon*

1. Quels sont les ouvrages de Fénelon?
2. Quel fut le but de ses ouvrages?
3. Les idées politiques et religieuses de Fénelon diffèrent-elles de celles de Bossuet?

4. Quels sont les faits principaux de la vie de Fénelon qui nous révèlent l'homme et son caractère?
5. Quels sont les points principaux du système d'éducation de Fénelon?
6. Qu'est-ce que la *Lettre à l'Académie* de Fénelon?
7. Les idées littéraires et politiques de Fénelon procèdent-elles de son tempérament plutôt que de sa raison?   Expliquez.

XVII.   *Lesage*

1. Le milieu et la race de Lesage peuvent-ils aider à comprendre son caractère et ses écrits?
2. Lesage a-t-il contribué au développement d'un genre nouveau en littérature?
3. Dans quelle catégorie de romans peut-on classer *Gil Blas?*
4. Quelle idée Lesage se fait-il de la nature humaine?   Cette idée est-elle d'accord avec la pensée de son siècle?
5. Dans quel sens Lesage a-t-il contribué au développement du roman et du théâtre?

XVIII.   *Fontenelle*

1. Fontenelle représente-t-il l'esprit de son siècle?   Quelle est l'essence de cet esprit?
2. Quelles sont les qualités littéraires de Fontenelle?
3. Quelle est la valeur de Fontenelle au point de vue scientifique?
4. En quel sens Fontenelle croit-il au surnaturel?
5. Fontenelle croit-il à l'avenir de la science, au progrès indéfini?

Le Dix-huitième Siècle

I.   *L'Histoire*

1. Quel était l'état politique, social et religieux de la France à la mort de Louis XIV?
2. Quelle sorte d'homme était le duc d'Orléans?
3. Comment la France acquit-elle la Lorraine?
4. Quelles furent les guerres auxquelles Louis XV prit part?
5. Quelle fut l'attitude de la France à l'égard de la Révolution américaine?
6. Quelles furent les causes de la Révolution française?
7. Quelle était la nature du conflit entre le roi, la noblesse et la bourgeoisie?

8. Quelle est l'essence de la Déclaration des Droits de l'homme?
9. Quand la République fut-elle proclamée?
10. Pourquoi la Vendée se souleva-t-elle?
11. Quel fut le programme politique des Girondins et des Jacobins?   Quelle est l'origine de ces noms?
12. Qu'est-ce que le règne de la Terreur?
13. Quelle était la composition du Directoire?   Quel fut son programme?
14. En quoi la Terreur et le Directoire différaient-ils?
15. Qu'est-ce que le Consulat?   Quelles en sont les origines historiques?
16. Qu'est-ce que le Concordat?   Qui signa ce document?
17. Quel événement politique eut lieu en 1804?

II.   *Saint-Simon*

1. Quelle sorte d'homme fut Saint-Simon?
2. Quels étaient ses préjugés politiques et sociaux?   Ces mêmes préjugés étaient-ils partagés par la plupart de ses contemporains?
3. Quelles sont les qualités intellectuelles et littéraires des ouvrages de Saint-Simon?
4. Saint-Simon écrivit-il par esprit de rancune ou par esprit de justice?
5. Quels furent les points principaux de sa vie?   Eurent-ils une certaine influence sur ses écrits?

III.   *Vauvenargues*

1. Par quels traits Vauvenargues représente-t-il l'esprit du 18e siècle?
2. Peut-on rattacher sa tendance philosophique à celle de la Renaissance?
3. En quoi l'œuvre de Vauvenargues se distingue-t-elle de celle de La Rochefoucauld et de La Bruyère?
4. Quel est le fond de la morale de Vauvenargues?

IV.   *Marivaux*

1. Dans quels genres littéraires Marivaux s'est-il distingué?
2. Comment Marivaux traite-t-il l'amour?   Quels sont, dans ce sens, les traits communs entre Racine et lui?

3. En quoi consiste le réalisme de Marivaux?
4. Quel but Marivaux se proposait-il en écrivant ses comédies?
5. Que veut dire *marivaudage?*
6. Quels sont les éléments nouveaux dans le théâtre de Marivaux?
7. Les romans de Marivaux ont-ils aidé au développement du genre?
8. Quels auteurs anglais se sont inspirés de Marivaux?

V. *Montesquieu*

1. Quels sont les ouvrages qui ont fait la renommée de Montesquieu?
2. Que nous enseigne Montesquieu sur l'origine, le but et la valeur des lois?
3. Comment Montesquieu considère-t-il l'histoire? Sur quels principes base-t-il l'évolution historique des peuples? Comment se distingue-t-il de Bossuet sur ce point?
4. Quels sont les défauts et les qualités de Montesquieu comme historien?
5. Quelle a été l'influence de Montesquieu?

VI. *Voltaire*

1. Quels sont les traits principaux de la vie de Voltaire? D'où vient le nom de Voltaire?
2. Quels sont les ouvrages les plus importants de Voltaire?
3. Pourquoi Voltaire fut-il admiré de ses contemporains?
4. Voltaire se montre-t-il pessimiste ou optimiste dans ses écrits?
5. Quelles étaient ses idées politiques et religieuses?
6. Quelle est la valeur de Voltaire comme poète, prosateur, tragédien et philosophe?
7. Quelles furent les influences étrangères qui agirent sur Voltaire?
8. Quel fut le jugement de Voltaire sur l'Angleterre?
9. Quels rapports y a-t-il entre le concept historique de Voltaire, celui de Bossuet et celui de Montesquieu?
10. Quels furent les moyens de propagande employés par Voltaire?
11. Quelles furent les personnes, les idées et les choses que Voltaire attaqua?

12. Qu'est-ce que l'affaire Calas?   Quel rôle Voltaire joua-t-il dans cette affaire?
13. En quoi Voltaire mérite-t-il notre admiration?

VII.   *Rousseau*

1. Où naquit Rousseau?   Quelle était la religion de ses parents?
2. Quel était le gouvernement du pays où il naquit?
3. Quelle influence ces circonstances eurent-elles sur sa vie, son caractère et ses œuvres?
4. Le style de Rousseau a-t-il une grande valeur?
5. Y a-t-il une grande différence entre les actes et la pensée de Rousseau?
6. Quelles sont les idées fondamentales contenues dans *le Contrat social*, *Émile*, *la Nouvelle Héloïse?*
7. Rousseau est-il individualiste?
8. Dans quelle mesure a-t-il contribué à répandre le Romantisme en France?
9. L'émotion de Rousseau est-elle sincère, profonde ou superficielle?
10. Est-ce un sentiment d'humilité ou d'orgueil que nous trouvons dans les *Confessions* de Rousseau?
11. Y a-t-il des points de ressemblance entre les *Confessions* de Saint-Augustin, les *Confessions* de Rousseau et les *Mémoires d'outre-tombe* de Chateaubriand?

VIII.   *Bernardin de Saint-Pierre*

1. Bernardin de Saint-Pierre étudie-t-il la nature au point de vue poétique ou scientifique?
2. Quelles régions décrit-il dans ses livres?
3. Ses idées sociales reposent-elles sur des bases intellectuelles ou se résument-elles en vastes utopies?
4. Quel genre de roman est *Paul et Virginie?*   Quelle a été son influence?   Quelle est sa valeur littéraire?
5. Comment Bernardin de Saint-Pierre a-t-il contribué au développement de la littérature française?

Le Dix-neuvième Siècle

I.   *L'Histoire*

1. Combien d'années Napoléon gouverna-t-il la France et domina-t-il l'Europe?

2. Quelle fut la bataille qui mit fin à la carrière de Napoléon? En quelle année?   Dans quel pays eut-elle lieu?
3. Que représente la date du 18 Brumaire?
4. Quelles furent les principales étapes de la vie de Napoléon?
5. Qu'est-ce que les Cent-Jours?
6. Quel changement politique la Restauration apporta-t-elle?
7. Qui était Louis XVIII?   A qui succéda-t-il et qui lui succéda?
8. Que se passa-t-il d'important en 1830?
9. Qui était Louis-Philippe?   Quelle est l'origine de la famille d'Orléans?
10. Louis-Philippe gouverna-t-il d'après les mêmes principes que ses prédécesseurs?
11. Quand, pourquoi et comment le gouvernement de Louis-Philippe fut-il renversé?
12. Qui était Louis-Napoléon?   Comment gouverna-t-il?   Dans quelles guerres fut-il engagé?
13. Quels furent, pour la France, les avantages ou les désavantages du règne de Napoléon III?
14. A quel moment la Troisième République fut-elle proclamée?
15. Qu'est-ce que la Commune?   Quelles furent les causes de la Commune?

II.   *Madame de Staël*

1. Où Madame de Staël naquit-elle?   De qui était-elle la fille?
2. Quelle influence Madame de Staël a-t-elle exercée sur le développement de la littérature romantique?
3. Quelles furent les idées nouvelles introduites en France par Madame de Staël?
4. Quel est le livre dans lequel se trouvent exprimées la plupart de ses idées philosophiques?
5. En quoi consiste l'individualisme de Madame de Staël?
6. L'influence de Madame de Staël a-t-elle été bienfaisante et permanente?

III.   *Chateaubriand*

1. Quels sont les ouvrages de Chateaubriand qui eurent à la fois une influence littéraire, morale et religieuse?
2. Quels sont les thèmes principaux de la pensée de Chateaubriand?

3. Quelles furent les causes de son égoïsme et de son pessimisme?
4. Dans quel sens pourrait-on dire que Chateaubriand a renouvelé la littérature?
5. Que signifie l'expression *mal du siècle?* Quels furent les causes et les effets de l'état d'âme représenté par cette expression?
6. Trouve-t-on une analyse psychologique très définie dans Chateaubriand?
7. Quelle fut la part de Chateaubriand dans le développement de l'école romantique?

IV. *Lamartine*

1. La religion de Lamartine eut-elle une influence spéciale sur la formation de son génie poétique?
2. La nature décrite par Lamartine est-elle réelle ou imaginaire?
3. Pourquoi la poésie de Lamartine respire-t-elle un certain air de mélancolie?
4. Dans le fond comme dans la forme, Lamartine est-il romantique ou classique? Expliquez.
5. En quel sens Lamartine a-t-il renouvelé la poésie?
6. Quels sont les traits caractéristiques du génie de Lamartine?
7. Comment Lamartine considère-t-il l'amour?
8. Quels sont les qualités et les défauts de Lamartine comme poète épique?

V. *De Vigny*

1. Quels sont les genres litéraires que Vigny a cultivés? Dans lequel a-t-il excellé?
2. La poésie de Vigny s'adresse-t-elle à la foule ou à l'élite? Développez votre opinion à cet égard.
3. Jusqu'à quel point Vigny est-il romantique?
4. Pourquoi est-il pessimiste?
5. Connaissez-vous des auteurs anglais de la même époque auxquels Vigny pourrait être comparé?
6. Quelles sont les idées politiques de Vigny? Quels sont les ouvrages qui pourraient servir de symbole à ses idées politiques?

VI. *Victor Hugo*

1. Quels sont les genres littéraires que V. Hugo a cultivés?
2. Quel jugement porte-t-on, en général, sur l'homme et le penseur? Sur quoi repose cette opinion?

3. Quelle est la faculté maîtresse de V. Hugo comme poète?
4. V. Hugo a-t-il contribué à enrichir la langue française? de quelle façon?
5. Quelle sorte d'innovation Hugo a-t-il apportée au théâtre?
6. Dans quel ouvrage trouve-t-on son programme? Quelle en est la date?
7. Quel est le drame le plus connu de V. Hugo? A quelle date fut-il représenté la première fois?
8. Quel est le roman le plus important de V. Hugo?
9. Quelles furent les vues religieuses, politiques et sociales de V. Hugo aux différentes époques de sa vie?
10. V. Hugo fut-il doué d'un grand génie dramatique? Son œuvre dramatique eut-elle d'heureux résultats?
11. Quelle place donne-t-on généralement à Hugo comme poète? Cette place est-elle méritée?

VII. *Musset*

1. Qu'est-ce qu'un poète? Musset est-il vraiment poète? Est-il tout entier dans ses vers?
2. Sous quels aspects Musset considère-t-il la vie? Son concept de la vie est-il purement individuel ou représente-t-il sa génération?
3. Quel est le thème fondamental des *Nuits?*
4. Comment Musset considère-t-il l'amour?
5. Quelle est la valeur du théâtre de Musset? Énumérez-en les qualités principales.
6. Quelle influence George Sand a-t-elle exercée sur le développement littéraire de Musset?

VIII. *Gautier*

1. Par quel élément personnel Gautier a-t-il contribué au Romantisme?
2. En quoi l'œuvre poétique de Gautier est-elle importante?
3. En quel sens pourrait-on dire que Gautier est un poète de transition?
4. Quelle sorte d'influence Gautier a-t-il eue sur la poésie?

IX. *George Sand*

1. En combien de périodes peut-on diviser l'œuvre littéraire de George Sand?

2. Sur quels points principaux repose l'évolution de sa pensée?
3. A quelles sources George Sand puisa-t-elle son inspiration?
4. George Sand représente-t-elle dans ses romans le réel ou l'idéal?
5. Quelles étaient les idées politiques de George Sand?
6. George Sand nous a-t-elle donné une peinture vraie des paysans?
7. Quelle province de France a-t-elle décrite?
8. En quoi pourrait-on comparer George Sand à George Eliot?

X. *Balzac*

1. Pourquoi appelle-t-on Balzac le père du Réalisme en France?
2. Qu'est-ce que le Réalisme?
3. Pourquoi appelle-t-on l'ensemble des romans de Balzac «la Comédie humaine»?   Expliquez le mot *Comédie*.
4. Sur quoi repose la philosophie de Balzac?
5. Les romans de Balzac ont-ils un caractère scientifique? en quel sens?
6. Balzac a-t-il réussi à peindre les sentiments délicats de l'âme?   dans quel livre?
7. La peinture que Balzac nous a donnée de la société peut-elle avoir une grande importance pour la postérité?
8. Balzac est-il créateur ou vulgarisateur?
9. Les principaux caractères de Balzac représentent-ils des types ou des individus?   Donnez des exemples.
10. Quels sont les faits saillants de la vie de Balzac qui peuvent avoir agi sur sa production littéraire?
11. Quel rang Balzac tient-il, en France, comme romancier?

XI. *Mérimée*

1. Quel est le livre de Mérimée qui nous fait le mieux connaître l'homme et sa pensée?
2. Quel genre littéraire Mérimée a-t-il développé?
3. Quel rang Mérimée tient-il en France dans le roman historique?
4. Quelles sont les sources immédiates et lointaines du roman historique en France?
5. Quelle est la valeur des romans de Mérimée au point de vue historique et littéraire?

XII. *Michelet*

1. Quelle est la valeur de Michelet comme historien? Ses preuves reposent-elles toujours sur un fondement solide? Est-il impartial?
2. Quelle est la qualité dominante de Michelet comme écrivain?
3. Quelles étaient les idées politiques, sociales et religieuses de Michelet? Dans quel sens et jusqu'à quel point le jugement de l'auteur a-t-il été influencé par ces idées?
4. Quels sont les ouvrages principaux de Michelet?

XIII. *Sainte-Beuve*

1. La critique de Sainte-Beuve est-elle objective?
2. Comment a-t-il contribué à faire revivre le moyen âge?
3. L'analyse de Sainte-Beuve est-elle scrupuleuse et précise? Citez des exemples.
4. Comment pourrait-on comparer la méthode critique de Boileau à celle de Sainte-Beuve?
5. Quel fut le rôle joué par Sainte-Beuve dans l'école romantique?
6. Quels sont les critiques anglais du 19e siècle avec lesquels on pourrait comparer Sainte-Beuve?
7. Sur quelles bases historiques et philosophiques la critique de Sainte-Beuve repose-t-elle?
8. Quel rang Sainte-Beuve tient-il dans l'histoire de la critique?

XIV. *Taine*

1. Quelle est la fonction de la psychologie et de la physiologie dans la critique de Taine?
2. Sous quels aspects Taine considère-t-il l'élément personnel?
3. Que veut dire Taine par «déterminisme»? Dans quel sens peut-on dire que les actes d'un écrivain sont déterminés? D'après Taine, en quoi consiste la liberté de l'homme?
4. Quelle est la valeur de la théorie de Taine au point de vue moral?
5. Comment Taine a-t-il jugé la Révolution?
6. Quels sont les défauts et les qualités de la doctrine de Taine?
7. Quels sont les principaux ouvrages de Taine?

XV. *Renan*

1. La race et l'éducation première de Renan ont-elles eu une grande influence sur son génie?

2. Quelle fut la marche de l'évolution de ses idées?

3. Est-il toujours possible de suivre le fil précis de la pensée de Renan?

4. Dans quel livre Renan nous a-t-il donné la meilleure étude sur lui-même?

5. Quel a été le rôle de Renan dans l'histoire religieuse du 19e siècle?

6. Renan est-il impartial?   Est-il sincère?

7. Y a-t-il une certaine similarité entre la critique de Taine et celle de Renan?

XVI.   *Flaubert*

1. Quelles furent les influences héréditaires de Flaubert?

2. Faites un portrait du caractère de Flaubert et montrez comment l'homme explique l'œuvre.

3. Quelle est la valeur de Flaubert comme artiste?

4. La prose de Flaubert nous révèle-t-elle une exubérance romantique ou une observation minutieuse, concise et exacte?

5. Flaubert est-il personnel ou objectif dans l'étude de ses personnages?

6. Quels sont les points de ressemblance et de contraste entre Flaubert et Balzac?

7. Flaubert est-il pessimiste ou optimiste?   Quelle est la source de ses idées à cet égard?

8. Quels sont les sujets traités par Flaubert dans ses divers livres?

9. Montrez comment et en quoi Flaubert a enrichi la littérature française.

XVII.   *Zola*

1. Quels sont les côtés de la vie que Zola a décrits?

2. Quelles sont les causes du pessimisme de Zola?

3. Quelle est la valeur artistique de Zola?

4. Quelle est la valeur de la science de Zola?

5. Jusqu'à quel point ses romans sont-ils scientifiques?

6. En quoi consiste la doctrine naturaliste?

7. Qu'est-ce que le roman expérimental?

XVIII.   *Daudet*

1. A quelle école littéraire Daudet appartient-il?

2. A quel auteur anglais Daudet est-il généralement comparé? Quels sont les points de comparaison?

3. Tartarin est-il un être d'imagination pure ou représente-t-il une réalité objective?
4. Quelles furent les sympathies sociales de Daudet?
5. En quoi consiste l'art de Daudet?
6. Trouvez-vous certaines analogies entre l'humour de Cervantes et celui de Daudet?

XIX. *Maupassant*

1. L'œuvre littéraire de Maupassant révèle-t-elle des faits réels ou imaginaires?
2. Maupassant est-il impersonnel dans l'étude de ses caractères?
3. Maupassant est-il moral ou amoral dans sa conception de la vie?
4. En quel genre littéraire Maupassant s'est-il le plus distingué?
5. Comment Maupassant traite-t-il la femme? Son point de vue est-il juste ou erroné? Quels philosophes ont exercé sur lui une grande influence à cet égard?
6. Quelle est la valeur de Maupassant comme artiste?
7. Comment Maupassant a-t-il contribué à l'évolution progressive de la littérature française?

XX. *Augier*

1. Dans quelles pièces d'Augier trouve-t-on principalement une forte tendance sociale et morale?
2. Augier est-il réaliste?
3. Quels sont les vices attaqués par Augier?
4. Que pense Augier du mariage, de la famille? Continue-t-il la tradition française en ce sens?
5. Les comédies d'Augier font-elles simplement rire ou portent-elles à penser?
6. Comment peut-on comparer Molière et Augier?
7. Quelle place Augier occupe-t-il dans le théâtre français du 19e siècle?

XXI. *Dumas Fils*

1. En quoi consiste le comique de Dumas?
2. Quelles questions Dumas soulève-t-il dans son théâtre?

3. Les personnages de Dumas nous donnent-ils l'impression du réel?
4. Trouve-t-on dans la société ordinaire des situations semblables à celles du théâtre de Dumas?
5. Quelle sorte de préparation académique Dumas reçut-il?
6. Quel est le thème de *la Dame aux camélias?*
7. En quel sens le théâtre de Dumas est-il moral?
8. Quelle a été l'influence du théâtre de Dumas?

XXII. *Becque*

1. Peut-on dire que le théâtre de Becque soit vraiment social?
2. Quel but Becque s'est-il proposé en écrivant ses pièces?
3. Comparez le réalisme d'Augier et de Dumas fils au réalisme de Becque.
4. Qu'est-ce que le Théâtre Libre? Par qui fut-il fondé?
5. Becque est-il sincère? Écrit-il pour plaire ou pour instruire et corriger?
6. En étudiant la vie de Becque, peut-on comprendre son pessimisme amer?
7. Quelle est la valeur du théâtre de Becque?
8. Quelle a été l'influence de Becque?

XXIII. *Leconte de Lisle*

1. Leconte de Lisle est-il classique ou romantique? par le fond ou la forme?
2. Quelle idée de la vie se dégage des œuvres de Leconte de Lisle?
3. Quels sont les principes philosophiques de Leconte de Lisle?
4. Quels furent les sujets favoris de Leconte de Lisle?
5. Leconte de Lisle a-t-il un grand pouvoir évocateur? Décrit-il avec précision?
6. Quelle a été l'influence de Leconte de Lisle en poésie?

XXIV. *Sully Prudhomme*

1. A quelle école poétique appartient Sully Prudhomme?
2. Sully Prudhomme décrit-il le monde intérieur ou extérieur?
3. En quoi consiste le pessimisme de Sully Prudhomme? Y a-t-il une différence entre son pessimisme et celui de son école?

4. Quelles sont les poesies de Sully Prudhomme les plus connues?
5. Quelle est la raison de leur popularité?

XXV. *Verlaine*

1. Qu'est-ce que le Symbolisme? Que représente-t-il comme expression littéraire et comme doctrine philosophique?
2. Pourquoi les Symbolistes sont-ils difficiles à comprendre?
3. En quoi consiste la technique des vers des Symbolistes?
4. Qu'est-ce qui distingue les poètes symbolistes des Parnassiens?
5. Verlaine et son école s'attachent-ils à la pensée ou à l'art?
6. Est-il vrai de dire que Verlaine fût matérialiste dans sa vie et idéaliste dans sa poésie?
7. Dans quel sens Verlaine a-t-il contribué à renouveler le vers français?
8. A quel poète du moyen âge pourrait-on comparer Verlaine?
9. Verlaine est-il un grand poète?

Période Contemporaine

I. *L'Histoire*

1. Comment l'affaire Dreyfus discrédita-t-elle le parti monarchique?
2. Comment le parti clérical fut-il entraîné dans l'affaire Dreyfus?
3. Pourquoi le Concordat de 1801 fut-il abrogé en 1905?
4. Qui était Président de la République Française pendant la guerre de 1914?
5. Quelle est l'étendue de l'empire colonial français?
6. Quels ont été et quels sont les effets de la Grande Guerre au point de vue économique et social?

II. *Littérature*

1. Sur quelle base historique *l'Aiglon* repose-t-il? Quelles sont les autres pièces de Rostand? Dans quelle catégorie les classe-t-on?

2. Dans quel champ d'activité littéraire Anatole France s'est-il distingué?

3. Quelle a été l'attitude d'Anatole France à l'égard de la religion?

4. Quels sont les remèdes proposés par Brieux aux problèmes moraux qu'il discute?

5. Discutez une pièce d'Hervieu qui montre des tendances philosophiques et sociales.

6. Quels sont les thèmes principaux étudiés par de Curel? Sont-ils importants? Discutez une de ses pièces.

7. Les auteurs dramatiques du 19e siècle ont-ils contribué à améliorer la société?

8. Quelles influences littéraires Maeterlinck a-t-il subies?

9. Que veut-on dire par «théâtre statique»?

10. Qu'entend-on par roman régional? Quels sont les auteurs qui se sont distingués ou se distinguent encore dans ce genre?

11. Qui a écrit *les Oberlé? Pêcheur D'Islande? la Peur de vivre? Jean Christophe? la Robe rouge?*

12. Quelle est l'importance de Bourget dans le roman contemporain?

13. Quel est le philosophe français qui a beaucoup agi sur l'esprit de Bourget?

14. Sur quel principe repose la philosophie de Bourget?

15. Le roman psychologique actuel a-t-il des rapports avec le roman psychologique du 17e siècle?

16. Quel est l'idéal d'Henry Bordeaux dans le domaine de la religion et de la famille?

17. Le roman régionaliste est-il seulement la peinture d'une province ou est-il aussi l'expression d'une race?

18. Quel est le fond de la pensée de Proust?

19. Quelles idées nouvelles nous a-t-il données?

20. Représente-t-il la pensée française contemporaine?

21. En quel sens les romans de Gide sont-ils religieux? Quelle est la valeur de sa psychologie religieuse?

22. Quelle est la part de la volonté dans l'œuvre de Gide?

23. Que signifie *vie secrète* dans l'œuvre d'Estaunié? Quels seraient les corollaires moraux de cette vie secrète?

24. Quels rapports ou quelle différence voyez-vous entre la théorie du déterminisme de Taine, celle de l'hérédité de Zola, et la théorie de la «vie secrète»?

25. Classez Brunetière, Bergson, Lavisse, Le Braz, Verhaeren, Samain, Rimbaud, Donnay, Faguet.
26. Quelles sont les tendances de la poésie moderne?   Quelle est l'influence de la poésie dans la période contemporaine?
27. La littérature contemporaine représente-t-elle les problèmes du temps présent?
28. La littérature contemporaine continue-t-elle les grandes traditions françaises du passé?

CINQUIÈME PARTIE

TABLE CHRONOLOGIQUE DES ŒUVRES PRINCI-
PALES DE LA LITTÉRATURE FRANÇAISE

VUE GÉNÉRALE

(NOTE.—Cette table est littéraire et non biographique;
la position d'un auteur représente donc une période importante et non pas les années de la vie. L'importance relative
d'un auteur est indiquée en divers caractères d'imprimerie;
la position verticale indique le genre; la position horizontale
indique l'ordre chronologique.)

MOYEN AGE

	1100	1200	1300
CARACTÈRES GÉNÉRAUX		Féodal, Religieux, Héroïque Un peu Grossier	
THÉATRE	*Jeu d'Adam* *Jeu de Saint-Nicolas* (BODEL)	ADAM DE LA HALLE *Miracle de Théophile* (RUTEBEUF)	
POÉSIE	**CHANSONS DE GESTE** (*Chanson de Roland*) Poèmes de l'Antiquité **ROMANS BRETONS** (**CHR. DE TROYES**) MARIE DE FRANCE	*Roman de la Rose* (Allégorie) *Roman de Renart* (Epopée Animale) *Aucassin et Nicolette* Rutebeuf **FABLIAUX** (jusqu'au milieu du 14e siècle)	
ROMAN ET CONTE	**ROMANS BRETONS** MARIE DE FRANCE		Romans d'Aventure
HISTOIRE ET THÉORIES POLITIQUES		VILLEHARDOUIN	JOINVILLE
PROSE EN GÉNÉRAL			
CRITIQUE			
PHILOSOPHIE ET THÉOLOGIE			
QUELQUES FAITS SAILLANTS D'HISTOIRE	Première Croisade, 1096	Cathédrales Monastères St. Louis, 1226–70	

PRÉRENAISSANCE

1300	1400	1500

**Déclin de la Féodalité
Stérilité Intellectuelle**

MYSTÈRES

Sotties

FARCES

Moralités

*Miracles de
Notre-Dame*

Pathelin

Les Confrères de La Passion

CHARLES D'ORLÉANS

Chartier

Christine de Pisan

VILLON

Romans
d'Aventure

Cent Nouvelles nouvelles

FROISSART   COMMINES

CHARTIER

Louis XI, 1461–83

Guerre de Cent Ans, 1337–1453

Jeanne d'Arc

RENAISSANCE (16e SIÈCLE)

	PREMIÈRE MOITIÉ	SECONDE MOITIÉ
	1500　　　　　　　　1550	1600
CARACTÈRES GÉNÉRAUX	Réveil Intellectuel Joie de Vivre	Réserve Croissante et Observation Critique
	Humanisme	
THÉATRE	MYSTÈRES Sotties FARCES Moralités	JODELLE 　　　Garnier
POÉSIE	MAROT Marguerite de Navarre	"LA PLÉIADE": ⎰ RONSARD ⎱ DU BELLAY, etc. 　　　D'Aubigné
ROMAN ET CONTE	RABELAIS (Gargantua et Pantagruel) Marguerite de Navarre	
HISTOIRE ET THÉORIES POLITIQUES		
PROSE EN GÉNÉRAL		AMYOT
CRITIQUE		DU BELLAY (Défense et Illustration)
PHILOSOPHIE ET THÉOLOGIE	CALVIN	MONTAIGNE (Essais)
QUELQUES FAITS SAILLANTS D'HISTOIRE	Guerres d'Italie François Ier, 1515–47 (Patron des Arts et des Lettres)	Henri IV, 1589–1610 Guerres Civiles et Religieuses Massacre de la St. Barthélemy, 1572

PÉRIODE CLASSIQUE (17ᵉ SIÈCLE)

TRANSITION	GRANDEUR	DÉCLIN
1600 1660	1685	1715
Préparation de la Discipline Classique	Ordre, Bon Sens, Régularité, Autorité	Libération et Transition

Montchrétien
HARDY
  Mairet
CORNEILLE (*le Cid*, 1637) (Créateur de la Tragédie)
Rotrou
	MOLIÈRE
	(Comédie)
	  RACINE
	(Tragédie)
		Regnard
		    LESAGE

MALHERBE	BOILEAU **LA FONTAINE**	
D'URFÉ (*l'Astrée*, 1607) Mlle de Scudéry Scarron	**MME DE LA FAYETTE** (*Clèves*, 1678)	**FÉNELON**
	BOSSUET	**FÉNELON**

BALZAC	**LA ROCHEFOUCAULD**
	Retz
	    BOSSUET
	MME DE SÉVIGNÉ
	(Lettres)
		LA BRUYÈRE
		  FÉNELON
		Bourdaloue (Sermons)

MALHERBE (Réformateur de la Poésie)	**BOILEAU** (Dictateur)	FÉNELON
DESCARTES (*Discours*, 1637) Saint François de Sales **PASCAL**	**BOSSUET**	Fénelon **BAYLE** **FONTENELLE**

Henri IV		
Louis XIII, 1610–43 Minorité de Louis XIV, 1643–61 Salons Académie	Règne Personnel de Louis XIV 1661–1715 Puissance et Prosperité	Vieillesse Déclin Défaite

LE DIX-HUITIÈME SIÈCLE

	FORMATION DE L'ESPRIT "PHILOSO-PHIQUE" 1715	LA LUTTE "PHILOSO-PHIQUE" 1750	LA RÉVOLUTION 1789 ⟶ 1799
CARACTÈRES GÉNÉRAUX	Critique Religieuse et Sociale	Tendances Humanitaires; Appel à la Raison	Stérile en Littérature et Grosse d'Événements Importants
THÉÂTRE	Voltaire **MARIVAUX** La Chaussée	**BEAUMARCHAIS** Diderot Ducis (Traductions de Shakespeare) Sedaine	
POÉSIE	Voltaire		**CHÉNIER**
ROMAN ET CONTE	**MARIVAUX** LESAGE PRÉVOST	**VOLTAIRE** Diderot **ROUSSEAU** B. de ST. PIERRE	
HISTOIRE ET THÉORIES POLITIQUES	SAINT-SIMON MONTESQUIEU	**VOLTAIRE** ROUSSEAU	
PROSE EN GÉNÉRAL	**VOLTAIRE** Vauvenargues	Buffon	Danton Robespierre Mirabeau (Éloquence)
CRITIQUE	Voltaire	Diderot	
PHILOSOPHIE ET THÉOLOGIE	**VOLTAIRE**	"PHILOSOPHES" (DIDEROT, etc.) *Encyclopédie* **ROUSSEAU**	
QUELQUES FAITS SAILLANTS D'HISTOIRE	Régence, 1715–24 Louis XV, 1715–74	Louis XVI, 1774–92	États Généraux République Décapitation du Roi Guerre Universelle Napoléon Bonaparte

LE DIX-NEUVIÈME SIÈCLE

ROMANTISME		RÉALISME ET NATURALISME
PRÉCURSEURS	ÉCOLE DE 1830	SYMBOLISME
1799	1830	1850 1890
Idéal Classique Combattu Religion, Nature, le "Moi" Forme Conservatrice	Couleur, Sentiment, Individualité, Révolte Contre les Règles	Pessimisme, Détachement, Pose Scientifique, Culte de la Forme
	Scribe (comédie)	AUGIER
	HUGO (*Hernani*, 1830)	DUMAS (fils)
Mélodrame	DUMAS (père)	BECQUE
	VIGNY	Sardou
	MUSSET	
	HUGO (1802–85)	Banville
LAMARTINE	VIGNY	BAUDELAIRE
	MUSSET	L. DE LISLE
		Heredia
	GAUTIER	S. Prudhomme
		Coppée
		VERLAINE
		Mallarmé
	HUGO	FLAUBERT
	VIGNY	GONCOURT
	Musset	
CHATEAUBRIAND	SAND	MAUPASSANT
Staël	STENDHAL ⎱ Vers	ZOLA
	MÉRIMÉE ⎰ le	DAUDET
	BALZAC ⎰ Réalisme	
		RENAN
	MICHELET	
		TAINE
	Lamennais	
STAËL	SAINTE-BEUVE	
CHATEAUBRIAND	HUGO	TAINE
Stendhal		
CHATEAUBRIAND	COMTE	TAINE
	Cousin	
*Empire, 1804–1815 Restauration, 1815–30 Révolution de 1830	Louis-Philippe Révolution de 1848 Deuxième République	Second Empire, 1852–70 Guerre Franco-Prussienne, 1870–71 Troisième République

PÉRIODE MODERNE

DEPUIS LE NATURALISME

	SYMBOLISME
	1890
CARACTÈRES GÉNÉRAUX	Déclin du Naturalisme; Individualisme, Régionalisme, Retour aux Formes Anciennes et au Conservatisme
THÉATRE	ROSTAND (*Cyrano*, 1897) MAETERLINCK BRIEUX CUREL Hervieu
POÉSIE	**JAMMES** **RÉGNIER** VERHAEREN Claudel Valéry
ROMAN ET CONTE	**FRANCE** **BOURGET** **GIDE** LOTI **PROUST** Estaunié
HISTOIRE ET THÉORIES POLITIQUES	Science plutôt que Littérature
PROSE EN GÉNÉRAL	
CRITIQUE	**BRUNETIÈRE** Lemaître Faguet, Maurras
PHILOSOPHIE ET THÉOLOGIE	**BERGSON**
QUELQUES FAITS SAILLANTS D'HISTOIRE	L'affaire Dreyfus, 1896 Séparation de l'Église et de l'État, 1905 La Grande Guerre, 1914–18

INDEX

Notre but a été d'aider l'étudiant à se servir utilement de ce *Manuel.* Cet index comprend:

(1) tous les noms de personnes qui, de quelque manière, méritent notre attention,

(2) les grandes époques littéraires telles que la Renaissance, le Romantisme,

(3) les ouvrages anonymes les plus connus,

(4) quelques faits historiques qui ont contribué à la marche progressive de la France.

INDEX

CENTURY MODERN LANGUAGE SERIES

Anthologies for the Study of French Literature

Medieval French Literature: Representative selections in modernized versions. Edited by T. R. Palfrey and W. C. Holbrook

Eighteenth Century French Plays. Edited by C. D. Brenner and N. A. Goodyear

Selections from Voltaire. Edited by George R. Havens

Nineteenth Century French Plays. Edited by J. L. Borger-hoff

Nineteenth Century French Prose. Edited by J. S. Galland and Roger Cros

Nineteenth Century French Verse. Edited by J. S. Galland and Roger Cros